JANA LUKAS

Die Mühlenschwestern

DIE HOFFNUNG
WIRD DICH FINDEN

ROMAN

WILHELM HEYNE VERLAG
MÜNCHEN

Sollte diese Publikation Links auf Webseiten Dritter enthalten,
so übernehmen wir für deren Inhalte keine Haftung,
da wir uns diese nicht zu eigen machen, sondern lediglich auf
deren Stand zum Zeitpunkt der Erstveröffentlichung verweisen.

Verlagsgruppe Random House FSC® N001967

Originalausgabe 08/2020
Copyright © 2020 dieser Ausgabe
by Wilhelm Heyne Verlag, München,
in der Verlagsgruppe Random House GmbH,
Neumarkter Str. 28, 81673 München
Redaktion: Diana Mantel
Printed in Germany
Umschlaggestaltung: ZERO Werbeagentur
unter Verwendung von Bildern von Stocksy/Brkati Krokodil,
GettyImages/lechatnoir, FinePi®
Satz: Uhl + Massopust, Aalen
Druck und Bindung: GGP Media GmbH, Pößneck
ISBN: 978-3-453-42426-5

www.heyne.de

Unser großer Dichter Goethe ging oft auf Reisen
und übernachtete gern in Müllerkreisen.
Doch lag ihm die Mühle nicht groß im Sinn.
Sein Augenmerk galt der schönen Müllerin.
Naturgemäß ein einfacher Grund:
blaue Augen, blondes Haar und ein schöner Mund.

(Sprichwort)

Prolog

Raus hier! Raus! Der Fluchtinstinkt setzte mit voller Macht ein. Rosa wollte sich gerade zwischen den Sesseln hindurchdrängen, als sie hinter sich die Stimme des Moderators wahrnahm.

»Frau Falkenberg, ist das Ihre Art, mit Kritik umzugehen? Ich habe Ihnen ein paar ernsthafte Fragen gestellt, und Ihre Reaktion ist ...«

Rosa wirbelte zu ihm herum. Er war ebenfalls aufgestanden, das Buch noch immer erhoben. Ohne nachzudenken, schlossen sich ihre Finger in einem Reflex um den Paperback-Einband. Sie riss ihm den Roman aus der Hand und rannte aus dem Studio, so schnell ihre High Heels sie trugen.

Wenige Stunden zuvor

Rosa Falkenberg genoss den Wind, der ihr ins Gesicht blies, das Dirndl gegen ihren Körper drückte. Sie trat noch ein bisschen fester in die Pedale – und schoss noch ein wenig schneller am Rand der smaragdgrünen Oberfläche des Sternsees entlang. Die Sonne schien vor einem leuchtend blauen Himmel, überflutete die Bergketten, die das Tal einschlossen, die

Wälder und den See mit gleißendem Licht. Die Wärme des Sommers hing noch zwischen den steilen Felswänden, aber der Herbst würde nicht mehr lange auf sich warten lassen.

Sie freute sich auf die kühleren Tage, den feuchten, erdigen Geruch. Andere liebten die Hitze des Sommers am Seeufer, den Winter, um durch den meterhohen Schnee zu toben, aber Rosa mochte schon immer den Herbst am liebsten. Die Zeit zwischen den beiden Hauptsaisons in den Bergen. Wenn das Tal durchatmete und der Wind die Herbstfarben von den Bergen herunterfegte.

Am 31. Oktober würden sie das erste Hoffest in der *Alten Mühle* feiern. Eine Veranstaltung, auf die sie hinfieberte. Ihre Tante Louisa und sie hatten in den letzten Jahren hart für den Erfolg ihrer kleinen Biomühle gearbeitet. Noch hatten sie nicht alles erreicht, was sie sich zum Ziel gesetzt hatten, aber sie waren auf einem guten Weg.

Auf dem Schotterweg, der zum Grundstück ihrer Tante führte, hörte Rosa auf zu treten. Sie rollte auf den gepflasterten Hof, der links von der Mühle begrenzt wurde, an der noch immer das alte Mühlrad träge Wasser schaufelte. Rechterhand lag das alte Wirtshaus, das ihre Tante vor dem Verfall gerettet und zu einem Hofladen ausgebaut hatte. Davor saßen ›die drei Alten‹ – wie sie Pangratz, Korbinian und Gustl nannte – und winkten ihr, als sie vom Rad sprang.

»Hallo, schöne Müllerin«, riefen sie ihr unisono zu und brachten Rosa damit, wie immer, zum Lachen. Sie stellte das Fahrrad in den Schuppen hinter der Mühle und strich sich über ihre Flechtfrisur, um sicherzustellen, dass der Wind sie nicht zu sehr zerzaust hatte.

Rosas Schwestern, Hannah und Antonia, standen vor dem Hofladen. Ihre Tante Louisa lehnte im Türrahmen und grinste breit, als Rosa über das unebene Kopfsteinpflaster zu ihnen hinüberging. »Ich habe keine Ahnung, was diese Woche los ist«, sagte sie. »Die Leute rennen uns die Bude ein. Und alle fragen nach der *schönen Müllerin*.«

Ihre Schwestern kicherten, und Rosa verdrehte die Augen. »Das ist sicher zum Teil die Schuld der drei Alten. Ich glaube aber auch, dass die neue Homepage und der nigelnagelneue Instagram-Account einfach gut funktionieren. Vielleicht bringt uns das ja die notwendige Aufmerksamkeit.«

Ein Paar um die vierzig schlenderte aus dem Laden. Die Frau blieb wie angewurzelt stehen, als sie Rosa erblickte. »Sie sind die schöne Müllerin«, sagte sie mit einer Stimme, die klang, als hätte sie gerade einen Filmstar getroffen. »Wahnsinn!« Die Hand in den Unterarm ihres Mannes gekrallt, zwang sie ihn zum Stehenbleiben. »Können wir ein Selfie miteinander machen?«

Rosa lächelte. »Natürlich.« Sie strich den Rock ihres Dirndls glatt und plauderte mit der Frau über das Tal und das Hotel, in dem das Paar seinen Urlaub verbrachte, während sie sich für das Foto neben sie stellte. Sie mochte die drei Alten, die ihre Vormittage auf einer Bank auf dem Dorfplatz und die Nachmittage tratschend vor dem Mühlenladen verbrachten. Aber sie hatte keine Ahnung, was sie den Feriengästen erzählten, dass sie plötzlich von wildfremden Leuten als *schöne Müllerin* angesprochen wurde.

»Sie machen auf mich eigentlich einen ganz kompetenten Eindruck«, holte die Frau sie aus ihren Gedanken. »Dieses Dirndl steht Ihnen außerdem ziemlich gut.« Abschätzig verzog sie den Mund. »Man sollte nicht zu viel auf die Ansichten von Männern geben.«

Rosa hatte keine Ahnung, wovon sie sprach, lächelte aber

trotzdem und bedankte sich für den Rat. Sie warf Antonia und Hannah einen Blick zu, die aber auch nur verständnislos mit den Schultern zuckten. Wer wusste schon, was in den Köpfen der Leute vorging?

Nachdem das Paar ein Dinkelmehl und zwei Brotbackmischungen gekauft und sich verabschiedet hatte, lehnte sich Rosa neben ihrer Tante gegen den Tresen im Laden. »Weißt du, was ich jetzt gerne hätte? Einen großen Latte macchiato.«

»Gute Idee«, pflichtete Antonia ihr bei. »Ich schließe mich an. Hannah?«

»Jepp. Für mich auch, bitte.«

»Kommt sofort.« Louisa drehte sich zur Kaffeemaschine um.

In der Tasche von Rosas Dirndlschürze begann ihr Handy zu klingeln. Sie zog es heraus und blickte auf das Display. Die Nummer mit Münchener Vorwahl kannte sie nicht. »Rosa Falkenberg«, meldete sie sich.

»Manuel Gerster von *Bayern TV*. Frau Falkenberg, ich weiß, es ist spontan, aber dürfen wir Sie heute Abend als Gast in unsere Talkshow einladen? Wir würden gern mit Ihnen über Ihr Leben sprechen.«

Rosa nahm das Handy vom Ohr, legte die Hand über das Mikro und quietschte begeistert. »Oh mein Gott!«, jubelte sie, streckte die Hände in die Luft und führte ein kleines Freudentänzchen auf.

Louisa drehte sich zu ihr um und beobachtete gemeinsam mit ihren Schwestern Rosas Ausbruch amüsiert.

»Ich komme« gerne«, sagte sie, als sie das Handy wieder ans Ohr hielt. Sie konnte es nicht fassen. Schon vor Monaten hatte sie sich bei der Late Night Show *Die Nacht in Bayern* beworben, um die Mühle und den Hofladen bekann-

ter zu machen. Der Sender hatte sich nie bei ihr gemeldet –
bis heute. Der nächste Schritt auf dem Erfolgsweg der *Alten
Mühle* war gemacht.

1

David Kaltenbach saß in einem Hotelzimmer in Hamburg fest. Die Wände um ihn herum waren türkis. Die Bettdecke, auf der er lag: türkis. Und der ausladende Sessel in der Zimmerecke, auf den er sein Jackett geworfen hatte, wies – Überraschung! – den gleichen Farbton auf. Zahnputzbecher, Handtücher, Toilettendeckel und Duschvorleger – alles türkis. Es gab keine Farbe, die David mehr hasste. Keine! Aber hier schien es kein Entkommen zu geben.

Ebenso wenig konnte er es ausstehen festzuhängen. Mit einem Seufzen griff er nach der Fernbedienung auf dem Nachttisch und zappte durch die Programme, bis er den bayerischen Lokalsender und *Die Nacht in Bayern* fand. Die Titelmelodie der Talkrunde erklang, und das gut gelaunte Grinsen des Moderators erschien im Bild.

Eigentlich müsste David gerade in einem der tiefen schwarzen Clubsessel sitzen, aber sein Agent hatte ihn zu einem Termin nach Hamburg geschickt. Eine Diskussionsrunde mit drei Feministinnen, die versucht hatten, ihm das Fell über die Ohren zu ziehen, weil sie seinen neuen Roman als unfassbar skandalös und frauenverachtend empfanden. Das Gespräch hatte ihm erstaunlich viel Spaß gemacht, auch wenn so zu denken mit Sicherheit nicht politisch korrekt war. Aber warum sollte er das auch sein? Dafür waren andere zuständig. Er hatte es genossen, die Damenrunde mit seinen frechen Sticheleien auf die Palme zu bringen – und wenn sie dachten, er würde endlich den Mund halten, noch mal eins draufzusetzen.

Dummerweise war sein Rückflug nach München gecancelt worden, und er würde erst am nächsten Morgen fliegen können. Er hatte bei dem Sender angerufen und seine Teilnahme an der Late Night Show abgesagt. Sie hatten ihn beruhigt, dass sie sich um Ersatz bemühen würden. Sein Agent hatte ihn später wissen lassen, dass sie *die schöne Müllerin* höchstpersönlich als Studiogast gewinnen konnten. Das wiederum wunderte David tatsächlich. Und zwar genug, dass er sich mit einer Tüte Chips und einem überteuerten Bier aus der Minibar auf sein Bett fläzte, um eine Talkshow zu gucken, statt die Nacht zu nutzen und über den Kiez zu ziehen. David würde sich den Fragen des Moderators an Rosa Falkenbergs Stelle nicht aussetzen. Warum tat sie sich das an?

Die Kamera schwenkte zu Gast Nummer eins, einem Sternekoch, der die Werbetrommel für seine neue Kochsendung rühren wollte. Dann wurden ein Saxofonist, der in wenigen Tagen sein erstes Album veröffentlichen würde, und eine abgehalfterte Schauspielerin vorgestellt, die offenbar nichts zur Show beizutragen hatte, sah man von ein paar wichtigtuerischen Lebensweisheiten ab. Noch ein Kameraschwenk – und da war sie.

Unbewusst richtete David sich auf.

»Begrüßen Sie *die schöne Müllerin*«, betonte der Moderator den mittlerweile gängigen Spitznamen der Frau, »die wir heute spontan als Studiogast begrüßen dürfen.« Die Kamera zoomte sie heran. Wie nicht anders zu erwarten steckte sie in einem Dirndl. Farbtechnisch schien David im Moment einfach Pech zu haben: winzige weiße Blümchen auf türkisem Grund. Er seufzte und trank einen Schluck Bier. Die Schürze war eine Nuance heller, und unter einer weißen Spitzenbluse und einem türkisfarbenen Mieder hob sich ein hübsches Dekolleté ab. Ihre goldbraunen Haare waren zu einem Zopf geflochten, der sich einmal um ihren gesamten Kopf wand. Das Gesicht war schön, aber am auffälligsten waren die dunkelbraunen Augen unter sanft geschwungenen Brauen. »Herzlich willkommen, Rosa Falkenberg.« Die Studiogäste grölten, pfiffen und klatschten. Rosa Falkenberg hob die Hand zu einem schüchternen Lächeln und strahlte in die Kamera. Sie sah aus, als – hätte sie keine Ahnung!

»Scheiße!« David griff nach seinem Handy und stieß dabei die offene Chipstüte vom Bett. Der Inhalt verteilte sich über den immerhin dunkelbraunen Teppichboden, aber das interessierte ihn im Moment herzlich wenig. Er tippte die Wahlwiederholung und hatte im nächsten Moment seinen Agenten, Martin Arens, an der Strippe. »Rosa Falkenberg ist in dieser Talkshow«, sagte er statt einer Begrüßung.

»Ja, ich sehe es mir auch gerade an. Ein gelungener Schachzug, wenn du mich fragst.« Er kicherte, und David bekam eine Gänsehaut. Männer sollten nicht kichern, schon gar nicht auf diese boshafte Art. »Das habe ich dir doch bereits geschrieben. Sie konnten dich für heute Abend nicht bekommen, also halten sie sich an die einzige Person, die fast genauso interessant ist wie du«, erklärte Martin ihm, was er in HD vor sich sah.

»Hast du ihr Gesicht gesehen?« Wieder schwenkte die Kamera, und David starrte in die dunklen Augen, die perfekt zu Rosas leicht olivfarbenem Teint passten. »Sie ist völlig ahnungslos!«

»Das macht es umso spannender. Findest du nicht?«

David sparte sich eine Erwiderung. Er legte auf, leerte sein Bier und angelte sich eine neue Flasche aus der Minibar, ohne den Blick vom Bildschirm zu nehmen. Unbehagen breitete sich auf seinem Körper aus wie eine Gänsehaut, wenn jemand mit der Gabel über einen Teller kratzte. Nur, dass er derjenige war, der die Gabel in der Hand hielt. Mit den Fingern seiner linken Hand fuhr er die erhabenen Lettern auf dem Cover seines Romans nach, den er beim Betreten des Zimmers achtlos auf das Bett geworfen hatte.

Die schöne Müllerin

Genau genommen handelte das Buch nicht nur von Rosa Falkenberg, die David gerade zum ersten Mal live sah. Bisher hatte er nur Fotos von ihr zu Gesicht bekommen. Eigentlich ging es in dieser Geschichte zu nicht gerade unwesentlichen Teilen um seinen idiotischen Halbbruder. Aber die Leser hatten sich auf Rosa eingeschossen – oder Josefine, wie sie im Roman hieß.

Aus irgendeinem Grund, den David nicht verstand, war sein Buch eingeschlagen wie eine Bombe. Er hatte nie verheimlicht, dass die Protagonisten real existierende Personen waren, ihre Namen aber für sich behalten. Das Ausplaudern hatte seine Mutter übernommen, die sich in der Aufmerksamkeit einer großen deutschen Klatschzeitung gesonnt hatte und abgesehen davon vermutlich ein riesiges Vergnügen dabei empfand, Davids Halbbruder Julian in die Pfanne zu hauen. Nach diesem Interview war das Internet praktisch vor Kommentaren explodiert. Es gab Leute, die David für sein Buch hassten. Jede Menge Typen klopften ihm virtuell auf die Schulter. Und glücklicherweise waren da draußen auch noch genug Leser, die sahen, was sein Roman wirklich war: eine zynische, bösartige Studie des Typs Frau, den Rosa Falkenberg verkörperte. Naive, hausmütterliche Weibchen, die blind für den Charakter ihres Partners waren und lieber heile Familie spielten, als sich der Realität zu stellen. Frauen, die belogen und betrogen wurden, ohne das in ihrer Arglosigkeit auch nur wahrzunehmen – oder es nicht wahrnehmen wollten. Weil sie mit Scheuklappen durch die Welt liefen – und nur ein Ziel hatten: geheiratet zu werden. Jedenfalls hatte *Die schöne Müllerin* die Bestsellerlisten gestürmt und von Fitzek bis Sparks alles verdrängt, was Rang und Namen hatte.

Der Moderator hatte ein paar Worte mit den anderen Gästen gewechselt, ehe er sich wieder an Rosa wandte. »Wir sind glücklich, dass Sie sich so kurzfristig bereit erklärt haben, den Abend mit uns zu verbringen.« Er beugte sich vertraulich vor. »Wir hoffen, ein paar der Geheimnisse aus Ihrem Leben aufdecken zu können.«

Zwischen Rosas Augenbrauen bildete sich für einen Moment eine Falte – und Davids Nackenhaare stellten sich auf. Dann glättete sich ihre Haut wieder, und sie lächelte. »Ich freue mich sehr, hier zu sein und über das Leben als Müllerin und vor allem etwas über die *Alte Mühle* in Sternmoos zu erzählen.« Sie beugte sich ein wenig vor, und die Kamera fing das spitzengesäumte Dekolleté in Großaufnahme ein. Als sie sich wieder zurücklehnte, hielt sie eine Porzellanplatte ins Bild. »Ich habe ein paar Kekse mitgebracht. Nach meinem eigenen Rezept und mit Mehl aus der *Alten Mühle* gebacken.«

David stieß einen Laut aus, der sich in seinen eigenen Ohren fassungslos anhörte. Er kniff die Augen zusammen und rieb sich mit den Händen über das Gesicht. Sie verhielt sich genau so, wie er es in seinem Buch geschrieben hatte. Genau so, wie die Leser sich die schöne Müllerin vorstellten. Natürlich wünschte er ihr nicht, dass sie im Fernsehen vorgeführt wurde, aber sie erfüllte mit jeder weiteren Frage, die sie beantwortete, die Klischees, die er von ihr gezeichnet hatte.

Rosa Falkenberg würde sich um Kopf und Kragen reden. Was unweigerlich dazu führen würde, dass sein Buch eine weitere Auflage bekam und noch mehr Exemplare über den Ladentisch gehen würden.

*

Rosa konnte sich nicht erinnern, jemals in ihrem Leben so aufgeregt gewesen zu sein wie unter den grellen, heißen Scheinwerfern im Studio. Der Moderator, Bruno Baumert, lächelte freundlich, erinnerte sie allerdings an einen Hai, der seine Beute mit seinen kleinen schwarzen Knopfaugen fixierte, bevor er unvermittelt zubiss. Von dem Sternekoch, der mit ihr gemeinsam in der Runde saß und mürrisch vor sich hinblickte, solange die Kameras nicht auf ihn gerichtet waren, besaß sie ein Kochbuch. Den aufstrebenden Musiker kannte sie nicht. Die in die Jahre gekommene Schauspielerin, Bernadette Hellmann, hatte in einigen Filmen mitgespielt, die Rosa in ihrer Kindheit gesehen hatte. Lange bevor die Frau einige fragwürdige Schönheitsoperationen über sich hatte ergehen lassen, die ihr Gesicht in eine Art gruselige Halloween-Maske verwandelt hatten.

Bevor sie in den Zug nach München gestiegen war, hatte

Rosa noch ein paar Schokoladenkekse mit Dinkelmehl aus der Alten Mühle gebacken. Vielleicht würde sich jemand aus der Gästerunde positiv darüber äußern. Eine perfekte Werbung für ihre Produkte. Als sie das Gebäck allerdings anbot, erntete sie fassungslose Blicke. Nur der Saxofonist griff sich gleich zwei Kekse und stopfte sie sich auf einmal in den Mund. Rosa vermutete anhand seiner langsamen, etwas unkoordinierten Bewegungen, dass er bekifft war.

»Wir hoffen, ein paar der Geheimnisse aus Ihrem Leben aufdecken zu können«, war die erste merkwürdige Ankündigung des Moderators, auf die zwei Fragen folgten. »Sie haben diese Kekse selbst gebacken?«, wollte er wissen, ließ Rosa aber gar nicht erst antworten. »Dann stimmt es also, dass Sie gerne am Herd stehen?«

»Äh … ja.« Rosa blickte in die Kamera. Sie mochte den Unterton der Frage nicht, die wirkte, als sei es etwas Biederes, Spießiges, gern zu kochen und zu backen.

»Das Gleiche gilt für Ihre Kleidung, nicht wahr?« Haifischgrinsen. »Sie mögen traditionelle Kleidung, und Ihre Frisuren passen auch dazu. Ist das nicht inzwischen ein wenig überholt? Zumindest im Alltag?«

Was hatte das mit der Mühle zu tun? Rosa versuchte, nicht die Stirn zu runzeln, weil das die Kameras mit Sicherheit festhalten würden. »Dirndlgewänder gehören zu den Traditionen im Berchtesgadener Land und sind trotzdem zeitgemäß. Ich trage sie gerne. Wenn ich in der Mühle arbeite, habe ich natürlich Arbeitskleidung an«, versuchte sie abermals, den Fokus auf die Mühle zurückzulenken.

»Ach ja, Sie jobben ja für Ihre Tante.«

»Nein! Ich bin …«

»Verdammt, Mädchen! Das ist ja nicht zum Ansehen«,

schnitt ihr Bernadette Hellmann das Wort ab, ohne ihr ge-
botoxtes Gesicht dabei wirklich zu bewegen. »Schämen Sie
sich nicht?«

»Was…?«

Doch Rosa kam nicht zu Wort. »Sie setzen sich hier hin,
verbreiten die Vorstellung eines völlig überholten Frauenbil-
des und sind auch noch stolz darauf!«

Rosa zuckte zurück. Was meinte diese Frau? Sie führte
gemeinsam mit Louisa ein erfolgreiches Unternehmen. Zwei
Frauen, die versuchten, ökologisch und biologisch nachhal-
tig zu produzieren. Gerade wollte sie zu einer Erwiderung
ansetzen, als Bernadette Hellmann ein »Sie Dummchen!«
zwischen ihren aufgespritzten Lippen hervorpresste.

Rosa begann unter ihrem dicken Make-up zu schwit-
zen. Die nette Dame in der Maske hatte beteuert, dass die
Schminke, die sie ihr ins Gesicht geklatscht hatte, helfen
würde, nicht vor der Kamera zu glänzen. Aber so heiß wie ihr
gerade wurde… »Ich verstehe nicht, was Sie meinen. Die
Mühle meiner Tante produziert regionale Produkte, und die
Rohstoffe, also das Getreide, kommen ebenfalls von Bauern
aus der Umgebung. Wir bemühen uns…«

»Uns interessiert mehr Ihr Lebensstil«, mischte sich Baumert wieder ein. »Wir reden schließlich über das Buch, in
dem Ihre Geschichte erzählt wird.«

Es dauerte einen Moment, bis das Gesagte in Rosas Gehirn sickerte. Buch? Sie vergaß die Kameras, die auf sie gerichtet waren, nahm das Glühen der Scheinwerfer nicht
mehr wahr. »Was für ein Buch?«

Der Moderator warf ihr einen irritierten Blick zu. »*Die
schöne Müllerin*«, erwiderte er und hielt ein Taschenbuch
in die Kamera. »Lassen Sie uns darüber reden, warum Ihr

Freund der Meinung ist, dass Ihr spießiges, konservatives Leben ihn dazu treibt, sich bei anderen Frauen zu holen, was Sie ihm nicht geben können.«

Rosas Kopf summte. »Welches Buch?«, fragte sie noch einmal.

»Der Roman, den der Bruder Ihres Lebensgefährten über Sie geschrieben hat«, erklärte Baumert und sah Rosa an, als sei sie ein minderbemitteltes kleines Mädchen.

»Halbbruder«, korrigierte Frau Hellmann den Moderator.

Offenbar schien hier jeder zu wissen, worum es ging. Jeder! Außer Rosa.

»Halbbruder«, verbesserte der Moderator sich. »Also, warum glaubt Ihr Lebensgefährte, in Ihrer heilen Welt ersticken zu müssen? Warum zwingt Ihr Verhalten ihn, fremdzugehen und das Abenteuer bei exotischen Frauen in ganz Europa zu suchen? Liegt es an Ihrem Versuch, ihn in die Hochzeitsfalle zu locken?«

»Ich … was …?« Rosa verstand nicht, wovon der Moderator sprach. Es ging um Julian. Um sie. Und um ein Buch. Ein Buch, in dem stand, dass ihr Freund sie betrog, weil … weil ihre heile Welt ihn erstickte? Für den Bruchteil einer Sekunde kam alles um sie herum zum Stillstand, und Rosa begriff: Sie saß in der Falle. Sie war nach München gekommen, um über die *Alte Mühle* zu reden. Aber das war nicht der Grund für die Einladung in die Talkshow gewesen. Was vermutlich bedeutete, dass sie sich um Kopf und Kragen geredet hatte. Sie würde es auf jeden Fall tun, wenn sie auch nur noch ein einziges Wort sagte.

Der Moderator hielt noch einmal das Buch hoch und sprach weiter auf Rosa ein. Sie verstand ihn über das Summen in ihren Ohren hinweg nicht. Das Blut rauschte mit der Geschwindigkeit einer Tsunamiwelle durch ihren Körper, und zum ersten Mal hatte sie das Gefühl, dass die Schnürung ihres Dirndls ihr die Luft zum Atmen nahm. Sie spürte wieder die Kamera, die ihr Gesicht heranzoomte. Ihre Wangen glühten. Sie musste hier raus.

»Entschuldigen Sie mich«, flüsterte Rosa, obwohl ihre Worte vermutlich über das Mikrofon an ihrer Bluse laut und klar übertragen wurden. Sie erhob sich und machte auf wackligen Knien einen Schritt zur Seite, stieß gegen den Sessel des Fernsehkochs. »Entschuldigung.« *Raus hier! Raus!* Der Fluchtinstinkt setzte mit voller Macht ein. Rosa wollte sich gerade zwischen den Sesseln hindurchdrängen, als sie hinter sich die Stimme des Moderators wahrnahm.

»Frau Falkenberg, ist das Ihre Art, mit Kritik umzugehen? Ich habe Ihnen ein paar ernsthafte Fragen gestellt, und Ihre Reaktion ist …«

Rosa wirbelte zu ihm herum. Er war ebenfalls aufgestanden, das Buch noch immer erhoben. Ohne nachzudenken, schlossen sich ihre Finger in einem Reflex um den Paperback-Einband. Sie riss Baumert den Roman aus der Hand und rannte aus dem Studio, so schnell ihre High Heels sie trugen.

»Hey! Das Mikro bleibt hier!« Ein Tonassistent stellte sich ihr in dem dunklen Tunnel hinter dem Studioausgang in den Weg. Rosa drückte sich an ihm vorbei und riss sich im Weiterlaufen die Verkabelung herunter, was zum zweiten Mal innerhalb einer Minute dazu führte, dass sie ihr Dirndl verfluchte. Schließlich hatte sie das Kabel unter ihrer Kleidung hervorgefädelt und warf es dem Techniker zu.

Im nächsten Moment schob sie die schwere Metalltür auf, die das Studio vom Rest der Welt trennte, und stolperte in das grelle Licht eines leeren Flurs. Sie hastete nach links und fand ihre Garderobe, nachdem sie zwei falsche Türen aufgerissen hatte. Mit zitternden Fingern tauschte sie ihre High Heels gegen flache Ballerinas, raffte ihre Sachen zusammen und setzte ihre Flucht fort.

Vor dem Sendegebäude sprang sie in ein Taxi und ließ sich zum Bahnhof bringen. Sie hörte das Vibrieren des Handys in ihrer Handtasche. Es erstarb, nur um im nächsten Moment von vorn anzusetzen. Wieder und wieder. Sie hatte so vielen Leuten davon erzählt, dass sie Gast bei *Die Nacht in Bayern* war. Ja, sie hatte es sogar auf ihrer Homepage gepostet. Und auf Instagram. O Gott! Sie ignorierte die Anrufe und versuchte einfach, an gar nichts zu denken.

Am Bahnhof hatte das Schicksal offenbar ein wenig Mitleid mit ihr: Sie erwischte einen Zug früher als ursprünglich geplant. Die Bahn stand bereits am Gleis. Rosa sprang hinein und ließ sich auf einen leeren Viererplatz fallen. Ihre Tasche stellte sie neben sich. Das Buch, das sie Baumert aus der Hand gerissen hatte, legte sie vor sich auf das vibrierende Resopal des Tisches.

Der Zug fuhr an, und die grelle Beleuchtung des Bahnsteigs glitt blendend an ihr vorbei. Für einen Moment wurde der Waggon in die Dunkelheit der Nacht gehüllt, in der nur die vor Leben pulsierenden Lichter der Großstadt glitzerten. Dann schaltete sich flackernd die Deckenbeleuchtung ein.

Rosa ignorierte den Anblick des nächtlichen Münchens. Ihre Finger strichen über die erhabenen Lettern auf dem Buch vor sich. *Die schöne Müllerin.* Ein Roman von David Kaltenbach. Das Cover war ausgefüllt von einem Dirndl-Dekolleté. Zwischen den Brustansätzen pendelte eine Kette mit einem Herzanhänger, wie Rosa selbst einen besaß. Ein kalter Schauer lief ihr über den Rücken. Ihre Kette … das war doch nicht etwa ein Bild … Nein. Rosa atmete tief durch, um sich zu beruhigen. Sie besaß so eine Kette, aber das Titelfoto war ganz eindeutig nicht ihr Körper. Wenigstens das …

Mit zitternden Händen nahm sie das Buch zur Hand und schlug es auf.

2

Der Klappentext versprach einen Blick hinter die Kulissen des vermeintlich so perfekten Lebens der Müllerin Josefine in einem abgeschiedenen Bergtal im Berchtesgadener Land und ihre Versuche, einen Mann in die Ehefalle zu locken. Der Roman, der auf wahren Begebenheiten basiere, sei der beste Beweis dafür, dass man mit einer zurückgebliebenen, dörflichen Lebensweise keinen Mann dazu brachte, einen Treueschwur zu leisten – und höchstens dafür sorgte, dass er so schnell wie möglich das Weite suchte.

Merke!, las Rosa das aufgedruckte Zitat aus dem Buchdeckel unter dem Klappentext. *Die Müllerin mag noch so schön sein: Wenn ihre strengen Flechtfrisuren ihren Horizont abschnüren, dann ist sie eben nur das: eine Frau mit begrenztem Horizont. Und das soll der Typ Frau sein, nach dem Männer sich sehnen?*

Was für eine Unverschämtheit! Rosa schnappte empört nach Luft. Aus wütend zusammengekniffenen Augen studierte sie das Foto des Mannes, das am unteren Rand der Seite abgedruckt war. David Kaltenbach. Julians Bruder, hatte diese Bernadette Hellmann vorhin behauptet. Besser gesagt: sein Halbbruder. Der Mann auf dem Bild trug den gleichen Nachnamen wie Rosas Freund. Aber Julian hatte nie einen Bruder erwähnt – auch keinen halben –, und die beiden

Männer sahen sich nicht im Geringsten ähnlich. Julian war ein blonder Sonnyboy mit graublauen Augen und einem verschmitzten, strahlenden Lächeln. Dieser David hingegen … finster und zynisch war das Erste, was ihr zu seinem Konterfei einfiel. Seine Haare waren dunkel und reichten ihm bis zum Kragen. Sie waren aus dem Gesicht gekämmt, was seine markanten Augenbrauen in Szene setzte. Die Augen, deren Farbe Rosa nicht erkennen konnte, blickten missmutig in die Kamera, und sein Mund war zu einem so geraden Strich zusammengekniffen, dass sie nicht sagen konnte, welche Form seine Lippen hatten. Rosa war sich sicher, dass es genügend Frauen gab, die genau diesen Typ Mann aufregend fanden. Sie gehörte ganz eindeutig nicht dazu – sie bevorzugte helle, strahlende Männer, die lustig waren, unkompliziert. Männer wie ihr Freund eben.

Dieser Autor und Julian konnten keine Brüder sein. Vielleicht hatte das jemand durcheinandergebracht oder einfach etwas Falsches behauptet, weil sie den gleichen Nachnamen trugen. Im Zeitalter der sozialen Medien und der Digitalisierung entstanden Gerüchte schließlich schneller, als man mit dem Finger schnippen konnte. Rosa griff nach ihrem Handy, ignorierte die Anrufe und Nachrichten, die auf dem Display aufleuchteten, und googelte *David Kaltenbach*. Es konnte gar nicht anders sein. Eine Verwechslung. Sie fand seine Homepage, rief seine Vita auf. Vierunddreißig, Studium der Buchwissenschaften und Germanistik in München, der Stadt, in der er auch lebte. Autor und Kolumnist. Von einer Familie stand nirgends etwas.

Rosa kehrte zu Google zurück und gab *Die schöne Müllerin* ein. Als Erstes wurde ihr der Roman angeboten, dann folgten ein paar Rezensionen. Leser, die das Buch verrissen. Andere, die es in den Himmel lobten. Zeitungsartikel griffen das Thema auf. Links leiteten zu Fernsehauftritten des Autors. Schlagzeilen wie *Eine völlig neue Art, Geschichten zu erzählen* oder *Ein Roman im hippen, zynischen Style eines Poetry Slams* leuchteten ihr entgegen. »Hauptsache, man polarisiert«, murmelte sie und versuchte es mit einer neuen Suche: *Wer ist die schöne Müllerin?* Das Suchergebnis ploppte sofort auf. *Mutter des Bestsellerautors lüftet das Geheimnis um die Protagonisten seines Romans. Erfahren Sie mehr im exklusiven Video-Interview in der Onlineausgabe unseres Magazins.* Sie folgte der Aufforderung des Klatschblattes, fand ein Video, das erst vier Tage zuvor ins Netz gestellt worden war, und klickte auf Play. Das Gesicht einer dunkel haarigen Frau erschien, dann fror das Bild ein, und das blaue Rädchen begann, sich zu drehen. Die Internetverbindung im Zug war bescheiden und verlangte Rosa mehr Geduld ab, als sie im Moment aufbringen konnte – und wollte. Schließlich lief das Video wieder an und räumte jeden Zweifel aus. Jeden Irrtum. Jede Hoffnung, dass ihr Name nicht fallen würde. Sie ließ den Kopf gegen die Sitzlehne sinken und schloss für einen Moment die Augen, während David Kaltenbachs Mutter erzählte, dass es sich bei der Buchfigur Fabian um seinen Halbbruder Julian und bei Josefine um eine gewisse Rosa Falkenberg aus Sternmoos im Berchtesgadener Land handele – egal wie oft ihr Sohn David das bisher in Interviews geleugnet habe. Sie betonte immer wieder, dass das Buch auf wahren Tatsachen beruhte.

»Bockmist«, murmelte Rosa. Sie schlug den Roman auf und las die ersten Zeilen, die in ihrer Reimform tatsächlich ein wenig an einen Poetry Slam erinnerten, sie abgesehen davon aber fassungslos machten.

Es war einmal…

… eine schöne Müllerin. Der stand nur nach einer Sache der Sinn:

Einer Hochzeit mit großem Tamtam, mit der sie in ihrem Bergdorf angeben kann.

Naiv, blond und adrett, zerrte sie meinen Bruder in ihr Bett.

Doch das war ein Fehler, wie ich aus sicherer Quelle weiß. Für ihre Ziele interessiert er sich einen Scheiß.

Stattdessen vögelt er andere Frauen – und, das ist gar nicht nett, – mitunter sogar in meinem Bett.

Warum ich euch dieses Phänomen beschreibe? Weil ich der bin, der darunter leidet.

Was meinte er damit? Wieso sollte sie als Vorlage für eine Figur hergehalten haben, die unbedingt heiraten wollte? Und was er da über diesen Fabian schrieb – der in Wirklichkeit Julian sein sollte…

Rosa blätterte durch die Seiten, begann, sie querzulesen. Von Wort zu Wort nahm ihre Fassungslosigkeit zu. Dieses Buch, das ›auf wahren Tatsachen beruhte‹, war eine reißerische Abrechnung mit einem Typ Frau, den David Kaltenbach – ohne ihr jemals begegnet zu sein – in ihr zu sehen schien. Mit einem Typ Frau, von dem sie so weit entfernt war wie Kaltenbach davon, einen gut recherchierten Roman zu schreiben. Sie mochte ihre Kleider und ihre Frisuren. Na und? Gern und gut zu kochen und zu backen war ebenfalls kein Verbrechen und passte, wenn man den ständigen Kochsendungen im Fernsehen Glauben schenken durfte, durchaus zu selbstständigen, modernen Frauen. Warum dieser Kaltenbach glaubte, sie war darauf aus, geheiratet zu werden, war ihr schleierhaft.

In Freilassing stieg eine ältere Dame ein und setzte sich

Rosa gegenüber. Sie musterte sie mit einem so durchdringenden Blick, dass in Rosa die Angst wuchs, dass die Dame die Fernsehshow gesehen oder im Internet herumgesurft hatte und sie als die Frau erkannte, die heute den erniedrigendsten Moment ihres Lebens erlebt hatte. Sie hob das Buch und versteckte sich hinter den Seiten.

»Sie sollten sich schämen«, sagte die alte Frau. Damit hörte Rosa diese Worte bereits zum zweiten Mal an diesem Abend. Ehe sie etwas erwidern konnte, spürte sie, wie sich die Dame vorbeugte. Unbeirrt sprach sie weiter. »So etwas zu lesen. Der Schmierfink, der das geschrieben hat, ist ein mieser Frauenverachter.« Sie gab einen unwirschen Ton von sich. »So etwas sollte es heutzutage nicht mehr geben.«

»Ich mache mir nur ein Bild von der Geschichte«, murmelte Rosa und spürte, wie ihre Wangen bereits wieder Feuer fingen.

*

Louisa Anger ging den hübschen Pfad aus Feldsteinen entlang, der, eingesäumt von gepflegten Blumenbeeten, zu Ferienapartment Nummer sieben führte. Brandl hatte sich für den Sommer im Erdgeschoss eines alten, umgebauten Bauernhofes eingemietet.

Vor der tannengrün lackierten Tür blieb Louisa stehen. Die Kutscherlampe über dem Eingang malte einen warmen Lichtkegel in die Nacht. Rechts von der Tür rankte eine dunkelrote und trotz des beginnenden Herbstes noch immer schwer mit Blüten behängte Rose an der Wand empor. Das schmale Messingschild mit der Hausnummer war zwischen den dichten Ranken kaum noch auszumachen.

Louisa atmete tief durch und klingelte. Sie war schon einmal hier gewesen, auch wenn sie das Ferienapartment damals nicht betreten hatte. Fast zwei Monate war das jetzt her. Damals war der Blumenkasten am Fenster neben der Tür noch vor Geranien übergequollen. Inzwischen hatte jemand die Blüten durch eine herbstliche Deko aus kleinen Kürbissen, Heidekraut und Tannenzapfen ersetzt.

Brandl öffnete die Tür und strahlte Louisa an. »Guten Abend.« Mit einer galanten Geste bat er sie einzutreten. »Ich freue mich, dass du gekommen bist.«

»Ja.« Louisa spürte, dass sich ihr Herzschlag ein wenig beschleunigte. Sie hatte nicht gewusst, was sie von diesem Treffen halten sollte. Brandl hatte sie regelrecht bekniet, mit ihm auszugehen. Wie alte Freunde, hatte er gesagt. Einfach einen schönen Abend miteinander verbringen, ungezwungen und entspannt. Er hatte sie um diesen einen Abend gebeten und ihr angeboten, sie in Ruhe zu lassen, falls sie danach darauf bestehen würde, dass er sich von ihr fernhalten sollte. Und nun war sie hier, nicht sicher, wie der Abend verlaufen würde.

Brandl stand vor ihr, lässig in Jeans, einem dunkelblauen Poloshirt und dicken Socken, die vom gleichen Grau waren wie seine Haare. Louisa hatte sich ebenfalls für Jeans, eine Bluse und eine leichte Strickjacke entschieden. Nicht zu aufgedonnert für einen Abend, den sie in Brandls vorübergehendem Zuhause verbringen würden. Es war schlimm genug, dass sie sich überhaupt Gedanken über ihr Outfit gemacht hatte. Zu ihrer Erleichterung versuchte Brandl nicht, sie zu küssen. Weder auf den Mund, wie er es vor vierzig Jahren getan hätte, noch auf die Wange, wie es ein guter Freund vielleicht tun würde. Sie waren keine Freunde, rief sich Louisa die Tatsachen in Erinnerung. Sie hatten sich nach einer kurzen, stürmischen Affäre vor fast einem halben Jahrhundert auf äußerst unschöne Weise getrennt. Louisa hatte die Erinnerungen an ihn aus ihrem Leben verbannt. Und dann war er in diesem Sommer plötzlich, wie aus dem Nichts, in Sternmoos aufgetaucht, um einen Oldtimer im *Alten Milchwagen* restaurieren zu lassen. Womit er nicht nur alte Wunden wieder aufgerissen hatte, sondern Louisa plötzlich in eine Situation geraten war, in der sie Geheimnisse hüten musste, genauso wie er das damals gemacht hatte.

»Ein Glas Wein für dich?«, fragte Brandl. Sein Blick fiel auf ihre ineinander verkrampften Finger, und Louisa zwang sich, locker zu lassen.

Wein würde auf jeden Fall helfen. »Gerne«, blieb sie bei ihren einsilbigen Antworten. Sie musste sich zusammenreißen, sonst würde Brandl die Unterhaltung allein bestreiten müssen. Andererseits gab es auch keinen Grund, es ihm besonders leicht zu machen. Louisa folgte ihm aus dem spärlich beleuchteten Eingangsbereich in einen gemütlichen Wohnraum, auf dessen linker Seite sich die Küche befand, vom Rest getrennt durch einen Frühstückstresen aus weiß lasiertem Holz. »Gemütlich hast du es hier«, stellte sie fest. Der ungehinderte Blick aus allen Fenstern auf den Watzmann, das Wahrzeichen Berchtesgadens, war atemberaubend. Die Sonne begann gerade, hinter das Bergmassiv zu sinken, und schuf so eine ganz besondere Stimmung. Brandl hatte die Flügeltüren, die auf eine Terrasse führten, geöffnet und gegen die kühle Abendluft den Kamin eingeheizt. Der Esstisch war für zwei gedeckt. Papierservietten, aber gleichzeitig zwei dicke Stumpenkerzen in einem hübschen Blumenarrangement auf dem Tisch. Er hatte sich eindeutig Mühe gegeben.

»Ich fühle mich auch wirklich wohl hier«, sagte Brandl, brachte ihr ein Glas Rotwein und stieß mit seinem Glas gegen ihres. »Selbst wenn mir für die Inneneinrichtung kein Lob gebührt. Auf einen schönen Abend.« Er wartete, bis Louisa an ihrem Wein genippt hatte, ehe er fortfuhr. »Ein Nero d'Avolo. Einer meiner Lieblingsweine.«

»Schmeckt gut.« Louisa sah sich weiter in dem sandfarben gestrichenen Raum mit den weißen Landhausmöbeln um und suchte krampfhaft nach einem Gesprächsthema. Small Talk war noch nie ein Problem für sie gewesen – bis jetzt offenbar. Denn ihr Kopf war wie leer gefegt.

Brandl rettete sie. »Willst du dich noch einen Moment zu mir an den Küchentresen setzen? Es dauert noch ein paar Minuten, bis das Essen fertig ist.«

Louisa folgte ihm und nahm auf einem der gepolsterten Hocker an der Kücheninsel Platz. Sie stellte das Glas vor sich ab und blickte auf das leichte Chaos, das auf der anderen Seite des Tresens herrschte. »Du kochst tatsächlich selbst«, bemerkte sie mit Blick auf die aufgerissene Mozzarellapackung, die leere Dose Kokosmilch und die Zwiebelschalen. Eigentlich hatte sie eher erwartet, dass er einfach ein paar Lieferboxen von einem der Berchtesgadener Restaurants ordern würde.

Brandl grinste. »Kaum zu glauben, oder? Früher bin ich ja schon über das Öffnen einer Raviolidose nicht hinausgekommen.«

Louisa konnte nicht anders, als sein Lächeln zu erwidern. »Manchmal haben deine WG-Mitbewohner und du euch nicht einmal die Mühe gemacht, die Ravioli warm zu machen und sie direkt aus der Dose gegessen.«

Brandl verzog das Gesicht und schüttelte sich. »Ich möchte nicht einmal daran denken. Wir waren wilde Tiere, bis du bei uns eingezogen bist.« Sein Blick bekam einen versonnenen Ausdruck, und Louisa wurde sich wieder ihres unangenehm schnell klopfenden Herzens bewusst. Sie war verdammt noch mal über sechzig! Wirklich, sie ließ sich doch nicht mehr von charmanten Männern um den Finger wickeln oder in den Strudel der Erinnerungen an eine Zeit ziehen, die so hässlich geendet hatte.

»Jedenfalls koche ich inzwischen gern«, fuhr Brandl fort. »Nicht jeden Tag, aber hin und wieder macht mir das wirklich Spaß.« Er trank einen Schluck Wein, stellte sein Glas dann neben die Zwiebelschalen und begann, Salat zu rupfen. »Wir haben genug Zeit zu essen, bevor die Talkshow beginnt.«

»Kann ich dir bei etwas helfen?«, fragte Louisa. Es war nie ihr Plan gewesen, sich bei Brandl zum Essen einzuladen. Sie waren für diesen Abend eigentlich in einem Restaurant in Salzburg verabredet gewesen. Aber dann hatte Rosa die überraschende Einladung nach München bekommen, um im Fernsehen über die *Alte Mühle* zu sprechen. Diesen Auftritt wollte sich Louisa auf keinen Fall entgehen lassen und hatte daher Brandl angerufen, um abzusagen. Aber er hatte das schlicht nicht gelten lassen und stattdessen einfach angeboten, bei ihm zu essen und die Show zusammen zu sehen.

»Du kannst einfach hier sitzen und mir Gesellschaft leisten. Mari und ich haben immer gesagt: Die Küche gehört nur einem. Entweder hat sie gekocht oder ich. Zusammen … Ähm …« Brandl schien sich bewusst zu werden, was er gerade gesagt hatte, und sah auf. Eine seiner grauen Locken war ihm in die Stirn gefallen. »Entschuldige, ich weiß nicht, ob dieses Thema gut für diesen Abend ist.«

Louisa schluckte. Sie drehte ihr Weinglas zwischen den

Fingern. Dieser Abend diente dazu, sich wieder ein wenig besser kennenzulernen. Die vierzig Jahre, die vergangen waren, ließen sich da schlecht ausklammern. »Nein, schon gut«, sagte sie und sah Brandl fest in die Augen. »Erzähl mir von ihr. Sie ist Teil deines Lebens. Es wäre merkwürdig, so zu tun, als gäbe es sie nicht.«

Brandl zögerte. Louisa sah in seinem Blick, dass er mit sich rang, nicht sicher war, ob sie ihre Frage ernst gemeint hatte. Dann nickte er. »Wir haben uns in vielen Dingen gut ergänzt. Aber die Küche war immer ein Schlachtfeld, wenn wir versucht haben, etwas zusammen hinzubekommen.« Er wusch eine Handvoll Kirschtomaten und legte sie auf das Schneidebrett. »Unsere Vorstellungen vom Kochen gingen einfach zu weit auseinander.«

»Vermisst du sie?«, stellte Louisa die Frage, die viel zu viel Interesse an seinem Leben signalisierte. Sie ärgerte sich darüber, dass sie ihr rausgerutscht war, gestand sich aber ein, dass sie wirklich neugierig auf die Antwort war.

»Das tue ich tatsächlich.« Brandl lächelte Louisa an – und sorgte dafür, dass das unangenehme Tempo ihres Herzens wieder stieg. War sie eifersüchtig? Auf eine Frau, die sie nicht einmal kannte? Und die sie genauso wenig anging wie der Mann auf der anderen Seite der Kücheninsel. Sie unterdrückte einen Seufzer und trank noch einen Schluck Wein, während Brandl weitersprach. »Allerdings mehr als meine beste Freundin, die sie immer war.« Er stieß ein kleines Lachen aus und schob die geschnittenen Tomaten vom Schneidebrett in eine Schüssel. »Wenn man es genau nimmt, wären wir von Anfang an als Freunde besser dran gewesen.« Er zuckte mit den Schultern und begann, eine Gurke zu raspeln. »Ich bereue es nicht, sie geheiratet zu haben. Wir waren viele Jahre glücklich. Und unsere Scheidung ... na ja, ich bin froh, dass wir keinen Krieg vom Zaun gebrochen haben. Alles lief ganz zivilisiert und höflich ab. Wenn sie mir nach der Trennung über den Weg gelaufen ist, habe ich nicht die Straßenseite gewechselt. Nein, ich habe sie in den Arm genommen, sie auf die Wange geküsst und wir sind einen Kaffee trinken gegangen. Drei Jahre liegt unsere Scheidung jetzt schon zurück, und unsere Freundschaft ist höchstens stärker geworden.«

»Das klingt wirklich nach einer guten Freundin. Und dieser Junge? Ihr Sohn?« Bei ihrem ersten Treffen in Salzburg hatte Brandl von ihm erzählt. Etwas, das ihr für immer verwehrt bleiben würde. Brandl hatte ihr erzählt, dass seine Ex-Frau den Sohn mit in die Ehe gebracht hatte. Obwohl sie inzwischen genug Zeit gehabt hatte, sich an den Gedanken zu gewöhnen, zog sich ihr Magen ein wenig zusammen. Wenigstens hatte sie sich inzwischen gut genug im Griff, nicht mehr so auszuflippen wie damals und ihn einfach auf der Terrasse des Restaurants sitzen zu lassen. Aber auch das war Teil seiner Geschichte. Und wenn sie etwas darüber erfahren wollte, musste sie ihn fragen.

»Ben?« Nun strahlte er über das ganze Gesicht. »Der Junge war der größte Segen. Ich hatte das Glück, ihn großziehen zu dürfen. Er war fünf, als Mari und ich geheiratet haben. Als wir uns getrennt haben, war Ben schon erwachsen. Mit Sicherheit war es vor allem für ihn das Beste, dass wir keinen Rosenkrieg angezettelt haben. Ben ist fast so alt wie deine Nichten. Ich bin unglaublich stolz auf ihn. Wie man es eben nur als Vater sein kann.«

Louisa sah Brandl beim Kochen zu. Sie plauderten locker miteinander, und sie beobachtete fasziniert, wie er – völlig mit sich selbst im Reinen – in der Küche herumwerkelte, ohne dass die Unterhaltung ins Stocken geriet. Er holte eine Kasserolle aus dem Herd, und der Duft von Kokosmilch und Gewürzen stieg Louisa in die Nase. Er hatte Hähnchenbrust mit Mozzarella und Schalotten überbacken, dazu reichte er Salat. Mit geübten Handgriffen füllte er ihre Teller und trug sie zum Tisch. Louisa folgte ihm mit ihren Weingläsern und nahm ihm gegenüber Platz. Sie stießen an, und in den nächsten Stunden vergaß Louisa beinahe ihre gemeinsame Vergangenheit. Der Mann, der ihr gegenübersaß, war ein anderer als der aufs Lernen versessene Jurastudent. Und sie – sie war auch nicht mehr der wilde Hippie, der durch die Welt reiste, um das Leben kennenzulernen. Louisa wäre glücklich, sich nicht mehr an das erste Mal zu erinnern, als sie Michael Brandner, von allen Brandl genannt, begegnet war. Wie sie ihn durch die Nebelschwaden aus Zigarettenrauch gemustert hatte. Den schüchternen Typen, den sie auf der Straße schlicht übersehen hätte. Ihre Blicke hatten sich getroffen, während *Lady in Black* von Uriah Heep durch die Kneipe dröhnte. Der Rest war Geschichte.

Genauso wenig wie sie damals erwartet hätte, dass Brandl ihr Leben aus den Angeln heben würde, hatte sie einen schönen, ungezwungenen Abend erwartet, als sie dieser Verabredung zugesagt hatte. Zu ihrer Überraschung genoss sie das Essen mit Brandl. Sie bestand darauf, die Küche gemeinsam aufzuräumen. Anschließend machten sie es sich mit einem weiteren Glas Wein auf der Couch gemütlich. Brandl suchte im Fernsehen den Regionalsender. Sie lehnten sich entspannt zurück, als die Erkennungsmelodie der Talkshow begann. Louisa konnte ihr Lächeln nicht unterdrücken, als sie Rosa dort sitzen sah. Wunderschön. Intelligent. Und unglaublich engagiert, wenn es um die *Alte Mühle* ging. Sie war so stolz auf ihre Nichte.

Sie nippte an ihrem zweiten Glas Wein, genoss die Wärme des Feuers im Kamin.

Rosa hielt den Teller mit den frisch gebackenen Keksen in die Kamera. Ihre Augen leuchteten. Dann runzelte sie die Stirn über die Frage des Moderators. Und auch Louisa stolperte über die Worte des breit lächelnden Mannes. Was bezweckte er mit seiner Frage? Sie beugte sich auf der Couch vor und betrachtete Rosas plötzlich verwirrten Gesichtsausdruck. In einem Moment war noch alles – perfekt. Und dann: nichts mehr. »Was zur Hölle …« Louisa sprang auf, als die Kamera auf das Buch zoomte. *Die schöne Müllerin.* »Was soll das denn?«

Sie spürte, wie Brandl ihr das Glas aus der Hand nahm und sie sanft in die Polster zurückdrückte. »Weißt du, um was für ein Buch es da geht?«, fragte er leise.

»Nein!« Louisa wäre am liebsten wieder aufgesprungen, als sie sah, wie ihre Nichte völlig aufgelöst aus dem Studio stürmte. »O mein Gott!« Sie rieb sich über das Gesicht. Was passierte da gerade?

»Lou.« Brandl wartete, bis sie ihn ansah. »Was kann ich tun? Sollen wir nach München fahren? Rosa holen?«

»Ich … nein … ich weiß nicht.« Louisa stand auf und trat an die Terrassentür, um die kalte Nachtluft einzuatmen. Der Watzmann hob sich inzwischen nur noch als schwarze Silhouette vor dem königsblauen Sternenhimmel ab. »Wer ist David Kaltenbach?«, fragte sie in die Dunkelheit hinaus.

»Ich habe keine Ahnung.« Brandls Spiegelbild erschien in dem bodentiefen Fenster neben ihr. In der Hand hielt er sein Handy. »Aber wir werden es gleich rausfinden.«

Das Handy! Louisa musste Rosa anrufen. Wo, verdammt noch mal, war ihr Handy? Sie tastete ihre Hosentaschen ab. Dann erinnerte sie sich daran, dass sie es gemeinsam mit dem Autoschlüssel in ihre Jackentasche geschoben hatte. Mit wenigen Schritten verschwand sie im Flur und riss ihren Janker vom Haken. Sie fummelte das Handy aus der Tasche und versuchte, ihre Nichte zu erreichen. Mailbox. Es machte keinen Sinn, eine Nachricht zu hinterlassen. Rosa wusste auch so, warum Louisa anrief. Da sie sie nicht erreichen konnte, probierte sie es bei Antonia. Wenn sie sie nicht an die Strippe bekam, würde sie Hannah …

»Lou!« Antonia brüllte fast in den Hörer. Sie wirkte so aufgewühlt, wie Louisa sich fühlte. »Hast du die Sendung gesehen?«

»Habe ich.« Louisa atmete tief durch. »Ich glaube nicht, dass ich mir jemals wieder einen Film mit Bernadette Hallmann ansehen werde.«

»Willkommen im Club«, schimpfte Antonia.

»Ich kann Rosa nicht erreichen.« Louisa drehte sich zu Brandl um, der konzentriert auf dem Display seines Handys herumtippte. »Was machen wir denn jetzt?«

»Mach dir keine Sorgen«, versuchte Antonia sie zu beruhigen. »Hannah und ich holen sie am Bahnhof ab. Wir kümmern uns um sie.« Sie zögerte einen Augenblick. »Ist das okay für dich?«

Louisa schluckte und versuchte, ein Lächeln in ihre Stimme zu legen. »Selbstverständlich. Was für eine Frage ist das denn?« Sie war Rosas Tante. Ihre Geschäftspartnerin. Aber sie war weder ihre Mutter noch ihre Schwester. Antonia und Hannah würden sich gut um ihre Nichte kümmern. Auch wenn Louisas Bedürfnis groß war, sich selbst davon zu überzeugen, dass es ihr gut ging. »Haltet mich auf dem Laufenden, ja?«

»Natürlich. Bis später, Lou.« Sie legte auf. Die Mädchen brauchten sie nicht mehr. Zumindest nicht mehr so wie früher. Selbst wenn Louisa Rosa gern in ihre Arme gezogen und wie eine Glucke beschützt hätte. Inzwischen waren die Schwestern in der Lage, für sich selbst einzustehen – sie waren erwachsen geworden. Ein wehmütiger Schmerz versetzte ihr einen kleinen Stich.

Brandl hob den Blick von seinem Handy. »Ich weiß jetzt, wer dieser Autor ist.«

Lou ließ sich mit zittrigen Beinen auf die Couch sinken und leerte den Rest ihres Weines in einem Zug.

»Kann ich noch etwas für dich tun, bevor ich dir die Details erzähle?«, fragte Brandl und setzte sich in den Sessel ihr gegenüber.

»Ja.« Louisa schwenkte ihr leeres Glas. »Nachschenken.« Sie würde nicht darüber nachdenken – und es schon gar nicht laut aussprechen –, aber Brandl an ihrer Seite zu wissen, seine Aufmerksamkeit und Fürsorge, tat gut.

*

Rosa hatte niemanden aus ihrer Familie angerufen. Sie wusste, dass ihre Schwestern Antonia und Hannah, genau wie ihre Eltern und ihre Tante Louisa und alle ihre Freunde, die Show im Fernsehen gesehen hatten. Stolz, weil sie es geschafft hatte, die Mühle über das Tal hinaus bekannt gemacht zu haben. Und vermutlich zutiefst entsetzt, nachdem was in diesem Studio wirklich passiert war.

Rosa wäre gar nicht in der Lage gewesen, ihre Anrufe entgegenzunehmen. Und doch wusste sie, dass ihre Schwestern am Bahnsteig stehen würden. Als der Zugbegleiter die Endstation – Berchtesgaden – ansagte, klappte sie das Buch zu und schob es in ihre Handtasche. Sie nickte der alten Dame zu und stand auf, um an der Tür zu warten, bis der Zug hielt.

Ihre Schwestern hatten sich einen Platz etwas außerhalb der grellen Bahnsteigbeleuchtung gesucht und sahen ihr mit besorgten Gesichtern entgegen. Hannah, das blonde Haar offen, eine Kapuzenjacke der Bergwacht, die viel zu groß für sie war, um den Oberkörper geschlungen. Sie hatte den Abend wahrscheinlich mit ihrem Freund Jakob verbracht und auf dem Weg zum Bahnhof nach der erstbesten Jacke gegriffen. Rosas ältere Schwester, Antonia, trug einen Hoodie zu einer Yogahose. Ihre Füße steckten in Turnschuhen, während Hannah Crocs trug. Ihre Schwestern sahen so aus, als hätten sie alles stehen und liegen lassen um hierherzukommen und sie abzuholen. Als sie sich aus den Schatten lösten und auf sie zukamen, ließ sich Rosa einfach in ihre Umarmung fallen – und erlaubte sich die Tränen, die sich nicht mehr zurückhalten ließen.

»Na komm.« Antonia beugte sich schließlich ein wenig zurück und wischte Rosa mit den Fingerspitzen die Tränen von den Wangen. »Lasst uns abhauen«, murmelte sie.

Hannah und sie hakten Rosa links und rechts unter. Schweigend liefen sie zum Parkplatz vor dem Bahnhof, und Antonia entriegelte mit der Fernbedienung die Türen ihres Jeeps Grand Cherokee. Hannah kletterte mit ihr zusammen auf den Rücksitz und reichte ihr eine Packung Tempotaschentücher, die sie aus den Tiefen ihrer Handtasche ausgegraben hatte, während Antonia den Motor anließ.

Rosa putzte sich die Nase und lehnte den Kopf gegen die Seitenscheibe. Das Tal rauschte an ihr vorbei. Durch die dichten dunklen Baumkronen konnte sie nur hin und wieder einen der Sterne am klaren Himmel blitzen sehen. Die Scheinwerfer des Jeeps durchschnitten die Nacht, fielen auf die Wände der Schlucht, an denen sich die Straße entlangschlängelte. Dann wieder über das Flussbett der Ramsauer Ache, die sich ihren Weg über kleine Staustufen hinwegbahnte, die die Natur in Zehntausenden von Jahren angelegt hatte. Im Radio lief leise irgendeine entspannende Musik. Sie stammte garantiert von einer der Playlists, die ihre Schwester benutzte, um schwangere Frauen zu beruhigen. Antonia hasste den Moment, in dem die Sender des Autoradios zu kratzen begannen, weil es zwischen den Felswänden, die in der Dunkelheit steil und bedrohlich um sie herum aufragten, keinen Empfang gab. Sobald sie ihr erstes eigenes Auto gehabt hatte, waren die Radiosender durch einen CD-Player und zwischenzeitlich durch Bluetooth ersetzt worden.

Rosa schloss für einen Moment die Augen. Sie spürte die scharfe Straßenbiegung an der kleinen, moosbewachsenen Schutzmauer. Als sie die Lider wieder hob, tauchte im Schein der Scheinwerfer der Holzlagerplatz auf. Noch eine Rechtskurve, und er lag vor ihnen: der Sternsee. Helles Mondlicht ergoss sich über das Tal, tauchte die spiegelglatte Wasseroberfläche in Silber. Ihr Zuhause. So spät in der Nacht waren in den meisten Häusern in Sternmoos bereits die Lichter gelöscht.

Antonia lenkte den Jeep durch das stille Dorf, auf die Straße, die sich um den See wand und schließlich in die Schotterpiste mündete, die zur *Alten Mühle* führte. Sie ließ den Wagen auf dem gepflasterten Hof ausrollen und schaltete den Motor aus.

»Du willst wahrscheinlich erst einmal aus deinen Klamotten raus«, sagte Hannah. »Wie wäre es, wenn du dich in Ruhe umziehst und wir uns dann auf dem Dachboden treffen?«

Rosa nickte und rutschte hinter ihrer Schwester vom Sitz. Sie wollte tatsächlich ihr Dirndl und ihre Flechtfrisur loswerden. Für heute Abend hatte sie genug davon, ausschließlich über ihr Äußeres definiert zu werden.

Sie wandte sich zum hinteren Teil der Mühle um, in dem ihre Wohnung lag.

»Warte mal«, rief Antonia und sprang vom Fahrersitz. »Du hast doch das Buch im Studio mitgehen lassen.«

Rosa zuckte zusammen, als sie sich an ihren unrühmlichen Abgang erinnerte. »Ähm ... ja.«

Ihre ältere Schwester streckte die Hand aus. »Gib mal her, solange du dich umziehst.«

Rosa zögerte. Dieser furchtbare Roman – und das was zwischen den Buchdeckeln stand – war ihr unendlich peinlich. Andererseits, vor ihr standen ihre Schwestern. Sie hatten schon jede Menge unglaublich peinlicher Dinge zusammen erlebt und durchgestanden. Langsam zog sie *Die schöne Müllerin* aus ihrer Handtasche.

Antonia griff danach und zwinkerte ihr aufmunternd zu. »Beeil dich«, sagte sie. »Wir haben Alkohol, Chips und Schokolade.«

Rosa zwang sich zu einem Lächeln. »Danke«, murmelte sie und schob die Haustür auf. Ohne das Licht anzuschalten, lief sie die knarzende Treppe hinauf und schloss ihre Wohnungstür auf. Erst als sie sich von innen gegen das kühle

Holz lehnte, fühlte sie so etwas wie Erleichterung. Sie wusste nicht, wie lange sie dastand und in die Dunkelheit starrte. Ihr Herzschlag beruhigte sich allmählich. Um sich herum hörte sie die vertrauten Geräusche des alten Gebäudes. In der Luft hing der Duft der Kekse, die sie am Nachmittag noch schnell in den Ofen geschoben hatte, damit sie sich im Fernsehen vor ganz Bayern damit der Lächerlichkeit preisgeben konnte.

Rosa seufzte und stieß sich von der Tür ab. Während sie das Licht anmachte, schlüpfte sie aus ihren Ballerinas und schob sie mit den nackten Füßen zur Seite. Sie blinzelte, bis sich ihre Augen an die Helligkeit gewöhnten. Auf dem Weg ins Schlafzimmer öffnete sie ihr Dirndl. Entgegen ihrer sonstigen Gewohnheiten ließ sie es gemeinsam mit der Bluse und der Dirndlschürze einfach neben ihrem Bett fallen.

In Unterwäsche ging sie ins Bad und wusch sich das völlig übertriebene Fernseh-Make-up aus dem Gesicht. Dann löste sie die Nadeln, die ihre Flechtfrisur zusammenhielten, und öffnete den kunstvoll geflochtenen Zopf. Sie bürstete ihre Haare aus und band sie mit einem Gummi zu einem losen Knoten auf dem Kopf zusammen. Zurück im Schlafzimmer schlüpfte sie in eine bequeme Yogahose und zog einen alten, ausgeleierten Pulli an, der sich warm an ihren Oberkörper schmiegte. Dazu die selbst gestrickten Wollsocken, die sie zu Weihnachten von ihrer Mutter geschenkt bekommen hatte.

Sie löschte das Licht und wollte die Schlafzimmertür hinter sich zuziehen, als sie innehielt. »Mist«, murmelte sie und kehrte um. Schnell hob sie das Dirndl, die Bluse und die Schürze auf. Sie war einfach nicht der Typ, der Klamotten auf dem Boden liegen ließ. Auch wenn sich David Kaltenbach wahrscheinlich in seinem Buch über genau dieses Verhalten lustig machte.

3

Ein paar Minuten später stieg Rosa die schmalen Stufen zum Dachboden der *Alten Mühle* hinauf. Die staubigen Holzplanken des Spitzbodens waren schon immer der geheime Treffpunkt der Schwestern gewesen. Ihr magischer Ort. Hier oben hatten sie gelegen, auf einer Decke, mit Taschenlampen und Gummibärchen, und sich wilde Abenteuer und romantische Geschichten erzählt. Irgendwann hatten sie sogar ihre Anfangsbuchstaben, A, R und H, in das Holz unter dem Fenster geritzt, das auf den See hinauszeigte.

Als sie sich durch die schmale Luke zwängte, atmete sie den ganz besonderen Duft ein, mit dem sie schon immer Heimat und Geborgenheit verbunden hatte. Hier oben, wo die Mühlenluft durch die pneumatischen Filter freigegeben wurde, war das Aroma des gemahlenen Weizens und Roggens besonders intensiv – und beruhigend.

Rosas Schwestern saßen bereits auf den beiden alten, abgewetzten Sitzsäcken. Den dritten Platz hatten sie für sie frei gelassen. Sie hatten diesen Sitzsack erst diesen Sommer gekauft, als Hannah nach zehn Jahren Arbeit als Fotografin in der ganzen Welt nach Hause zurückgekehrt war. Jetzt konnten sie wieder gemeinsam unter den LED-Lämpchen sitzen, die sich an endlosen Lichterketten durch das Gebälk zogen und ihren ganz privaten Sternenhimmel zauberten. Offenes

Licht war in dem alten Holzgebäude schon immer verboten gewesen. Aber mit den kleinen Feenlichtern hatten sie ein warmes Spiel aus Licht und Schatten geschaffen, das sich auf die Gesichter ihrer Schwestern legten.

Zwischen den Sitzsäcken hatten Hannah und Antonia Bier, eine Flasche Enzian, Schokolade und eine Tüte Chips ausgebreitet. Rosa nahm das Bier entgegen, das Antonia ihr reichte, und ließ sich auf den freien Platz fallen. Dann griff sie nach der Chipstüte, stopfte sich eine ganze Handvoll in den Mund und kaute. Mit dem Bier spülte sie nach. Sie lehnte sich zurück und starrte in die winzigen Lichter über sich, die immer wieder vor ihren Augen verschwammen. Mit aller Kraft bemühte sich Rosa, die Tränen zurückzuhalten, die hinter ihren Lidern brannten.

»Das ist so zum Kotzen«, brachte Hannah ihre momentane Lage auf den Punkt. »Was glaubt dieser Typ eigentlich, wer er ist? Der tut doch glatt so, als seist du ein dummes, kleines Heimchen, das keine Ahnung von der Wirklichkeit hat. Seiner Darstellung nach ist Louisa so nett, dich ein bisschen in der Mühle mithelfen zu lassen. Wie kommt dieser Idiot darauf, so etwas über dich zu schreiben?«

»Ich habe keine Ahnung.« Rosa seufzte. Ihr wurde plötzlich bewusst, wie sehr sie dieser Abend erschöpft hatte. Wie eine schwere Decke, die einem die Luft zum Atmen nahm, senkte er sich über sie und presste ihren Körper in den Sitzsack. »Und es ist auch egal. Selbst wenn ich mein Leben genau so leben würde, wie er es in seinem Buch beschreibt, ginge es ihn trotzdem nicht das Geringste an.«

»Es kommt übrigens noch besser.« Antonia hob ihre Bierflasche an die Lippen, ohne von dem Buch aufzusehen. *»Mein Bruder hat mir so viel über seine Freundin erzählt. Wann*

immer er auf meiner Couch herumlungerte und mich mit sei-
ner Anwesenheit genervt hat. Irgendwann wusste ich über Jose-
fine und ihre Verwandten so viel, dass ich das Gefühl hatte,
selbst Mitglied dieser Familie zu sein. Doch wenn man es genau
betrachtet, ist das alles nur eine schöne Fassade«, las sie vor,
»mit hübschen Frisuren und Geranientöpfen neben der Tür.
Aber wenn man einen Blick hinter die blank polierte, herausge-
putzte Oberfläche wirft, stellt man schnell fest, dass die Familie
der schönen Müllerin genauso zerrüttet ist wie alle anderen
auch. Josefine spielt heile Welt. Kocht und backt, während eine
ihrer Schwestern abgehauen ist, weil sie es in dem spießigen
Bergdorf nicht ausgehalten hat. Und die andere Schwester –
na ja, nennen wir es mal so: Sie ist kein Kind von Traurigkeit.
Dieser Typ hat sie doch nicht mehr alle!« Sie stellte ihr Bier
ab und schraubte die Enzianflasche auf, um einen ordentlichen Schluck zu nehmen. Sie verzog ihr Gesicht, als sich
der Schnaps seinen Weg in ihren Magen bahnte, und reichte
die Flasche an Rosa weiter. »Womit hat der denn jetzt ein
Problem? Mit Hausmütterchen wie dir oder vermeintlichen
Schlampen wie mir?«

»Ich glaube, er ist einfach nur ein blöder Frauenhasser.«
Hannah nahm Antonia das Buch ab und blätterte ein paar
Seiten weiter. »Ich wette, er ist unglücklich verliebt oder
wurde verlassen. Und das hat ihn bitter gemacht.«

Antonia verdrehte die Augen. »Suchst du nach Entschul-
digungen für diesen Depp?«

»Nein, natürlich nicht«, hielt Hannah dagegen. Sie brach
ein Stück Schokolade ab und schob es sich in den Mund.
»Aber wenn man es genau nimmt, hackt er auch ziemlich
heftig auf seinem Bruder herum. Gut aussehen lässt diese
Geschichte Julian jedenfalls nicht gerade. Ein fremdgehen-

der, betrügerischer Mistkerl. Ich zitiere«, sie blätterte auf die letzte Seite und wiederholte die Worte, die Rosa schon im Zug gelesen hatte. Auch diese letzten Zeilen waren, genau wie der Anfang, in Reimform verfasst.

»Das war sie, die Geschichte der schönen Müllerin.
Sie lebt in ihrer Traumwelt vor sich hin.
Ihr Fabian sucht inzwischen die nächste weibliche Beute.
Und wenn sie nicht gestorben sind, betrügt er sie noch heute.«

Rosa nippte an der Enzianflasche. Der Schnaps hob die schwere Decke der Erschöpfung ein wenig an und schickte Wärme und eine zarte Schwerelosigkeit durch ihren Körper. Sie wusste, dass das in erster Linie daran lag, dass sie außer einer Handvoll Chips nichts im Magen hatte, trotzdem trank sie gleich noch einen Schluck. »Immerhin habe ich durch das Buch erfahren, was mein Freund angeblich hinter meinem Rücken treibt. Aber ich kann das einfach nicht glauben.«

»Wie meinst du das?«, wollte Hannah wissen.

»Na ja, dieser David behauptet doch auch Sachen über mich, die nicht stimmen. Dann kann er genauso gut über Julians angebliche Affären lügen.« Dieser Schriftsteller durfte doch nicht einfach solche Behauptungen in die Welt setzen. Damit konnte er Beziehungen zerstören, Leben in den Dreck ziehen. War ihm das nicht bewusst gewesen, bevor er dieses Buch geschrieben hatte?

»Genau genommen verbreitet er keine Lügen über dich. Abgesehen von dieser Schnapsidee, du wärst ganz versessen darauf, Julian zu heiraten«, widersprach Hannah. »Er verdreht die Wahrheit nur auf eine Weise, die dich extrem unschön aussehen lässt.« Sie blätterte weiter. »Hier! Er greift dich wirklich auf allen Ebenen an. Dieser Fabian alias Julian stört sich sogar an Josefines engem Verhältnis zu ihren Schwestern.«

»Klar«, sagte Antonia. »Seit Hannah zurück ist, haben wir schließlich einige Abende hier oben verbracht. Was Julian seinem Bruder gegenüber offenbar als *Bullerbü spielen* bezeichnet hat.«

»Und was ihm als Vorwand dient, sich anderweitig zu vergnügen«, ergänzte Hannah.

»Er ist wirklich eifersüchtig auf euch, oder?«, fragte Rosa. Natürlich hatte sie das gespürt. Julian war nie begeistert gewesen, wenn sie sich auf dem Dachboden getroffen hatten, zusammen in den *Holzwurm* gegangen waren oder zum Shoppen. Sie hatte gewusst, dass er es hasste, ausgeschlossen zu werden. Aber sie hatte dieses Wissen einfach so zur Seite gewischt. »Trotzdem heißt das noch lange nicht, dass er mich betrogen hat.«

»Eifersüchtig ist Julian auf jeden Fall. Und dieser David ist wahrscheinlich ebenfalls von Neid zerfressen.« Antonia hielt ihr die Chipstüte hin. Rosas Aussprache war offenbar bereits so schleppend, wie sie sich anfühlte. Trotzdem spülte sie die Chips mit einem weiteren Schluck Bier hinunter. »Wenn ich mir in diesem Szenario etwas heraussuchen müsste, was mir glaubwürdig scheint, dann würde ich den Teil nehmen, in dem Julian sich als betrügerischer Mistkerl herausstellt. Darauf hätte sich der feine Herr Autor von mir aus konzentrieren können, statt auf dir herumzuhacken.« Antonia schnaubte wenig damenhaft.

»Bevor ich Julian nicht Gelegenheit gegeben habe, etwas zu diesen Vorwürfen zu sagen, sollten wir ihn nicht verurteilen.« Irgendjemand musste sich auf die Seite ihres Freundes stellen – ihre Schwestern würden es mit Sicherheit nicht tun. »Ich habe vorhin schon versucht, ihn anzurufen. Aber er ist nicht rangegangen.«

»Verdammt!« Hannah warf das Buch in die Mitte zwischen ihren Sitzsäcken und traf fast die Enzianflasche.

»Hey! Treffer versenkt!« Antonia hielt die Flasche fest. »Mach halblang, Nowitzki.«

Rosa sah ihrer Schwester nach, die zum Fenster hinüberging und in die Dunkelheit hinausstarrte. Hannahs Bewegungen wirkten aus ihrer Perspektive unnatürlich verlangsamt, so als bewege sich ihre Schwester in Zeitlupe. Was im krassen Gegensatz zu den Worten stand, die in der gleichen Geschwindigkeit wie immer über ihre Lippen kamen. »Der schreibt doch tatsächlich: *Warum machst du Dummchen es den Arschlöchern auf dieser Welt so einfach?*« Hannah stützte die Hände in die Hüften und funkelte Rosa an. »Wir hätten nach München zurückfahren und ihn uns vorknöpfen sollen.«

Rosa nickte, was ihre Welt noch ein wenig mehr ins Wanken brachte. Antonia hatte ihr Handy aus der Tasche gezogen und tippte auf dem Display herum, statt zu antworten.

»Tonia, hör auf, mit dem Handy herumzuspielen«, fuhr Hannah sie an. »Wir lösen hier gerade ernsthafte Probleme.«

Rosas ältere Schwester griff mit der linken Hand in die Chipstüte und tippte mit der rechten weiter. »Ich spiele nicht am Handy rum, ich suche im Internet nach einer Voodoo-Puppe für diesen dämlichen Autor.« Sie blickte auf, legte nachdenklich den Kopf schief und knabberte gedankenverloren an ihrem Chip herum. Dann schlich sich ein gefährliches Lächeln auf ihr Gesicht. »Vielleicht könnten wir auch die Zauberelse engagieren, damit sie ihn mit einem Fluch belegt.«

»Bloß nicht!« Hannah verdrehte die Augen. »Ich bin jetzt noch traumatisiert von meinem letzten Treffen mit ihr.« Bei dem Treffen hatte die selbsternannte Schamanin versucht, Hannah und ihrer Mutter eineinhalbtausend Euro für eine Traumatherapie aus dem Kreuz zu leiern.

Rosa konnte sich an diese Begegnung im Sommer noch gut erinnern. An die Empörung ihrer Schwester, die auch jetzt wieder in ihrem Blick funkelte. Gemeinsam mit den glitzernden Reflexionen der Lichterketten, die wie Glühwürmchen über die Gesichter ihrer Schwestern tanzten.

Voodoo-Puppen und Schamaninnen – so waren ihre Schwestern. Die Falkenbergmädchen waren schon immer füreinander eingestanden, und dabei war ihnen noch nie etwas zu verrückt gewesen. Rosa konnte sich noch heute an die Zeit erinnern, als sie zwölf gewesen war und in Sternmoos Prospekte ausgetragen hatte, um ihr Taschengeld ein wenig aufzustocken. Im Tannbergweg hatte Herr Walch gewohnt. Ein griesgrämiger alter Kauz, dessen Laune nur dann stieg, wenn er seinen hässlichen, bösartigen Hund auf Rosa hetzen konnte, sobald sie die Werbung in seinen Briefkasten steckte. Sie hörte sein bösartiges Lachen noch hinter sich, bis sie um die Straßenecke bog. Irgendwann fürchtete sie sich, überhaupt an seinem Haus vorbeizugehen. Das war der Moment gewesen, in dem ihre furchtlosen Schwestern ins Spiel gekommen waren. Hannah, die sich vor keinem Tier zu fürchten schien, lockte den fiesen Hund mit Leckerli an, sodass Antonia über den Zaun klettern und eine ganze Ladung Hundehaufen aufsammeln konnte. Sie hatten den stinkenden Kot erst in eine Papiertüte gepackt, und dann hatte Antonia sich vor Walchs Haustür geschlichen, die Tüte angezündet und geklingelt. Während sie sich mit einem Sprint über die Straße zu ihnen in das Gebüsch rettete, das ihnen als Versteck diente, sah Rosa mit großen Augen zu, wie der Alte die Tür öffnete und das Feuer entdeckte. Doch er holte keinen Eimer Wasser oder Feuerlöscher, um den Brand zu beseitigen. Er tat das, was in seiner Situation jeder tun würde: Er trat das Feuer aus – und landete mit seinem Fuß in der frischen, warmen Scheiße seines eigenen Hundes. Während er mit hochrotem Kopf auf seiner Türschwelle zeterte und auf und ab sprang wie ein Verrückter, mussten sich die Schwestern die Hände vor den Mund halten, um nicht laut loszukichern.

»Schwesternrache«, flüsterte Antonia.

»Ehrensache«, gab Hannah leise zurück.

So waren die Falkenbergmädchen schon immer gewesen. Und sie würden auch jetzt einen Weg finden, ihr zu helfen. Das wusste Rosa ganz genau. Wobei die Aktion mit dem Hundehaufen schwer zu toppen war. Voodoo war vielleicht wirklich eine gute Idee.

Rosa schaffte es nicht, das hysterische Kichern aufzuhalten, das in ihrer Kehle nach oben zu steigen begann. Mit Entsetzen wurde sie sich bewusst, dass sich Tränen in das Lachen mischten und das Bild ihrer Schwestern vor ihren Augen verschwamm. Aus dem Kichern wurde ein abgrundtiefes Schluchzen.

»Mist. Das war alles ein bisschen zu viel.« Hannah zog Rosa aus ihrem Sitzsack. »Komm schon, Schwesterchen. Wir bringen dich ins Bett.«

»Ich habe den Soundtrack für diesen Abend gefunden«, sagte Antonia und drückte noch immer auf dem Display ihres Handys herum. Im nächsten Moment wurde der Dachboden von *Prayer in C* erfüllt, der Version von Robin Schulz und Lilly Wood and the Prick.

»Ha!« Rosa spürte den Rhythmus, der irgendwie gar nicht zu ihren Schritten passen wollte. »*Don't think I could forgive you*«, nuschelte sie den Text mit. »So isses nämlich. Ich werde das diesem Da… David nich verzeihn. Niemals. 'ch hasse ihn.« Sie stolperte, und Hannah legte ihren Arm stützend um ihre Taille. »Ich wusste ja nich mal, dass Julian einen Bruder hat. Halbbruder«, verbesserte sie sich.

»Wir hassen ihn alle«, pflichtete Antonia ihr bei. »Himmel, bist du voll. So viel Schnaps hast du doch gar nicht erwischt«, murmelte sie und stützte Rosa von der anderen Seite.

Gemeinsam brachten die Schwestern sie ins Bett, und Rosa ließ es geschehen. Sie zogen ihr die Schuhe aus und breiteten die Decke über sie. Offenbar hatten sie sich in den Kopf gesetzt, bei ihr zu bleiben und die Nacht über Wache an Rosas Bett zu halten. Aber sie wollte allein sein. Mit ihren Gedanken und mit ihrem Schmerz. Also verabschiedeten ihre Schwestern sich schließlich zögernd. Sie küssten Rosa auf die Wange, löschten das Licht und zogen die Schlafzimmertür hinter sich zu.

Rosa wartete, bis sie das Zuschlagen ihrer Wohnungstür hörte, und schaltete die Nachttischlampe wieder ein. Ihr verschwommener Blick fiel auf das Cover der *schönen Müllerin*, die Hannah neben ihr Handy gelegt hatte. Rosa konnte sich nicht überwinden, es noch einmal aufzuschlagen, um noch mehr Demütigungen zu lesen. Noch mehr Erkenntnisse über ihr angeblich so erbärmliches Leben zu sammeln. Stattdessen suchte sie *Prayer in C* auf ihrer Playlist und ließ es in Endlosschleife laufen. Sie war schockiert gewesen, als sie begriffen hatte, worum es ging. Wütend und sauer. Aber vor allem hatte sie all das, was sie heute erfahren hatte, verletzt. Mit nassen Augen starrte sie an die Zimmerdecke. Zu allem

Übel hatte es dieser Autor geschafft, Zweifel in ihr zu säen. Stimmte das, was er über Julian schrieb? Er war so oft weg, reiste geschäftlich durch ganz Europa. Sicher, ihre Beziehung war nicht aus dem Und-wenn-sie-nicht-gestorben-sind-Material wie die von Hannah und Jakob. Aber sie war solide und beruhte auf Ehrlichkeit. Zumindest hatte Rosa das bisher immer geglaubt.

*

Hubert Valentin lehnte sich gegen das gepolsterte Kopfteil seines Bettes. Vor dem Fenster erhob sich gerade die Sonne über die Bergrücken, die Sternmoos umgaben. Er musste sich auf die Zunge beißen, um nicht laut loszulachen und seine Frau Marianne zu wecken. Er war Unternehmer. Durch und durch. Als solcher hatte er schon vor Jahren begriffen, wie wichtig die sozialen Medien waren, um zu wissen, was um einen herum geschah. Um am Nabel der Welt zu bleiben. Und erfolgreich Geschäfte abzuschließen. Denn heutzutage genügte für die Gerüchteküche, mit der auch immer neue Ideen und Innovationen einhergingen, der Small Talk an der Kasse des Tante-Emma-Ladens im Tal nicht mehr.

Marianne vertrat allerdings vehement die Meinung, dass sie, nachdem sie beide ihre fünfundsechzigsten Geburtstage hinter sich gebracht hatten, ein Anrecht darauf besaß, morgens wenigstens bis halb acht zu schlafen. Er gestand ihr das zu. Schließlich war sie der wichtigste Mensch in seinem Leben. Außerdem nagte hin und wieder das schlechte Gewissen an ihm, weil er noch immer nicht bereit war, in den Ruhestand zu gehen. Er hatte zwar die Leitung des Hotels an seinen Sohn Xander abgegeben, aber er hatte noch jede

Menge Ideen und seine Finger in mehr Projekten als in seinen jungen Jahren. Marianne seufzte im Schlaf und drehte sich auf die andere Seite, wachte aber nicht auf.

Hubert konzentrierte sich wieder auf sein Tablet. Er nutzte die Zeit, bis seine Frau aufwachte, um sich auf den neuesten Stand zu bringen. An diesem Morgen war das Netz voll von Nachrichten über die *Alte Mühle*. Pure Schadenfreude schoss durch seine Adern. So starrsinnig sich Louisa Anger mit ihrer blöden Mühle gegen seine neue Projektidee wehrte, so lächerlich hatte sich ihre Nichte am vergangenen Abend im Fernsehen gemacht. *Die schöne Müllerin*. Was für ein dämlicher Titel für ein Buch. Hubert versuchte, sich an den Freund von Rosa Falkenberg zu erinnern. Ein- oder zweimal war er ihm über den Weg gelaufen. Ein Fatzke aus München, der sich für einen ganz großen Macker hielt. Die unschöne Publicity hatte das Leben in der *Alten Mühle* auf jeden Fall gehörig durcheinandergeschüttelt. Vielleicht war dieser Zeitpunkt günstig, einen weiteren Vorstoß zu unternehmen und den Druck auf Louisa und Rosa ein wenig zu erhöhen. Er schob sich ein Kissen in den Nacken und drückte noch einmal genüsslich auf Play, um dabei zuzusehen, wie Rosa völlig ahnungslos – und mit einem Teller Kekse in der Hand! – in das offene Messer lief. Und sich so zum Gesprächsthema Nummer eins im Talkessel machte.

*

Rosa erwachte – völlig gerädert – im Morgengrauen. Sie war sich gar nicht sicher, wie lange sie überhaupt geschlafen hatte. Den größten Teil der Nacht hatte sie sich ruhelos hin und her gewälzt, im Kopf ein Gedankenkarussell, das sich einfach nicht zur Ruhe zwingen ließ. Die Mischung aus Erschöpfung, Alkohol und der Demütigung des vergangenen Abends lagen wie ein zentnerschwerer Mehlsack auf ihrem Brustkorb.

Sie griff nach ihrem Handy, das auf dem Nachttisch lag, und warf einen Blick auf das Display, das völlig überfüllt war mit Nachrichten und Anrufhinweisen. Und nichts davon war von Julian. Sie hatte ihn gebeten, sie zurückzurufen, aber er hatte es nicht einmal versucht. War es ihm egal, dass ihre Welt implodiert war? Am Abend, als sie mit David Kaltenbachs Roman konfrontiert worden war, hatte sie nur daran denken können, was dieser verdammte Autor getan hatte und dass sie plötzlich in ganz Deutschland zu zweifelhaftem Ruhm gelangt war. Doch langsam sickerte die Bedeutung dessen in ihre Gedanken. Julian hatte die Zeit in der *Alten Mühle* immer genossen – zumindest hatte er Rosa nie etwas Gegenteiliges annehmen lassen. Er genoss die gemütlichen Abende, mochte, was sie kochte und backte. Sie hatten guten Sex gehabt, konnten zusammen lachen. Er war nicht ihre große Liebe. Manchmal war sie sich gar nicht sicher, wie sie überhaupt zusammengekommen waren. Nun ja, das konnte sie ja jetzt in einem Buch nachlesen, dachte sie bitter. Und sie war sich sicher, dass auch Julian nicht unsterblich in sie verliebt war. Sie hatten einfach eine gute Zeit miteinander, führten eine Beziehung, in der der eine den anderen nicht einengte. Das war zumindest, wie sie Julian und sich als Paar definiert hätte. Bis zum gestrigen Tag. Jetzt wusste sie, wie er wirklich über sie dachte. Was er seinem Bruder über sie erzählt haben musste. Sie bedeutete ihm nichts. Er trat ihr Leben mit Füßen. Und wenn er das tat, dann stimmte es vielleicht sogar, was sein Bruder geschrieben hatte, und er betrog sie auf seinen Dienstreisen nach Strich und Faden.

Rosa atmete erleichtert aus, als ihr bewusst wurde, dass sich der erste Hauch gesunder Wut unter das erniedrigte Gefühl, die Verletztheit und den Herzschmerz mischte.

Sie drehte das Handy zwischen ihren Fingern. Gerade wollte sie keine der mitleidigen Nachrichten lesen oder ihre Mailbox abhören. Ihre Eltern und ihre Tante durfte sie allerdings nicht ignorieren. Ihre Eltern nicht, weil sie die Talkshow voller Stolz angesehen und mit Sicherheit aus allen Wolken gefallen waren. Und Louisa war als Besitzerin der *Alten Mühle* direkt von Rosas Ausraster betroffen. Sie strampelte die Bettdecke zur Seite und setzte sich auf. Dann schrieb sie Louisa und ihren Eltern eine Nachricht und bat sie, zum Frühstück zu ihr zu kommen, ehe sie das Handy zurück auf den Nachttisch legte.

Die erste Aufgabe des Tages bestand darin, das Bett abzuziehen. Im Alkoholnebel der vergangenen Nacht hatte sie nicht darüber nachgedacht, aber jetzt bekam sie eine Gänsehaut, wenn sie nur daran dachte, dass Julian noch vor ein paar Tagen unter ihrer Decke gelegen hatte und vielleicht wirklich… Auch wenn sie außer diesem lächerlichen Buch keinen Beweis für seinen Betrug hatte, wurde ihr allein beim Gedanken daran speiübel. Am liebsten würde sie die Laken verbrennen, aber eine Neunzig-Grad-Wäsche würde ihren Zweck genauso erfüllen. Sie stopfte die abgezogenen Bezüge gemeinsam mit den Handtüchern, die Julian benutzt hatte, in die Waschmaschine, und bezog das Bett frisch. Anschließend gönnte sie sich eine lange Dusche. Sie drehte das Wasser so heiß, dass sie es gerade noch ertragen konnte.

Während sie das Frühstück vorbereitete, herrschte Stille in ihrer Küche. Sie schaltete nicht, wie sonst, das Radio ein und sang oder summte die Songs gut gelaunt mit. Die Stille passte im Moment am besten zu ihrer Stimmung, die Rosa gar nicht benennen konnte. Sie fühlte sich wie in einem Schwebezustand, nicht sicher, was weiter geschehen würde. Was würde sie als Nächstes tun? Noch hatte sie keine Ahnung, wie sich ihr Auftritt in der Talkshow auf die kommenden Wochen auswirken würde – und was er für die Mühle bedeutete.

Ihre Tante und ihre Eltern verhielten sich genau so, wie Rosa es erwartet hatte. Louisa schloss sie in die Arme und murmelte, dass alles wieder gut werden würde. Sie solle sich keine Sorgen um die Mühle machen, sondern sich erst einmal um sich selbst kümmern. Den Tag sollte sie sich auf jeden Fall freinehmen und auch jeden folgenden Tag, den sie noch benötigte. Louisa hatte Toby mitgebracht, die schwarzweiße Promenadenmischung mit den Schlappohren, den sie Hofhund nannten, obwohl *verwöhnter Prinz* es eher traf. Er gehörte Rosas Tante, hatte aber auch in Rosas Küche ein Hundekörbchen, in dem er es sich gemütlich machte, nachdem er sich ein Leckerli ergaunert hatte.

Rosas Vater trug einen Hauch des beruhigenden Geruchs nach seiner Pfeife in ihre Wohnung, die er nach Feierabend in seiner Landarztpraxis rauchte. Er war schon immer Rosas Fels in der Brandung gewesen, der Ruhepol, aus dem die ganze Familie ihre Kraft schöpfte. Und genau das war er auch an diesem Morgen, als er sich mit seinem Kaffee neben sie setzte und sie auf die Schläfe küsste.

Ihre Mutter hingegen ließ es sich nicht nehmen, sie mit feuchten Augen eine gefühlte Ewigkeit in den Armen zu wiegen, was dazu führte, dass sich ein Kloß in Rosas Hals bildete. Antonia und Hannah waren meistens genervt von der Fürsorge ihrer Mutter, aber Rosa wusste sie zu schätzen und genoss sie. Im Gegensatz zu ihrer sonst so gesitteten, zurückhaltenden Art schimpfte ihre Mutter an diesem Morgen wie ein Rohrspatz. Sie malte sich aus, wie sie sich Julians Bruder vorknöpfen wollte und verfluchte ihn kreativer, als Rosa es ihr je zugetraut hätte. Ihr Schimpfen erinnerte sie an Antonias gestrige Idee, im Internet eine Voodoo-Puppe zu bestellen und den Schriftsteller von der Zauberelse mit einem Fluch belegen zu lassen. Gar keine schlechte Idee, dachte Rosa, als sie noch einmal Kaffee nachschenkte und genau erzählte, was in dem Fernsehstudio vorgefallen war – und was ihre Schwestern und sie im Anschluss alles in dem Buch gelesen hatten.

Julian meldete sich eine halbe Stunde, nachdem ihre Eltern und Louisa gegangen waren. Er klang gut gelaunt. »Hey, Süße. Wir haben die Verhandlungen in der Schweiz einen Tag früher als gedacht über die Bühne gebracht«, begrüßte er sie. »Ich bin gerade in Salzburg von der Autobahn abgefahren. In einer halben Stunde bin ich da. Und … Rosa-Schätzchen: Ich habe eine Überraschung für dich.«

Rosas Herz schlug laut und schmerzhaft schnell. Plötzlich war der Zwang, die Wahrheit zu erfahren, so übermächtig, dass sie die Worte nicht mehr zurückhalten konnte. »Hast du einen Bruder?«, fragte sie, statt auf das einzugehen, was er gerade erzählt hatte.

»Äh … was? Ja, David. Was hast du denn mit dem zu tun?« Julian klang irritiert.

»Was ich mit dem zu tun habe? Er hat ein Buch geschrieben, in dem ich die Hauptrolle spiele. Und er behauptet, du würdest mich betrügen.«

Stille. Julian schwieg einen Augenblick zu lange. Natürlich

wäre es besser gewesen, ihm während dieses Gesprächs in die Augen zu schauen. Aber sie hatte es einfach nicht mehr ausgehalten. Als sie über die Fahrgeräusche seines SUV hinweg sein Räuspern und dann ein ungläubiges Lachen hörte, wusste sie, dass David Kaltenbach nicht gelogen hatte. O Gott! Jeder, der dieses Buch las, würde nicht nur erfahren, wie ihr Freund – und sein Bruder – über sie dachten. Sie würden schwarz auf weiß lesen können, dass sie dumm genug war, sich betrügen zu lassen. »Hör zu, Süße. Mein Bruder ist echt ein komischer Kauz. Wir reden, wenn ich bei dir bin. Und vergiss nicht«, fügte er hinzu, »ich habe eine Überraschung für dich.«

Rosa legte auf. »Eine Überraschung habe ich auch für dich«, murmelte sie und schloss die Wohnungstür von innen ab. Toby, der bei ihr geblieben war, blickte sie mit schief gelegtem Kopf an. Rosa kraulte ihn zwischen den Ohren und gab ihm noch ein Leckerli. Der Hund beruhigte sie zumindest so weit, dass sie klar denken konnte. Die Wut, die am Morgen leise in ihrem Inneren zu glimmen begonnen hatte, hatte inzwischen ihren Siedepunkt erreicht. Sie ließ den Schlüssel stecken, damit Julian nicht hereinkam. Dann zog sie das mintfarbene Dirndl mit der tief ausgeschnittenen Spitzenbluse an, von dem ihr zukünftiger Ex-Freund immer behauptet hatte, dass sie darin megaheiß aussah. Sie flocht ihre Haare zu einem seitlichen Zopf und überdeckte die Blässe in ihrem Gesicht und die Augenringe sorgfältig mit Make-up. »Perfekt«, murmelte sie.

Ihre Hände zitterten, als sie sich in der Küche ein Glas Wasser einschenkte und am Fenster auf Julian wartete. Sie würde für sich einstehen. Für die Mühle und für ihre Überzeugungen. Aber sie hasste es. Auseinandersetzungen vermied sie, wenn sie konnte. Sie war schließlich das Mittelkind. Die Schwester, deren Aufgabe es immer gewesen war zu vermitteln. Offene Konfrontation war definitiv nicht ihr Ding.

Sie sah dabei zu, wie Julians SUV auf den Mühlenhof rollte. Die drei Alten auf der Bank, die sonst mit jedem das Gespräch suchten, der seinen Weg in ihre Nähe fand, warfen ihm Blicke aus zusammengekniffenen Augen zu, als er aus dem Wagen stieg. Rosa seufzte. Die Kunde von ihrer Schmach hatte sich also bis zu Pangratz, Gustl und Korbinian herumgesprochen. Und wenn sogar die drei Bescheid wussten, würde es in Windeseile das ganze Dorf tun.

Julian sah gut aus. Rosa ertappte sich dabei, wie sie ihn mit den Fotos verglich, die sie im Internet von seinem Bruder gefunden hatte. Unterschiedlicher konnten zwei Menschen aus dem gleichen Genpool nicht sein. Julians modisch kurz geschnittenes blondes Haar war leicht zerzaust, wahrscheinlich hatte er es auf der Fahrt hierher mit seinen Händen zerfurcht. Manchmal tat er das, ohne es zu merken. Er trug noch seine Anzughose und ein weißes Hemd, dessen Ärmel er aufgerollt hatte. Rosa sah die braun gebrannte Haut darunter, seine Muskeln. Wenn sie vor ihm stehen würde, könnte sie die kleinen blonden Härchen auf seinen Unterarmen sehen, die in der Sonne wie Gold schimmerten. Seine Anzugjacke lag sicher wieder, genau wie seine Krawatte, vergessen auf dem Rücksitz seines Wagens.

Sie sah ihm dabei zu, wie er seine Reisetasche aus dem Kofferraum holte. Im nächsten Moment verließ er ihr Blickfeld und trat ins Haus. Sie hörte ihn die Treppe heraufpoltern und stellte das Wasserglas zur Seite. Ihr Herz klopfte laut und schnell, als er gegen die verschlossene Tür prallte. »Rosa?«, rief er durch das massive Holz.

Sie rührte sich nicht, während Julian versuchte, seinen Schlüssel ins Schloss zu schieben. Für einen Augenblick herrschte Stille. Dann klopfte er. »Rosa? Bist du sauer? Echt jetzt? Weißt du, mein Bruder redet manchmal dummes Zeug.«

Und du hast mir noch nicht einmal erzählt, dass du einen Bruder hast, dachte Rosa. Sie antwortete nicht. Toby warf ihr aus seinem Hundekörbchen einen abwartenden Blick zu.

»Rosa!« Er wählte ihre Handynummer, und es begann auf dem Küchentisch zu klingeln. »Rosa? Bist du da drin?« Wieder hämmerte er gegen die Tür.

Sie lehnte sich gegen den Küchentresen und wartete ab. Das Handy verstummte, und dann hörte sie ihn die Treppen hinuntergehen. Langsamer, mit weniger Enthusiasmus, als er zu ihrer Wohnung heraufgestürmt war. Durch das Fenster konnte sie sehen, wie er wieder vor die Mühle trat und nach oben sah. Dann drehte er sich um und steuerte auf den Hofladen zu. Als er die Hälfte des Hofes überquert hatte, öffnete sie das Fenster.

Julian fuhr herum, als er das Geräusch hörte. Er blinzelte verwirrt, doch dann setzte sein Tausend-Watt-Lächeln ein. »Rosa-Schätzchen, da bist du ja! Hast du mich nicht gehört?«

»Ich habe dich gehört.« Sie ließ ihn ein paar Schritte in ihre Richtung zurückkommen. Die Blicke der drei Alten pendelten zwischen ihnen hin und her. Zwei Kunden, die auf dem Weg zum Laden gewesen waren, blieben stehen und beobachteten sie ebenfalls. Na wunderbar. Jede Menge Publikum. Aber das war inzwischen auch schon egal. »Ich wollte die Tür nur nicht öffnen«, ließ sie Julian wissen.

»Was …?« Wieder dieses irritierte Blinzeln.

»Meine Tür bleibt für dich verschlossen. Für immer«,

sagte sie mit Nachdruck. »Steig in deinen Wagen und … verschwinde. Du solltest nicht einmal im Traum daran denken, dich jemals wieder hier blicken zu lassen.«

»Ich versteh nicht … Was hat David denn behauptet? Weißt du, man darf nicht alles glauben, was man liest.« Julian hob in einer fragenden, unschuldigen Geste die Hände. Aber Rosa konnte die Lüge in seinem Blick sehen.

»Vielleicht versuchst du es mal mit dieser Lektüre.« Sie warf den Roman nach ihm. Flatternd stürzte *Die schöne Müllerin* auf ihn zu. Verdattert fing Julian das Buch und drehte es verständnislos in seinen Händen. Offenbar war Rosa nicht die Einzige, die von diesem Bestseller überrascht worden war. »Du hast mich betrogen, Julian. Und die ganze Welt kann das in diesem Schundroman nachlesen«, konnte sie sich nicht verkneifen.

»Wie kommst du denn darauf?« Er blickte zwischen dem Buch und ihr hin und her. Als sie nur schweigend zu ihm herunterstarrte, schluckte er trocken. »Also … na ja …« Er rieb sich unbehaglich über den Nacken. »Ich würde das nicht so nennen …«

Rosa dachte nicht nach. Sie reagierte einfach. Seine Ausflüchte wollte sie genauso wenig hören wie irgendeine Lügengeschichte. In einem Moment stand der Rosmarin in dem schweren Tonübertopf noch auf der Fensterbank. Im nächsten zerschellte er Zentimeter neben Julians Füßen auf dem Hof.

Mit einem schockierten Keuchen sprang er zurück. »Bist du völlig irre?«, brüllte er.

Die Ansammlung der Schaulustigen auf dem Hof hatte sich um drei weitere Mühlenkunden vergrößert. Jemand richtete sein Handy auf sie. Rosa blickte auf ihre Hände, die gerade mit einem Blumentopf geworfen hatten. »Wow«, flüsterte sie. Wer hätte gestern Nachmittag noch gedacht, dass sie zu so etwas fähig war? »Nein«, rief sie. »Ich war noch nie so bei Verstand wie im Moment. Verschwinde!« Sie schloss das Fenster und setzte sich an den Küchentisch, als ihre Beine zitternd unter ihr nachgaben. Toby sprang neben ihr auf die Bank und schob sein Köpfchen zwischen ihren Arm und dem Oberkörper hindurch. Sie strich ihm über das weiche Fell und lauschte auf seinen Herzschlag, der nicht einmal im Ansatz das gleiche Tempo aufwies wie ihrer. »Alles wird wieder gut, hat Lou gesagt.« Die Worte beruhigten sie ein wenig, auch wenn sie im Moment nicht daran glauben konnte. »Alles wird wieder gut.«

4

Davids Maschine landete am späten Vormittag in München. Als er sein Handy einschaltete, blinkte eine Nachricht seines Agenten auf. *Wir müssen reden. Ich habe um halb eins einen Tisch in der* Brasserie Colette *reserviert.*

»Mist«, fluchte David leise und handelte sich prompt einen strafenden Blick von der älteren Dame ein, an der er auf dem Weg zum Ausgang vorbeihastete. Er hatte gehofft, einfach seine Wohnungstür hinter sich zuziehen und das an Schlaf nachholen zu können, was ihm in der vergangenen Nacht verloren gegangen war. Statt über den Kiez zu ziehen, wie es eine gestrandete Nacht in Hamburg eigentlich verlangte, hatte er auf seinem Bett gesessen. In diesem verdammten türkisfarbenen Zimmer. Er hatte die Talkshow auch nach Rosa Falkenbergs spektakulärem Abgang weitergeschaut. Hatte sich die hämischen Bemerkungen angehört, die die abgehalfterte Schauspielerin von sich gegeben hatte. Die wirren Kommentare des Musikers. Und natürlich die süffisante Abmoderation des Gastgebers. Sogar nach Rosas Abgang waren die Talkshow-Gäste immer wieder auf die *schöne Müllerin* zu sprechen gekommen.

In dem Moment, in dem Rosa aufgesprungen war und dem Moderator das Buch aus der Hand gerissen hatte, waren die sozialen Medien explodiert. Mitleidsbekundungen für die

Frau, weil sie offenbar vorgeführt worden war. Noch mehr Häme. Kommentare über ihren Körper, die tatsächlich unter die Gürtellinie gingen – und einige User, die wissen wollten, wo man lernen konnte, solche Frisuren zu flechten. David hatte auf sein Handy gestarrt und jeden einzelnen Post gelesen. Auf Facebook, auf Instagram und auf Twitter. Unter all diesen Statements gab es auch ein paar Nutzer, die ihn als Arschloch beschimpften. Und sie hatten recht. David hatte einen Bestsellerroman geschrieben. Auf Kosten einer Frau, die keine Ahnung davon hatte. Natürlich hatte er nicht vorgehabt, Rosa Falkenberg dermaßen in die Sache hineinzuziehen. Für ihn hieß die Protagonistin Josefine. Vielleicht hätte die wahre Vorlage für seine *schöne Müllerin* irgendwann herausgefunden, dass sich das Buch um sie drehte, wenn sie es selbst in die Hand genommen und gelesen hätte – falls sie überhaupt Bücher wie seins las. Aber es war nicht sein Plan gewesen, sie bloßzustellen. Abgesehen davon, dass es ihn eigentlich nicht besonders interessierte, ob er die Gefühle anderer verletzte. Besonders wenn es um seinen Bruder ging.

David trat aus dem Flughafengebäude und stieg in ein Taxi. »*Brasserie Colette*«, wies er den Fahrer an und ließ seine Gedanken wieder schweifen. Er hatte in der vergangenen Nacht darüber nachgedacht, selbst einen Post abzusetzen und in den sozialen Medien Stellung zu nehmen. Ein Vorgehen, das er von sich nicht kannte. Irgendwie wollte er Rosa Falkenberg … in Schutz nehmen. Sie hatte ihre großen braunen Augen aufgerissen und in die Kamera gestarrt. Was ein bisschen ausgesehen hatte wie Bambi, das in das Doppelrohr einer Schrotflinte blickte. Als hätte sein Agent geahnt, was er vorhatte, hatte er ihm eine Nachricht geschrieben, nicht einmal im Traum darüber nachzudenken, Rosas

Auftritt – oder Abgang, je nachdem, wie man es betrachten wollte – zu kommentieren. Die Publicity, die sie dem Roman bescherte, war Gold wert, und er konnte bereits den Druck der nächsten Auflage riechen. Geld. Geld war alles, worum es Martin Arens ging. Und er hatte ja auch nicht unrecht. David hatte schließlich lange genug von der Hand in den Mund gelebt, sich von Zeitungskolumne zu Lektorenjob gehangelt. Es fühlte sich verdammt gut an, endlich einmal von dem leben zu können, was man eigentlich tun wollte. Er konnte sich nicht daran erinnern, wann er vor diesem Buch das letzte Mal wirklich in den schwarzen Zahlen gewesen war, geschweige denn, je so ein finanzielles Polster gehabt zu haben. Als sein erstes Honorar eingegangen war, hatte sein Bankberater ihn angerufen und gefragt, ob er unter die Geldwäscher gegangen sei. Sein Agent hatte recht, David konnte das nicht leugnen. Trotzdem hatte es sich zumindest letzte Nacht nicht richtig angefühlt. Statt doch noch zur Ablenkung über den Kiez zu ziehen, hatte er schließlich das Licht gelöscht und war dann wach im Bett gelegen, während die Gedanken in seinem Kopf Achterbahn gefahren waren.

Langsam kämpfte sich das Taxi durch Münchens Straßen. David brummte zustimmend, als der Fahrer über die angeblichen siebenunddreißigtausend Baustellen in der Stadt sprach, hatte aber keine Lust, sich in Small Talk verwickeln zu lassen. Als er schließlich vor dem Restaurant aus der Limousine stieg, atmete er tief durch. David hatte keine Ahnung, warum sein Agent ihre Treffen nach Möglichkeit immer hier abhielt. Manchmal glaubte er, Martin hatte eine Schwäche für eine der Kellnerinnen. Sicher sagen konnte er es nicht – und es ging ihn schließlich nichts an. David rief sich ins Gedächtnis, dass er sich in letzter Zeit genug mit den Leben anderer Menschen beschäftigt hatte. Er betrat das Lokal, das sich in einer Mischung aus rustikalem Industrie-Charme und Vintage-Stil präsentierte. Modern und alt. Metall und Holz. David mochte das warme, fast schon schummrige Licht, das ihn für einen Moment vergessen ließ, dass dieser Tag erst zur Hälfte vorüber war.

Er sah Martin im hinteren Teil des Restaurants sitzen. Eine hilfreiche Bedienung nahm ihm die Reisetasche und den Kleidersack ab und brachte beides zur Garderobe, während er sich schon einen Weg zu seinem Agenten bahnte. Martin hatte bereits eine Vorspeise und ein Glas Wein vor sich stehen. Als David auf ihn zusteuerte, erhob er sich und klopfte ihm zur Begrüßung jovial auf die Schulter. »Da bist du ja«, brummte er und ließ sich wieder in den alten, französischen Brasseriestuhl fallen. David schob sich ihm gegenüber auf die ledergepolsterte Holzbank. Irgendwo hatte er gelesen, dass die Bänke tatsächlich aus alten französischen Zügen stammten. »Was gibt es, das nicht warten kann?«, wollte er wissen. Er klang nicht besonders freundlich, aber er wusste, dass Martin das auch nicht von ihm erwartete.

Sein Agent hob das Weinglas und prostete ihm über die Kristallvase auf der Mitte des Tisches hinweg zu. »Willst du nicht erst einmal was bestellen?«, fragte er mit Blick auf die Kellnerin, die sich ihnen näherte.

»Guten Tag«, grüßte sie höflich. »Herzlich willkommen in der *Brasserie Colette*. Unsere heutigen Angebote des Tages sind …«

David hob die Hand, um sie zu stoppen. »Ich will nur einen Kaffee. Danke.«

Die Kellnerin lächelte ihn an. »Sehr gern.«

Er wartete, bis sie den Rückzug antrat, ehe er sich wieder seinem Agenten zuwandte. »Also noch mal: Was ist so dringend?«

Martin ließ sich Zeit, trank einen Schluck und lehnte sich zurück. »Der Verlag hat mir ein Angebot gemacht. Und wenn ich *Angebot* sage, meine ich ein verdammt hammermäßiges Spitzenangebot für einen zweiten Teil der *schönen Müllerin*.« Grinsend rieb er sich die Hände. David hätte sich nicht gewundert, wenn Eurozeichen in den Augen seines Agenten gefunkelt hätten.

Die Kellnerin stellte den Kaffee vor David auf den Tisch. Er starrte in die Tasse und schwieg. Genau davor hatte er sich gefürchtet: Er hatte keine Idee für einen zweiten Roman. Martin wusste das, und doch hatte er sich ein Angebot machen lassen. Verdammt. Normalerweise interessierte er sich nicht dafür, was andere von ihm dachten oder erwarteten. Aber sein Agent war wie ein Blutegel. Er würde nicht lockerlassen, bis David einen Vertrag unterschrieb. »Du kennst meine Antwort«, sagte er schließlich leise.

»Genau deswegen sind wir hier. Wir sammeln Ideen, die wir dem Verlag präsentieren können.« Martin lehnte sich vor und legte einen beschwörenden Ton in seine Stimme. »Wir können uns diese Chance nicht entgehen lassen. Also, lass uns nachdenken.«

»Bitte.« David gab seinem Agenten ein Zeichen fortzufahren. »Dann denk doch nach. Ich habe dir bereits gesagt, dass ich keine Idee habe. Ich habe mir wochenlang den Kopf zerbrochen, weil du mir ständig damit in den Ohren liegst. Ich glaube nicht, dass heute etwas anders ist als an all den anderen Tagen, an denen mir nichts eingefallen ist.« Er versetzte dem Dekokissen, das auf der Bank neben ihm lag, einen frustrierten Schlag.

Martin schien ihm gar nicht zuzuhören. Er zog ein Tablet aus der Aktentasche, die er unter dem Tisch deponiert hatte, und begann darauf herumzutippen. »Lass uns anfangen ...«

David ließ ihn gewähren. Martin war zutiefst motiviert. Während er aß, notierte er sich eine unspektakuläre Idee nach der nächsten. Alles schon mal da gewesen. Nichts davon konnte mit dem zynischen Roman mithalten, der so überraschend die Bestsellerlisten gestürmt hatte, dass David es immer noch nicht fassen konnte. Er starrte in seinen inzwischen kalten Kaffee und wartete, bis der Enthusiasmus seines Agenten nachließ und er sich endlich in seiner Wohnung verkriechen und wenigstens ein paar Stunden des fehlenden Schlafes der vergangenen Nacht nachholen konnte.

Martin war bereits bei seinem Nachtisch angelangt, als *Song for whoever* von The Beautiful South erklang – Davids Klingelton. »Entschuldige«, murmelte er und holte es aus seiner Hosentasche, um es auszuschalten.

»Wer ist das?«, fragte Martin und blickte von seinem Tablet auf.

»Mein Bruder«, antwortete David nach einem Blick auf das Display. Er drückte den Anruf weg und schaltete das Handy auf lautlos.

»Ah. Fabian.«

»Julian«, korrigierte David. »Fabian heißt der Protagonist im Roman.« Wie oft hatte er das Martin inzwischen erklärt? Sein Handy begann erneut zu klingeln. Abermals sein Bruder.

»Geh ruhig ran«, sagte Martin. »Ich bestell mir noch einen Espresso.« Er gab der Kellnerin ein Zeichen.

Das Vibrieren stoppte, nur um im nächsten Moment von Neuem zu beginnen. Sein Bruder würde nicht aufgeben, also nahm er den Anruf an. »Hallo Julian.«

»David! Du Arschloch!«, brüllte Julian. Laut genug, dass Martin ihn hören konnte – und die Kellnerin, die die Espressobestellung aufnahm. »Du hast ein Buch geschrieben! Davon wusste ich überhaupt nichts!«

David bemühte sich, die Augen nicht zu verdrehen. Sein Bruder hätte von dem Roman gewusst, wenn er sich im vergangenen Jahr auch nur einmal die Mühe gemacht hätte zuzuhören, statt immer nur von sich selbst zu reden. Oder an sich selbst zu denken. Das war so typisch für Julian. Er hatte so oft uneingeladen in Davids Wohnung herumgehangen und ihn beim Schreiben gestört. Und genau daraus war schlussendlich der Roman entstanden.

»*Es ist mal wieder soweit*«, begann Julian prompt eine Stelle aus dem Buch vorzulesen, die genau eine solche Situation widerspiegelte. »*Mein Bruder stattet mir einen Besuch ab. Wieder einmal hat er ein Wochenende mit seiner schönen Müllerin in den Bergen verbracht und nervt mich mit Details, von denen ich gar nichts wissen will. Wie viele Haarnadeln in so einer Flechtfrisur stecken, erzählt er mir. Warum Frauen nicht auf die Idee kamen, mal ein heißes kurzes Schwarzes statt eines dieser langweiligen Dirndl anzuziehen, will er von mir wissen. Ich kann seine Fragen nicht beantworten und nehme seine Kommentare hin. Dabei tickt meine Uhr. Ich muss meine Kolumne fertigschreiben und brauche dafür Ruhe. Als Fabian anfängt, am Inhalt meines Kühlschranks herumzukritisieren, erkläre ich mich bereit, ihm das verdammte Bier und eine Tiefkühlpizza zu besorgen. Ganz nach dem Motto: lieber einkaufen gehen, statt meinem Bruder noch länger zuzuhören*. Und Rosa kommt auch in deinem Buch vor«, setzte Julian seine Tirade fort. »Und sie kommt gar nicht gut weg.«

Du auch nicht, dachte David und rieb sich über das Gesicht. Seine Bartstoppeln kratzten an seiner Handfläche, und hinter seiner Stirn kündigte ein dumpfes Ziehen Kopfschmerzen an, die nicht mehr lange auf sich warten lassen würden. Das änderte nichts daran, dass er genau wusste, wie es im Text weiterging. Nachdem er seinen Bruder alleingelassen hatte, um die Pizza und das Bier zu besorgen, das er so unbedingt haben wollte, war er bei seiner Rückkehr von einer Frau überrascht worden, die ganz sicher nicht die Müllerin aus Berchtesgaden war. Denn diese Frau trug einen Mini und eine Bluse, die bereits zur Hälfte geöffnet gewesen war. Kichernd hatte sie sich an Davids Bruder geschmiegt. Julian hatte ihn lediglich lapidar davon in Kenntnis gesetzt, dass er spontan Besuch bekommen hatte. Und weil es sich für Damenbesuch so gehörte, hatte er die einzige Flasche Rotwein geöffnet, die er hatte finden können. Dass Julian auf der Couch seines Bruders saß, während er mit dieser Tussi herummachte, schien ihn nicht weiter zu stören. Genauso wenig hatte er sich die Mühe gemacht zu fragen, ob er den Wein öffnen durfte, den David zur Veröffentlichung seiner ersten Kolumne geschenkt bekommen und seitdem wie seinen Augapfel gehütet hatte. Seine nervige Freundin saß währenddessen in den Bergen und wartete sehnsüchtig auf seinen Heiratsantrag. Ein bisschen leidtun konnte sie einem schon, denn den würde sie nie bekommen. Ganz einfach, weil Julian noch nie auch nur einen Hauch von Interesse an einer ernsthaften Beziehung gehabt hatte – und seinen Schwanz schlicht nicht in der Hose halten konnte, wie er gerade bewies. All das könnte sein Bruder in Davids Roman nachlesen. Aber offenbar …

»Ich habe nur mal so durchgeblättert, nachdem Rosa das Ding nach mir geschmissen hat. Diese Josefine, das ist doch Rosa? Oder bildet sie sich das nur ein?«

David seufzte. Er stützte den Ellenbogen auf den Tisch und legte seine Stirn in die Hand. »Willst du mir ernsthaft erzählen, du hast den ganzen Rummel, den das Buch ausgelöst hat, nicht mitbekommen?«

»Hey! Wie gesagt: Ich wusste nicht, dass du ein Buch geschrieben hast«, verteidigte sich sein Bruder. »Warum?«, ergänzte er nach einer kurzen Pause. »Ist es auf der Bestsellerliste oder sowas?«

»Platz eins.« David sagte es. Doch irgendwie machte ihn das nicht mehr so stolz, wie es das vor einer Woche getan hatte. Rosa Falkenbergs schockierter Bambiblick tauchte wieder vor seinem inneren Auge auf. Der Moment, in dem sie aus dem Studio gestürmt war. Die Bestsellerliste war der Traum eines jeden Autors. Er hatte die Spitze erreicht – mit einem schalen Beigeschmack.

»Echt jetzt?« Julian schien für einen Augenblick tatsächlich sprachlos. Dafür schlürfte Martin seinen Espresso in voller Lautstärke. »Das ist cool, Mann.« Julian fing sich wieder. »Tut mir leid, dass ich das nicht mitbekommen habe. Ich war die letzten Wochen in der Schweiz. Ich und Paps hatten ein paar zähe Verhandlungen …« Der Esel nennt sich immer zuerst, ging es David ganz automatisch durch den Kopf, während sein Bruder ausführlich irgendwelche langweiligen Finanzgeschichten herunterbetete. »Jedenfalls hat Rosa mich rausgeschmissen«, sagte er schließlich.

»Was?« David hatte nicht wirklich zugehört.

»Sie hat mich nicht mehr in die Wohnung gelassen und einen Kräutertopf nach mir geworfen. Basilikum, glaube ich. Oder Rosmarin. Den Topf, der immer auf ihrer Fensterbank stand. Und das Buch. Das Buch hat sie auch nach mir geschmissen. Und das ist alles deine Schuld!« Julian, der sich im Lauf des Gesprächs ein wenig beruhigt hatte, schien der Grund seines Anrufs wieder einzufallen. Seine Stimme wurde wieder lauter. »Verstehst du? Sie hat mich wegen deines verdammten Buches rausgeworfen. Wahrscheinlich hat sie sogar mit mir Schluss gemacht. So genau hat sie mir das nicht gesagt, aber es könnte sein.«

David hielt das Handy ein Stück vom Ohr weg. Wenn diese Rosa sich von seinem Bruder getrennt hatte, dann hoffentlich, weil sie herausgefunden hatte, was für ein Idiot er sein konnte. Und weil er sie wirklich betrog, wann immer er auf Geschäftsreise durch Europa tingelte oder David in München besuchte. »Ich glaube nicht, dass ich etwas für eure Trennung kann«, sagte er ruhig – in der Hoffnung, dass sich auch Julian wieder beruhigte.

»Wenn du nicht diesen Mist geschrieben hättest und sie nicht glauben würde, diese Josefine zu sein, wäre alles beim Alten. Jedenfalls, alle meine Sachen sind in ihrer Wohnung. Du musst dafür sorgen, dass ich sie zurückbekomme. Mit mir redet Rosa ja nicht mehr. Sie ignoriert meine Anrufe und meine Sprachnachrichten. Also, fahr nach Berchtesgaden und bring sie dazu, mein Zeug rauszurücken«, verlangte Julian. So war es schon immer gewesen. Julian forderte. David kümmerte sich darum. Ganz der große Bruder, von dem das schlicht erwartet wurde. Aber nicht heute. Und eigentlich auch in Zukunft nie wieder.

David schüttelte den Kopf, was dazu führte, dass Martin, der das Gespräch aufmerksam verfolgte, ihm einen irritierten Blick zuwarf. »Hör zu, Bruder.« Er betonte das letzte Wort. »Deine Probleme interessieren mich kein bisschen. Du hättest dich von ihr trennen können, statt fremdzugehen.« Er warf seinem Agenten einen Blick zu. »Sorry, ich muss jetzt

Schluss machen. Ich bin mitten in einer Besprechung mit meinem Agenten.« David beendete das Gespräch und legte das Handy auf den Tisch zurück. Es begann auf der Stelle erneut zu klingeln.

»Ganz schön hartnäckig, dieser Fabian«, bemerkte Martin.

»Julian«, verbesserte David ihn automatisch. »Sind wir hier fertig? Ich muss dringend nach Hause.«

»Ach.« Martin lehnte sich zurück. »Ich bin gut genug als Vorwand, das Gespräch zu beenden, aber für ein anständiges Brainstorming für den zweiten Roman reicht es nicht.«

»Ich habe dir doch gesagt, dass ich keine Idee habe«, wiederholte David zum gefühlt tausendsten Mal.

»Aber ich habe eine.« Martins Augen leuchteten. »Du solltest tun, worum dich dein Bruder gebeten hat. Fahr zu dieser Josefine ... oder Rosa«, verbesserte er sich, als David die Brauen hochzog. »Du könntest seinen Kram abholen und bei der Gelegenheit ein bisschen herumstochern und recherchieren. Dich bei den Nachbarn umhören. Mehr über diese Müllerin herausfinden. Lerne sie kennen. Sieh sie dir aus der Nähe an.« Begeistert schlug er auf den Tisch. »Und dann schreiben wir eine Fortsetzung.«

Wir war das falsche Wort. David wäre derjenige, der den Roman schreiben würde. Und er würde garantiert keinen zweiten Teil dieser Müllerinnengeschichte schreiben. Wieder tauchte Rosas gehetzter Blick vor seinem inneren Auge auf. »Nein«, sagte er schlicht und erhob sich.

»David, diese Fortsetzung wäre der Hammer. Der Verlag würde ihn uns aus den Händen reißen. Wir könnten dein Honorar noch einmal neu verhandeln, wenn du das willst. Auch wenn es jetzt schon astronomisch ist. Dass ich da nicht gleich draufgekommen bin!«

»Das werde ich nicht machen, Martin.« Dieser Entschluss stand so fest wie das Amen in der Kirche. Er wandte sich zum Gehen.

»David.« Sein Agent wartete geduldig, bis er sich noch einmal umdrehte. »Kannst du dich noch daran erinnern, wie du die Bedienungsanleitungstexte für diese merkwürdigen Haushaltsgeräte geschrieben hast, die kein Mensch braucht? Weißt du noch, wie viel du pro Text verdient hast?« Er machte eine künstliche Pause. »Willst du dorthin zurück?«

»Nein. Das will ich nicht. Aber alles hat Grenzen, Martin«, sagte David. Er würde auf keinen Fall nach Sternmoos fahren.

David war todmüde. Er hatte gehofft, den Schlaf nachholen zu können, der ihm in Hamburg verwehrt geblieben war. Fehlanzeige. Nach seinem Treffen mit Martin hatte er den Rest des Tages vor sich hingebrütet. In der Nacht war es nicht besser gewesen. Er hatte in seinem Bett gelegen und in das Licht der Straßenlaterne geblickt, die vor seinem Fenster stand, während die Gedanken durch seinen Kopf gewirbelt waren. Er verstand sich selbst nicht mehr. Rosa Falkenberg ging ihn nichts an. Er kannte sie noch nicht einmal. Warum hörten ihre großen braunen Augen nicht auf, in seinem Kopf herumzuspuken?

Wenige Stunden später quälte sich sein altes, treues Mercedes-T-Modell Gundula durch das enge Tal, das nach Sternmoos führte. Genervt von sich selbst rieb er sich mit der rechten Hand über das Gesicht. Seine Linke lag auf dem Lenkrad und führte den Wagen um die letzte Kurve. Vor ihm tauchte plötzlich ein Radfahrer auf, den er überholte – und dann blickte er nach rechts. Das war er also, der Sternsee. David musste die Augen zusammenkneifen gegen das Schimmern, das die Sonne auf die glatte grüne Oberfläche zauberte. Mit einem unwilligen Brummen kramte er seine Sonnenbrille aus dem Handschuhfach.

»In fünfhundert Metern rechts abbiegen«, forderte ihn die Stimme seines Handy-Navis auf. Er folgte den Anweisungen und durchquerte das kleine Dorf, das genauso aussah, wie er sich ein Dorf in den Bergen vorstellte. Häuser mit Holzbalkonen, von denen Unmengen von Geranien hingen. An jedem zweiten prangte ein Schild, das Zimmer oder Ferienwohnungen anpries. Touristen in Wanderoutfits und eine riesige Tafel mit einer Karte der Gegend, auf der die Sehenswürdigkeiten eingezeichnet waren.

David ließ den Ortskern hinter sich und holperte schließlich auf eine Schotterstraße. »Sie haben ihr Ziel erreicht«, ließ das Navi ihn wissen. »Das Ziel befindet sich auf der linken Seite.«

Oder eher genau vor ihm, dachte David, und ließ den Daimler am Straßenrand ausrollen. Durch die Windschutzscheibe betrachtete er den Hof der *Alten Mühle*. Auf der linken Seite, an einem Bach, der sich vom See aus in Richtung Wald schlängelte, stand die Mühle. Das große, hölzerne Mühlrad drehte sich träge im Wasser. Das Grundstück wurde von einer Mauer begrenzt, die aussah, als wäre sie aus Flusssteinen zusammengesetzt. In der Mitte, neben einem großen Blumentrog, war ein Mühlstein in den Wall eingepasst. Über den gepflasterten Hof stolzierte ein kleiner, schwarz-weiß gefleckter Hund auf drei alte Männer zu, die auf einer Bank saßen. Eine Promenadenmischung, wenn David sich nicht täuschte. Als Kind hatte er immer von so einem Hund geträumt. Die Alten beugten sich hinunter und kraulten ihn ausgiebig.

David ließ seinen Blick weiterwandern. Auf der rechten

Hofseite stand vor einer alten Scheune ein Gebäude, das David als den Hofladen wiedererkannte. Früher war es ein Wirtshaus gewesen, wie er bei seiner Recherche zum Buch im Internet herausgefunden hatte. Sein Bruder hatte es ja nie geschafft, ihm eine brauchbare Beschreibung des Hofes zu geben. Die Mühle hatte ihn nie interessiert. Das Anwesen wirkte gepflegt, als ob seine Besitzer viel Liebe hineinsteckten. Aber auch das wusste er bereits aus dem Internet.

Nervös trommelte David mit den Fingern auf das Lenkrad. Er wollte nicht hier sein. Er wollte keinen zweiten Teil der *schönen Müllerin* schreiben. Das fühlte sich falsch an. Sein Bauchgefühl sagte ihm, dass es ein Fehler war hierherzukommen. Und er hörte normalerweise immer auf seinen Bauch. Immer. Andererseits hatte sein Agent recht: Er wollte nie wieder diese verdammten Gebrauchsanleitungen schreiben. Für einen Hungerlohn. Die Kolumnen, die er verfasste, reichten gerade mal, seine Miete zu zahlen. Also hatte er schließlich nachgegeben. Sowohl seinem Bruder als auch Martin. Es war unschädlich, sich Rosa Falkenberg einmal aus der Nähe anzusehen. Vielleicht hatte er ja tatsächlich einen Geistesblitz. Nicht, dass er besonders scharf auf eine Fortsetzung seines Bestsellers war. Er hatte in dem Buch gesagt, was er sagen wollte. Alles andere wäre ein Aufwärmen des gleichen Themas – und darauf war der Verlag mit Sicherheit nicht erpicht. Wenn er sich die Mühe machte, Julians Klamotten für ihn abzuholen, schlug er zwei Fliegen mit einer Klappe – so rechtfertigte er das zumindest sich selbst gegenüber. Sein Bruder würde aufhören, ihn zu nerven und Martin würde ihn zumindest eine Zeit lang in Ruhe lassen, weil er glaubte, David sammle Ideen für ein neues Exposé.

Zeit, es hinter sich zu bringen. David zog sein Handy aus

der Halterung, die er an den Lüftungsschlitz der Heizung geklemmt hatte, und schob die Fahrertür auf. Der leichte Luftzug, der von den Bergen herunterwehte, war warm und roch nach See und Wald. Er atmete tief durch. Seine Umgebung und das Übermaß an Sauerstoff konnten die Erschöpfung nicht auslöschen, seine Gedanken schärften sich trotz allem zumindest ein wenig. Der Hof war, abgesehen von den drei Männern auf der Bank, menschenleer. Die Tür zur Mühle war geschlossen.

»Grüß Gott!«, sagte einer der Männer in einem tiefen Bariton – und so laut, dass David sich sicher war, dass er eigentlich ein Hörgerät benötigte.

»Korbinian!« Der Sitznachbar des Alten stieß ihm den Ellenbogen in die Seite. »Das ist der Schreiberling aus München!«, zischte er in einer Lautstärke, die annehmen ließ, dass es um sein Gehör nicht besser bestellt war.

»Der, wegen dem wir die schöne Müllerin nicht mehr schöne Müllerin nennen dürfen? Mistkerl«, brummte der Erste wieder.

»Schämen Sie sich«, wandte sich der Dritte im Bunde direkt an David, ohne aufzuhören, den Hund zu kraulen, der ekstatisch mit dem ganzen Körper wackelte.

David sparte es sich, darauf zu antworten. Diese Reaktion kannte er inzwischen zur Genüge. Es würde nichts bringen, die Männer zu fragen, ob Rosa hier irgendwo zu finden war. Er würde es im Hofladen probieren, dessen beide Türflügel offen standen. Auf dem Pflaster davor pries eine aufgestellte Schiefertafel diverse Müslis und ein besonderes Dinkelmehl an. Er nickte den Alten im Vorbeigehen höflich zu und erntete nur unmutiges Knurren. Rosa Falkenberg hatte offenbar einen Fanclub.

Mit langen Schritten überquerte er den Hof und betrat den Laden. Der Duft nach frisch gebackenem Brot und Kräutern empfing ihn. Er hörte ein freundliches »Glück zu« aus Richtung des Tresens. Gefolgt von einem »Ich bin gleich bei Ihnen«. David hätte nicht einmal in ihre Richtung blicken müssen, um Rosa Falkenberg zu erkennen. Ihre Stimme war unverkennbar, irgendwie … melodiös. Wenn sein Bruder von Rosa gesprochen hatte, hatte er sich ihre Stimme immer ein wenig schrill vorgestellt. Mit einem nervigen Kichern. Nicht mit diesem vollen, schönen Klang, mit dem sie auf etwas reagierte, was der Mann des Pärchens sagte, die vor ihr am Tresen standen.

David nahm die Sonnenbrille ab und sah zu ihr hinüber. Sie hatte ihn zwar beim Betreten des Ladens gegrüßt, aber nicht wirklich in seine Richtung geblickt, sondern sich weiter auf ihre Kunden konzentriert. »Dieses Anwesen wurde bereits im sechzehnten Jahrhundert erbaut. In diesem Tal hier gab es damals viele Mühlen«, erzählte sie dem Paar vor sich.

Die Wände um Rosa herum waren mit Holzbrettern verkleidet, von denen sich David sicher war, dass sie bereits ein sehr interessantes Leben gehabt hatten, bevor sie hier verbaut worden waren. Rosa Falkenberg stand in einem der Lichtvierecke, die die hohen Sprossenfenster auf den Boden malten. Um sie herum tanzten winzige Staubpartikel.

»Heute nutzen wir die Wasserkraft nur noch zur Energieerzeugung für den Hof.« Rosa stieß ein sympathisches Lachen aus. »Das ist ziemlich praktisch. Die Mühle selbst läuft inzwischen elektrisch.«

Vor Davids innerem Auge entstand das Bild einer Lichtung, auf der eine Feenprinzessin stand, die Rosa verdammt ähnlichsah. Große dunkle Augen. Die Haare geflochten. Und dieses leise, angenehme Lachen. Um sie herum schwirrten Glühwürmchen wie die Staubkörnchen hier im Laden. Von sich selbst genervt schüttelte David den Kopf. Schriftstellern wurde ja von jeher eine etwas ausufernde Fantasie nachgesagt. Kombiniert mit seinem Schlafmangel – keine gute Mischung. Er strich die Feenvision aus seinem Gehirn und konzentrierte sich auf seine Umgebung. Schließlich hatte er nicht vor, einen Fantasy-Roman zu schreiben. Schon gar keinen, bei dem die Vorlage für die weibliche Hauptprotagonistin schon wieder Rosa Falkenberg war.

Der Laden versprühte einen rustikalen Charme, den er auf dem Hof mit einer so alten Mühle auch erwartet hatte. Die Regale, in denen Mehle, Backmischungen, Trockenobst, Frühstückscerealien und alle möglichen Soßen und Marmeladen präsentiert wurden, bestanden ebenfalls aus leicht verwittertem Holz. Zwei große Balken stützten die Decke.

»Das Mehl ist das gleiche wie das, aus dem das Brot in ihrer Pension gebacken wird. Anastasia ist eine fantastische Bäckerin«, hörte David Rosa hinter sich plaudern. »Und die Backmischung, die Sie ausgewählt haben, ist ein tolles Urlaubsmitbringsel. Made in Berchtesgaden – und nicht in China.« Die Frau des Pärchens lachte. Der Mann brummte zustimmend.

Davids Schuhe klackten auf den Steingutfliesen, als er, den Blick auf die Auslage in den Regalen, in den rechten Bereich des Ladens ging. Auf einem Stehtisch aus Holz war – dem Schild nach – Mühlenbrot aufgeschnitten, das man mit verschiedenen Marmeladen und Dips probieren konnte. Darüber hingen die Meisterbriefe von Rosa und Louisa Anger, bei der es sich Davids Wissen nach um die Tante und Besitzerin der Mühle handeln müsste. *Verfahrenstechnologin für*

Mühlen- und Futtermittelwirtschaft las er auf den Urkunden. War das die neudeutsche Bezeichnung für Müller? Er hatte keine Ahnung. Weil er sich nicht die Mühe gemacht hatte, das zu recherchieren, gestand er sich ein. Er hatte weder hinter die Kulissen des Mühlenlebens geschaut noch hatte er auch nur das Bedürfnis gehabt, das zu tun. Unter den Diplomen hing ein Foto, auf dem Rosa gemeinsam mit einer älteren Frau – David vermutete auch hier die Tante – vor der Mühle stand und lachend ein Schild mit den Worten ›Glück zu‹ in die Kamera hielt.

»Wie kann ich Ihnen helfen?«, fragte Rosa plötzlich hinter ihm.

David drehte sich zu ihr um. Der Moment, in dem sie ihn erkannte, hätte auch in eine Comedy-Show gepasst. Ihre Augen weiteten sich, ihre Wangen färbten sich in einem tiefen Rot, und sie schluckte hart. »Sie ... Sie ...«, begann sie, schien dann aber nicht zu wissen, was sie weiter sagen sollte.

»Ist das der traditionelle Gruß der Müller?«, fragte David und nickte in Richtung des Fotos. »Glück zu?«

»Äh ... ja.« Sie runzelte die Stirn. Sie hatte nicht mit dieser Frage gerechnet, und das schien sie irgendwie aus dem Konzept zu bringen. Nervös blickte sie sich um. Die Kunden, mit denen sie gesprochen hatte, waren schon gegangen. Rosa und er waren auf einmal allein.

»Was bedeutet dieser Gruß?«, fragte David. Nicht, um Small Talk zu halten, sondern weil es ihn wirklich interessierte.

Einen Moment lang starrte Rosa ihn an, als hätte er sie irgendwie hypnotisiert. Dann fing sie sich wieder und kniff die Augen ärgerlich zusammen. »Welches Höllentor hat sich aufgetan, um Sie in Sternmoos Ihr Unwesen treiben zu lassen?«, fauchte sie. Sie drehte sich um, marschierte mit geradem Rücken zu ihrem Tresen zurück und positionierte sich dahinter wie hinter einem Schutzwall. »Gehen Sie! Sofort!«

Er sah zu ihr hinüber, ließ den Blick an ihr vorbeiwandern zu der riesigen, chromglänzenden italienischen Kaffeemaschine und der großen Schiefertafel darüber, die die Kaffeespezialitäten des Hauses anbot. Für eine Tasse Kaffee könnte er …

Rosa war seinem Blick gefolgt. Als sie sich wieder zu ihm umwandte, zog sie geringschätzig die Mundwinkel nach oben. »Denken Sie nicht mal dran«, ließ sie ihn wissen.

Natürlich würde er von der *schönen Müllerin* keinen Kaffee bekommen. Wahrscheinlich besser so. Schließlich musste er befürchten, dass sie hineinspucken oder Arsen unterrühren würde, bevor sie ihm die Tasse mit einem freundlichen Lächeln reichte. Langsam ging er auf sie zu. Sie blieb hinter dem Tresen stehen und sah ihm abwartend entgegen. Ihre Haare waren zu einem Zopf geflochten, der auf ihrem Kopf begann, sich an der Seite entlangzog und bis über ihre Schulter reichte. Sie trug eine Trachtenbluse in einem zarten Grün. Wenigstens kein Türkis. Statt eines Dirndlrockes hatte sie enge, abgewetzte Jeans an, die David sich nie zu einer Tracht vorgestellt hatte, die aber tatsächlich mit dem Rest ihrer Kleidung harmonierte. Ein perfektes Outfit. So wie sein Bruder es ihm immer geschildert hatte. Und so, wie er es in seinem Buch geschrieben hatte. Im Moment wollte ihm einfach nicht mehr einfallen, warum er diese Art von Kleidung eigentlich nicht ausstehen konnte.

Das Make-up in ihrem Gesicht war sorgfältig aufgetragen. Aber es konnte David nicht täuschen. Er sah die Schatten der dunklen Augenringe, die durch die Schminke schimmerten. Offenbar hatte Rosa in den vergangenen beiden Nächten nicht viel besser geschlafen als er selbst. Er war sich sicher, wem sie die Schuld dafür zuschrieb. Nicht seinem dämlichen Bruder, sondern ihm. Was er durchaus verstehen konnte.

Und noch etwas wurde ihm bewusst. Es fühlte sich irgendwie – merkwürdig – an, diese Frau, über die er monatelang geschrieben hatte, vor sich stehen zu sehen. David hatte eine ganz konkrete Vorstellung von ihr gehabt, hatte sich ihren Charakter wieder und wieder ausgemalt. Josefine war nach ihrem Bild entstanden. Aber die Frau, die ihn von der anderen Seite des Tresens wütend anfunkelte, hatte mit seiner Romanfigur so viel gemein wie Schlager mit Death Metal. Dieses Gefühl hatte ihn schon beschlichen, als er sie in dieser Talkshow gesehen hatte. Und genau so wirkte sie auch jetzt auf ihn. Ihre Augen blickten hellwach. Intelligent. Herausfordernd. Nichts an ihr hatte etwas von einem Dummchen, das sich herumschubsen ließ.

»Ich habe Sie höflich gebeten zu gehen.« Sie verschränkte die Hände vor der Bluse, was seinen Blick ganz automatisch für eine Sekunde auf ihr Dekolleté lenkte, bevor er ihr wieder ins Gesicht sah. »Sie scheinen es nicht verstanden zu haben: Sie haben hier Hausverbot. Ich zähle bis drei. Wenn Sie bis dahin nicht verschwunden sind, rufe ich die Polizei.«

»Rosa.« Er hob die Hände in einer unschuldigen Geste – und um ihr zu zeigen, dass er unbewaffnet gekommen war. »Ich kann verstehen, dass du sauer bist.« Sie hatte ihn zwar gesiezt, aber er sah keinen Sinn darin, wo sie doch fast so etwas wie seine Beinaheschwägerin gewesen war.

»Ach?« Ihre Augen wurden noch schmaler. »Tatsächlich?« Blanker Sarkasmus.

Wie ein Stich fuhr die Erkenntnis in seine Eingeweide. Sarkasmus. Etwas, wozu nur intelligente Menschen in der

Lage waren. Ein Charakterzug Rosas, von dem er nichts gewusst hatte. Und den er Josefine niemals zugestanden hätte. Er räusperte sich. Über diese neuen Erkenntnisse konnte er sich später Gedanken machen. Es wurde Zeit, das zu erledigen, weswegen er gekommen war. »Mein Bruder sagt, dass du ihn rausgeschmissen hast.«

Sie legte den Kopf schief. »Ich hoffe, das überrascht dich nicht. Danke übrigens. Ich bin sehr froh, dass ich jetzt weiß, wie mein Freund getickt hat. Dass das neben mir noch ein paar Hunderttausend andere erfahren haben, finde ich natürlich nicht so schlimm.« Sie winkte ab, als wäre es eine Kleinigkeit. Noch mehr Sarkasmus in seiner Reinform.

Wenn er nicht dafür verantwortlich wäre, müsste er mit Sicherheit lauthals lachen. So jedoch fühlte er sich einfach nur – erbärmlich. »Er hat gesagt, du lässt ihn nicht mehr in die Wohnung. Ich soll seine Sachen abholen. Alles, was sich so angesammelt hat, seit er bei dir eingezogen ist.«

Sie zuckte mit den Schultern. »Kein Problem. Ich habe schon alles zusammengesucht. Ich hole das Zeug.« Rosa kam hinter dem Tresen hervor und rauschte an David vorbei. Nahe genug, dass er ihren Duft nach grünen Äpfeln einatmen konnte.

Sie hatte ihn nicht gebeten, sie zu begleiten. Trotzdem folgte er ihr nach draußen und blinzelte gegen die Helligkeit.

5

Rosas Blut kochte. Und allein dafür hasste sie David Kaltenbach. Sie war doch das klassische Mittelkind, die Vermittlerin. Die, die nie einen Wutanfall bekam. Aber jetzt...

Die drei Alten erhoben sich von der Bank, als sie aus dem
Mühlenladen stürmte, sicher, den Schreiberling dicht auf
den Fersen zu haben. Sie würde sich nicht nach ihm umdre-
hen. Er wollte die Klamotten seines feigen, betrügerischen
Bruders abholen? Das konnte er haben!

Toby, der an der Bank herumgelungert hatte, um sich bei
den drei Alten ein paar Streicheleinheiten abzuholen, schoss
über den Hof und bezog Stellung an ihrer Seite.

»Brauchst du uns, Mädchen?«, rief Korbinian.

»Wir können diesen Stadtfuzzi für dich zusammenschla-
gen«, schlug Gustl vor. »Oder im See versenken. So, dass
niemand je seine Leiche finden wird.« Rosa konnte sich ein
grimmiges Lächeln nicht verkneifen. Ihr alter Fanclub ver-
weigerte sich dem Thema Hörgeräte bereits seit Jahren. Was
zur Folge hatte, dass sie nicht nur selektiv hörten, sondern
auch deutlich lauter sprachen, als nötig wäre. Zwischen den
Gebäuden hallten ihre Worte laut genug, dass auch der *Stadtfuzzi* hören konnte, wie sie zu ihm standen.

»Lass mal«, brummte Pangratz. »Mit dem Würstchen wird
sie schon allein fertig.«

Und ob! Rosa stieß die Haustür auf und ließ sie hinter Toby und sich ins Schloss fallen. Sie schob den Riegel vor. Ein Kaltenbach – egal, welchen Vornamen er trug – würde ihr nicht noch einmal ins Haus kommen. Für einen Moment lehnte sie sich an die Tür und atmete tief durch. Dann stieß sie sich von dem kühlen Holz ab und stieg die Treppe zu ihrer Wohnung hinauf.

In der vergangenen Nacht hatte sie sich in ihrem Bett wieder schlaflos von einer Seite auf die andere gewälzt. Schließlich war sie aufgestanden und hatte begonnen, Julians Sachen zusammenzusuchen. Sie hatte alles ordentlich in zwei Umzugskartons gepackt, die sie auf dem Speicher gefunden hatte. Eigentlich war es ihre Absicht gewesen, sie ihm zu schicken. Wohin auch immer es ihn inzwischen verschlagen hatte. Die Kisten standen abholbereit neben ihrer Wohnungstür.

Aber Davids Auftauchen änderte – alles. Rosa fühlte sich, als zöge sie eine brennende Zündschnur hinter sich her. Eine verdammt kurze Zündschnur, die so gut wie runtergebrannt war. Und die dafür sorgen würde, dass sie selbst jeden Moment explodierte. Sie kannte sich so nicht. Bisher hatte sie noch nie so auf irgendetwas – oder jemanden – reagiert. Selbst Toby zog sich in sein Körbchen zurück, legte die Pfoten über seine Schnauze und kniff die Augen zu.

Julians Bruder hätte nicht auf dem Mühlenhof auftauchen sollen. Dieses verdammte Buch zu schreiben war schlimm genug. Hierherzukommen fühlte sich an, als wolle er sie zusätzlich zu allem, was er bereits angerichtet hatte, auch noch verhöhnen. »Nicht mit mir«, murmelte sie und wuchtete den oberen der beiden Umzugskartons in die Küche. Sie stellte ihn unter dem offenen Fenster ab und blickte auf den Hof hinunter.

David stand zwischen der Mühle und dem Hofladen. Er

hatte seine Pilotenbrille wieder aufgesetzt, sodass sie seinen Blick nicht deuten konnte. Als er vorhin im Laden gestanden hatte, hatte sie die Schatten gesehen, die unter seinen Augen lagen. Doch während sie nicht schlafen konnte, weil sie sich Gedanken über sein dämliches Buch machte, hatte er wahrscheinlich Augenringe, weil er bereits Tag und Nacht an einem Buch schrieb, das sein nächstes ahnungsloses Opfer durch den Dreck zog. Sein dunkler Bartschatten, der sicher auch schon älter als einen Tag war, unterstrich diesen Eindruck.

»Sind das die Sachen, die Julian meinte?«, fragte sie, öffnete den Karton und warf die erste Ladung – T-Shirts und ein Paar Jeans – aus dem Fenster.

David machte einen Satz nach hinten, als die Kleidungsstücke vor seinen Füßen zu Boden segelten. »Hey! Was ...?« Er riss seine Sonnenbrille herunter und starrte fassungslos zu ihr nach oben.

Aus dem Augenwinkel nahm Rosa eine Gruppe von drei Frauen um die vierzig wahr, die den Hof betreten hatten und auf dem Weg zum Mühlenladen waren. Sie blieben stehen und betrachteten das Schauspiel, genau wie die drei Alten von ihrer Bank aus. Rosa warf bereits die zweite Ladung aus dem Fenster, als sie bemerkte, dass eine der Frauen ihr Handy gezückt hatte und das Schauspiel filmte. Wunderbar! Noch ein Auftritt im Internet! Rosas Wut wurde noch ein bisschen angestachelt, und im nächsten Moment zerplatzten die Plastikgehäuse von Julians Elektrorasierer und Fön auf dem Hof.

»So verhält sich diese Josefine in deinem dämlichen Buch nicht, habe ich recht?«, konnte sie sich nicht verkneifen, als die nächste Ladung Klamotten aus dem Fenster flog.

*

Nein, so würde sich Josefine nicht verhalten. Hatte er für einen Moment wirklich Mitgefühl mit Rosa Falkenberg gehabt, als er im Hofladen gestanden und bemerkt hatte, dass sie möglicherweise nicht ganz die Frau war, die sein Bruder ihm geschildert hatte? David rieb sich über das müde Gesicht und wich dann ein paar fliegenden Unterhosen aus. Sein Blick wanderte zu den Frauen hinüber, die die Gunst der Stunde nutzten und Rosas Ausraster mit Begeisterung filmten. Er hatte sie tuscheln hören. Die Worte *schöne Müllerin* waren dabei unüberhörbar gewesen. »Verdammte Scheiße«, fluchte er leise und kickte einen Bilderrahmen mit zersplittertem Glas, der Rosa und Julian lachend Arm in Arm zeigte, zur Seite, um nicht draufzutreten. Er konnte es nicht fassen, dass er gerade zum Mittelpunkt einer filmreifen Trennungsszene geworden war – wohlgemerkt der ersten seines Lebens –, und das alles, obwohl das nicht einmal seine Freundin war, die wie eine Furie durch ihre Wohnung tobte und alles aus dem Fenster warf, das sie aus ihrem Leben verbannen wollte.

Schließlich schien Rosa fertig zu sein, zumindest flog nichts mehr aus dem Fenster. David stützte die Hände in die Hüften und betrachtete das Chaos, das vor ihm lag. Das Ende der Beziehung seines Bruders. Er wollte sich gerade bücken, um ein paar der Sachen aufzuheben, als Rosa abermals am Fenster auftauchte. In den Augen ein teuflisches Funkeln, wenn er sich nicht täuschte. Sie hob die Arme in einer theatralischen Geste über den Kopf. In jeder Hand hielt sie eine Dose, die David von unten nicht identifizieren konnte. Im nächsten Moment trafen die Dosen vor seinen Füßen auf das unebene Pflaster auf. Der Inhalt hüllte ihn explosionsartig in eine Wolke aus rosafarbenem und gelbem Pulver – sein ganz persönliches Holi-Festival. Er atmete das Zeug ein und musste sofort niesen. Der Geschmack nach Erdbeeren und Banane setzte sich in seinem Hals fest. David blickte an sich herunter. Er war von Kopf bis Fuß mit dem Eiweißpulver bedeckt, das sein Bruder sich in seine Sportshakes rührte.

Rosa verschwand vom Fenster, und die filmenden Frauen bekamen einen Lachanfall. Eine Minute später flog die Haustür auf, und Rosa kam herausgerauscht. »Pack den Mist ein und verschwinde«, fauchte sie im Vorbeigehen. »Und noch mal: Du hast in der *Alten Mühle* Hausverbot.«

Im nächsten Moment verschwand sie im Mühlenladen. Die drei alten Männer klatschten gut gelaunt Applaus, und die Frauen packten ihre Handys weg und folgten Rosa nach einem letzten Blick auf ihn und mit einigem unterdrücktem Kichern in den Laden. David blieb nichts weiter übrig, als seinen Wagen zu holen. Er klopfte das Pulver von seinen Kleidern und schüttelte es aus seinen Haaren, fuhr Gundula auf den Hof und sammelte das Zeug seines Bruders ein. So schnell er konnte warf er alles in den Kofferraum und bretterte davon, ehe noch jemand auf die Idee kam, ihn zu fotografieren oder zu filmen.

Erst als David den Mühlenhof hinter sich gelassen hatte und wieder auf der Schotterpiste war, die ihn zum Dorf brachte, atmete er tief durch. Er parkte seinen Kombi an der gleichen Stelle, an der er zuvor gestanden hatte, und ließ den Kopf gegen die Sitzlehne sinken. Der See lag noch genauso still vor ihm. Die Lichtverhältnisse hatten sich jedoch verändert, denn die Sonne war in Richtung der Bergrücken gewandert. Das Glitzern war von der Wasseroberfläche verschwunden, was den See smaragdgrün schimmern ließ.

David konnte es nicht ausstehen, wenn jemand sich dazu

herabließ, eine Szene heraufzubeschwören. Besonders dann nicht, wenn er im Mittelpunkt dieser Szene stand. Und ganz besonders hasste er es, wenn sie öffentlich ausgetragen wurde. All das erinnerte ihn viel zu sehr an die Szene seiner Mutter, als sein Vater sie verlassen hatte, weil eine deutlich jüngere Frau namens Lydia von ihm schwanger war. David war damals erst fünf Jahre alt gewesen, aber er konnte sich an jedes Detail dieser Szene erinnern, als wäre es gestern geschehen. Seine Mutter im Nachthemd. Das verwischte Make-up in ihrem Gesicht, die Aussprache verwaschen vom Wodka. Das Kristallglas, das sie gegen die Windschutzscheibe des BMW seines Vaters geworfen hatte, während alle Nachbarn dabei zugesehen hatten. Er erinnerte sich viel zu gut daran, wie er sie dann schnell ins Haus gezogen hatte. Viel hatte er damals noch nicht vom Leben verstanden. Aber dass die Situation immer schlimmer werden würde, je länger seine Mutter hysterisch kreischend im Vorgarten ihres Hauses stand, war ihm völlig klar gewesen. Hilflos hatte er dabei zusehen müssen, wie sie einen Nervenzusammenbruch erlitten hatte, kaum dass die Haustür hinter ihnen ins Schloss gefallen war.

Diese Erlebnisse hatten ihn nie verlassen. Sie hatten ihn zu dem Typ Mann gemacht, der er war. Streiten stand auf seiner Agenda ganz unten. Emotionalen Auseinandersetzungen ging er aus dem Weg, wo immer das möglich war. Und das funktionierte verdammt gut. Die Gedanken wanderten zu seiner Ex-Freundin. Sie hatte vor ein paar Monaten einfach ihre Koffer gepackt und ihm gesagt, dass ihre Beziehung Geschichte war. Zivilisiert. Ohne den geringsten Hauch von Aufregung.

Das Erdbeer-Bananen-Potpourri, das sich in seinen Kleidern festgesetzt hatte, stieg David in die Nase. Er musste seine Klamotten wechseln. Eine Dusche würde auch nicht schaden, denn das Eiweißpulver, das einen Weg unter den Kragen seines T-Shirts gefunden hatte, juckte auf seiner Haut. Vielleicht würde er sich in Berchtesgaden ein Hotelzimmer mieten und versuchen, einfach ein paar Stunden zu schlafen. Er musste unbedingt das Karussell in seinem Gehirn zum Stillstand bringen. Mit einem Seufzen drehte er den Zündschlüssel. Gundulas Motor stotterte kurz, sprang dann aber an. David brauchte das Navi nicht. Er musste nur ins Dorf zurückkehren und dann nach links auf die einzige Straße abbiegen, die sich das Tal hinunterschlängelte. Als er den Ortskern erreichte, fiel sein Blick auf das Gebäude links von ihm. *Hotel Seeblick.* Er änderte seinen Plan spontan, trat auf die Bremse und fuhr auf den kleinen Parkplatz.

Eine Viertelstunde später stand er am Fenster seines Zimmers und blickte auf den Marktplatz hinunter. Er hatte keinen Ausblick auf den See ergattern können, aber das Bild, das sich hier bot, entschädigte fast dafür. Am Marktplatz lag das *Blatt und Blüte* – der Blumenladen von Rosas Mutter Rena. Er hatte vielleicht nicht in allen Bereichen so genau recherchiert, wie man es von einem Bestsellerautor erwarten würde, aber die Eckdaten über Rosas Leben hatte er gekannt, bevor er begonnen hatte, sie zu Josefine werden zu lassen.

Er würde sich erst einmal eine Dusche gönnen. Dann könnte er den Plan verfolgen, den er sich nach der Szene, die Rosa ihm gemacht hatte, zurechtgelegt hatte: schlafen, bis er von selbst wieder aufwachte, und dann Gas geben und dieses Tal hinter sich lassen. Andererseits wusste er, dass er genauso wenig schlafen konnte wie in den vergangenen Nächten. Trotz der bleiernen Müdigkeit, die auf ihm lag, würde er mit offenen Augen an die Zimmerdecke starren. Vielleicht könnte er sich stattdessen ein wenig in Sternmoos umsehen. Natürlich würde es keinen zweiten Teil der *schönen Müllerin* geben. Ganz egal, was der Verlag von ihm erwartete. Völlig gleich, wie sehr die Eurozeichen in den Augen seines Agenten glitzerten. Aber – verdammt noch mal – er war noch immer Autor. Wer wusste schon, was für Ideen da draußen herumschwirrten, während er in diesem Zimmer sitzen blieb? Und wenn er ehrlich zu sich selbst war, musste er zugeben, dass er zwar ziemlich sauer über Rosas Auftritt war, seine Faszination von ihr aber trotzdem nicht loswurde. Irgendetwas an ihr zog ihn in ihren Bann. Er hatte sie nur einmal im Fernsehen gesehen und jetzt auf dem Hof – doch das genügte bereits, um zu wissen, dass sie nicht die Frau war, von der sein Bruder erzählt hatte. Nur: Wer war sie dann? Und warum hatte Julian sie nicht so gesehen, wie David sie sah? Wieso hatte sein Bruder ein so verzerrtes Bild von ihr entstehen lassen?

Er duschte und lieh sich Jeans und ein Longsleeve aus dem Bestand seines Bruders. Dann gab er seine eingestaubten Klamotten in der Hotelwäscherei ab und trat auf den Marktplatz. Die Sonne strahlte vom Himmel und leuchtete die pittoreske Szenerie vor seinen Augen aus. Zwei Cafés, die noch die Terrassen für ihre Gäste bestuhlt hatten. Ein Restaurant und ein Sportgeschäft, das bereits Wintermützen mit dicken Fellbommeln auf einem Ständer auf dem Bürgersteig präsentierte. Bäcker, Metzger, Tante-Emma-Laden. Eine Skischule. Alle Geschäfte befanden sich in hübschen, gepflegten Häusern. Nicht nur von den Balkonen hingen Blumenampeln, auch die Pflanzkübel vor den Türen und an den Gehsteigen waren bunt bepflanzt und erinnerten an den Sommer, der seinen Zenit längst überschritten hatte.

In der Bäckerei holte er sich einen Kaffee zum Mitnehmen und plauderte mit der älteren Dame hinter dem Tresen über den Ort. Wie zufällig kam er auf die *Alte Mühle* zu sprechen und wunderte sich nicht wirklich, als sie in den höchsten Tönen gelobt wurde. In der Metzgerei ging es ihm nicht anders, als er eine Leberkässemmel kaufte.

Nachdenklich blieb er auf dem Marktplatz stehen und blickte zum *Blatt und Blüte* hinüber. Warum sollte er sein Glück nicht dort versuchen? Im Laden ihrer Mutter herumzuschnüffeln fühlte sich ein bisschen an, als verletze er Rosas Privatsphäre. Dabei hatte er sie als Vorlage für ein komplettes Buch benutzt, ohne ein schlechtes Gewissen zu haben. Hatte sich das jetzt verändert, weil er sie kennengelernt hatte? Weil er in diese großen, ausdrucksstarken Augen geblickt hatte? Er verstand sich selbst nicht mehr. Entschlossen überquerte er den Marktplatz und betrat den Blumenladen.

»Grüß Gott«, sagte die Frau hinter dem Verkaufstresen mit einem freundlichen Lächeln. Sie war zu jung, um Rosas Mutter zu sein. Ihrer Höflichkeit entnahm er, dass sie auch noch nichts von dem Skandal um die *Alte Mühle* gehört hatte oder zumindest nicht wusste, wer er war.

»Hallo.« Er lächelte. »Darf ich mich ein wenig umsehen?«

»Natürlich. Sagen Sie Bescheid, wenn ich Ihnen behilflich sein kann.«

David blickte sich im Laden um. Er war bei Weitem kein Experte für Blumenläden. Die wenigen Male, die er in seinem Leben einen Strauß verschenkt hatte, ließen sich an zwei Händen abzählen. Aber im *Blatt und Blüte* schien sich jemand wirklich Mühe gegeben zu haben, eine ansprechende

Atmosphäre zu schaffen. Auf der rechten Seite fanden sich Grünpflanzen und links vom Verkaufstresen, neben einem Ständer mit Grußkarten, jede Menge Schnittblumen in Zinkeimern. Große Weidenkörbe waren mit Narzissen- und Tulpenzwiebeln in den unterschiedlichsten Farben und Formen gefüllt. An den Behältern lehnten gebundene Türkränze, die David ebenfalls daran erinnerten, dass der Sommer vorbei war.

Die linke Wand des Blumenladens fehlte und ging in eine Art verglasten Wintergarten über, der an ein altes Gewächshaus erinnerte. Hier fanden sich herbstliche Gestecke mit Beeren, Erika und diesen orangenen Blumen, die wie kleine Lampions aussahen. Kombiniert mit Zweigen, Herbstlaub und getrockneten Blüten wirkten sie wie kleine Kunstwerke. Dazwischen waren Kürbisse, Windlichter und anderer Krimskrams drapiert. Auf einem Blechschild stand in schwungvollen Lettern *Es ist schon über so viele Dinge Gras gewachsen, dass man bald keiner Wiese mehr trauen kann*. Wie wahr. Den Mittelpunkt bildete ein großer Steintrog, in dem Fische herumschwammen, die wie Minikois aussahen.

David drehte sich zu der Blumenhändlerin um. »Ein tolles Geschäft«, sagte er und setzte ein gewinnendes Lächeln auf. »Man weiß gar nicht, wohin man zuerst schauen soll.«

»Ja, nicht wahr? So einen schönen Laden erwartet man so weit oben im Tal gar nicht mehr.« Die Frau strahlte ihn an. »Aber Rena Falkenberg, das ist die Besitzerin, hat einen fantastischen Ruf in der Gegend. Sie sehen ja selbst, wie kreativ sie ist.« Sie hob die Arme zu einer umfassenden Geste. »Wir betreiben ein bisschen Friedhofsgärtnerei und haben in den Gewächshäusern ein paar Gemüsepflanzen. Aber am liebsten binden wir schöne Blumensträuße oder gestalten Gestecke.«

»Wirklich faszinierend.« An der grün gestrichenen Wand hinter der Frau hing ein altes Sprossenfenster, von dem bereits die Farbe blätterte und das als Rahmen für ein paar wirklich faszinierende Großaufnahmen von Blumen diente. Daneben hingen weitere herbstliche Kränze und zu Herzen geflochtene Zweige und Blumen.

Die Verkäuferin folgte mit den Augen seinem Blick und drehte sich um. »Die Fotos hat Hannah Falkenberg gemacht«, erklärte sie auf seine unausgesprochene Frage hin. »Eine der Töchter der Besitzerin. Eine wirklich begabte Fotografin, finden Sie nicht?«

»Auf jeden Fall.« Soweit David wusste, war Rosas jüngere Schwester etwa ein Jahrzehnt durch die Welt gereist. Auf der Flucht vor ihrem Zuhause und ihrem Ex-Freund, wenn es stimmte, was sein Bruder ihm erzählt hatte. Inzwischen lebte sie wieder hier, war wieder mit dem Ex-Freund zusammen, der der Automechaniker im Ort war. Aber das war nicht, was David interessierte. »Die Besitzerin ist die Schwester der Frau, die die *Alte Mühle* betreibt, habe ich gehört«, versuchte er, das Gespräch in die richtige Richtung zu forcieren.

Die Frau blinzelte, und von einem Wimpernschlag auf den nächsten war die Höflichkeit vorsichtiger Skepsis gewichen. »Sind Sie ein Reporter, der hier herumschleicht, um uns über Rosa auszuhorchen? Wegen dieses unsäglichen Buches?« Sie stemmte die Hände in die Hüften und kniff ihre kampflustig funkelnden Augen zusammen. »Ich habe diesen Schund zwar nicht gelesen, aber ich sage Ihnen eins: Wir mögen es hier gar nicht, wenn jemand von uns verleumdet wird. Rosa Falkenberg ist ein angesehenes Mitglied unseres Dorfes. Sie sitzt im Gemeinderat und engagiert sich sehr für Sternmoos.«

Sie saß im Gemeinderat? Das war neu. Und das Letzte,

was er Rosa zugetraut hätte, nachdem er den Tiraden seines Bruders gelauscht hatte. Wieder verschob sich das Bild, das er sich von Rosa Falkenberg gemacht hatte, um ein paar Zentimeter. Die Kluft zwischen ihr und Josefine wurde immer größer, während Fabian weiterhin eine leider viel zu perfekte Kopie seines kleinen Bruders blieb. »Ich wollte eigentlich nur eine Zimmerpflanze für meine Tante kaufen«, log er und griff nach dem erstbesten Topf.

Die Wachsamkeit wich nicht aus dem Blick der Verkäuferin, als sie sagte: »Dann ist ja gut.« Sie löste das Preisschild von einem der Blätter und klebte es sich auf den Handrücken. Dann schlug sie das Gewächs in Papier ein und schob es über den Tresen in seine Richtung. »Das macht vierundzwanzig achtzig.«

David bemühte sich, nicht zusammenzuzucken. Er hatte nicht mehr die Geldprobleme, die ihn noch vor einem Jahr schlaflose Nächte bereitet hatten. Trotzdem war das ein stolzer Preis für ein bisschen Grünzeug, das unter seinem schwarzen Daumen wahrscheinlich keine vier Tage überleben würde. Er unterdrückte ein Seufzen, zahlte und trat mit unter den Arm geklemmter Pflanze wieder auf den Marktplatz.

Er ging in Richtung des Sees und überquerte die Brücke, die über den Klausbach führte. Ein Schild wies ihm den Weg zu einem Lokal namens *Holzwurm*, das mit modernen kulinarischen Kreationen und einer fantasievollen Getränkekarte warb. Eine Kneipe war genau das, was er jetzt brauchte. Sein Blick fiel auf die Pflanze. Ein Bier für sich und seine neue Gefährtin.

*

Rosa hatte es auf dem Mühlenhof nicht mehr ausgehalten. Sie konnte sich nicht erinnern, in ihrem Leben jemals so ausgeflippt zu sein. Sie hatte Klamotten aus dem Fenster geschmissen. Eine Playstation. Bei dem Gedanken verzog sie schmerzlich das Gesicht. Und Julians Eiweißpulver. Zugegeben, David in dieser rosa-gelben Wolke stehen zu sehen hatte schon was für sich gehabt. Trotzdem war das einfach nicht sie selbst. Am schlimmsten war, dass ein solches Verhalten nicht zum ersten Mal passiert war, seit die *schöne Müllerin* ihren Weg in die Buchläden gefunden hatte. Erst ihr völlig danebengegangener Auftritt in der Talkshow, und jetzt das. Sie war dankbar, dass Louisa ihr den Nachmittag freigegeben und ans Herz gelegt hatte, sich den Wind um die Nase wehen zu lassen und einmal durchzuatmen. Sie hatte sich ihr Fahrrad geschnappt, radelte am See entlang und bog dann in den schmalen Weg ab, der zum Forstlehen, dem Zuhause von Antonia, führte. Ihre Schwester war vor ein paar Jahren in das alte Forsthaus gezogen, das wie eine verwunschene Hütte auf einer Waldlichtung lag. Der Weg dorthin war steil und uneben. Rosa stemmte sich in die Pedale und merkte, wie sich etwas von der negativen Energie, die seit der Entdeckung der *schönen Müllerin* um sie herumwaberte, verflüchtigte. Sie würde nie begreifen, was Antonia daran fand, mit dem Mountainbike stundenlang durch die Berge zu kurven, aber die Anstrengung gerade lenkte sie zumindest für den Moment von ihren Problemen ab.

Das letzte Stück des Weges war besonders steil, und sie schaltete noch einmal einen Gang herunter. Hannah wäre jetzt bereits schimpfend und fluchend abgestiegen und hätte Rosa angefleht zu schieben. Aber sie war allein, also trat sie noch fester in die Pedale und quälte sich die letzten Meter hinauf. Sie kam schwer atmend auf dem kleinen Plateau zum

Stehen, auf dem sich das Forsthaus an den Hang schmiegte. Die letzten Sonnenstrahlen dieses Spätsommertages hüllten die Lichtung in ein fast unwirklich schimmerndes Licht. Nicht mehr lange und die Dämmerung würde über das Tal hereinbrechen. Vögel zwitscherten in den Bäumen, und vor Rosa versuchte eine dicke Hummel, den letzten Nektar aus der Blüte einer Wiesenblume zu sammeln. Der Blumenstängel bog sich unter dem Gewicht des Insekts so weit, dass der Hummelhintern fast über das Gras schleifte.

Rosa atmete tief durch. Das Forsthaus war ziemlich heruntergekommen gewesen, als die Forstverwaltung beschlossen hatte, die Forstämter von Sternmoos und Ramsau zusammenzulegen. Antonia hatte in dem Haus etwas gesehen, das sonst niemand wahrgenommen hatte. Sie hatte es gekauft, nach ihren Vorstellungen renoviert und damit ein wundervolles Kleinod erschaffen. Dazu gehörte unter anderem die beeindruckend große Holzterrasse vor dem Haus, auf der ihre Schwester es sich gerade auf einem Liegestuhl bequem gemacht hatte und ihr Gesicht in die Sonne hielt. Als sie Rosa bemerkte, richtete sie sich auf und schob die Sonnenbrille hoch. »Welch seltener Anblick.« Sie verzog den Mund zu einem Grinsen. »Brauchst du ein Sauerstoffzelt?«

Rosa ließ das Fahrrad fallen und stemmte die Hände in die Hüften, während sie sich weiter nach Luft schnappend vorbeugte. »Wasser«, keuchte sie.

Antonia verschwand durch die offen stehende Küchentür im Haus, und Rosa schleppte sich über die Wiese und ließ sich auf die untere der beiden Stufen fallen, die zur Terrasse führten. Sie lehnte sich gegen das rustikale Holzgeländer und ließ den Blick über die Lichtung schweifen. Antonia hatte ihr erzählt, dass in letzter Zeit mehrfach eine kleine

Gruppe Rehe im Morgengrauen aufgetaucht war. Das freche Eichhörnchen, das regelmäßig über das Geländer flanierte, als gehöre die Lichtung ihm, hatte Rosa schon selbst beobachten können. Doch selbst wenn die Tiere jetzt noch in der Nähe gewesen wären, hätte Rosa sie mit ihrem Schnaufen mit Sicherheit vertrieben. Aber auch so wirkte dieser Ort friedlich und still. Einer der Gründe, warum ihre Schwester dieses Haus so liebte, war das Panorama der umliegenden Berge, das man von hier aus sehen konnte.

Antonia kehrte mit einem großen Glas Leitungswasser zurück und setzte sich neben sie.

»Danke.« Rosa trank das Glas gierig halb leer. »Ich hatte echt vergessen, wie steil dieser Weg ist.«

»Was mich nicht wundert.« Antonia warf ihr einen Blick von der Seite zu. »Ich kann mich nicht erinnern, dass du mit dem Fahrrad schon mal irgendwo anders als rund um den Sternsee unterwegs warst. Drei Prozent Steigung sind für dich doch schon ein Berg. Normalerweise jammerst du doch mindestens so sehr wie Hannah, wenn es darum geht, sich ein wenig sportlich zu betätigen.«

»Normalerweise«, bestätigte Rosa. Sie stellte das Glas neben sich auf die Stufe und legte ihre heiße Stirn auf die Knie. Nicht, dass sie die Überwindung des Berges, der zu Antonia führte, als schlichte sportliche Betätigung bezeichnen würde. »Lou hat mir nahegelegt, den Nachmittag frei zu nehmen und ein paar meiner … Aggressionen abzubauen.«

»Auf die Geschichte bin ich gespannt.« Antonia griff nach Rosas Glas und trank einen Schluck Wasser. Sie hörte zu, als Rosa erzählte, wie David Kaltenbach sie auf dem Hof überrumpelt hatte und was danach passiert war.

Als sie endete, sah Antonia sie einen Moment fassungslos

an, so als müsse sie das, was Rosa erzählte, erst einmal verarbeiten. Dann brach sie in schallendes Gelächter aus und musste sich, als sie sich langsam wieder ein wenig beruhigte, die Tränen aus den Augen wischen. »Das hast du wirklich getan?« Antonia legte Rosa den Arm um die Schultern und zog sie an sich. »Ich bin stolz auf dich, kleine Schwester.«

»Ja, das habe ich super hinbekommen«, brummte Rosa. »Warum mache ich so etwas?« Sie sah Antonia fragend an. »Das ist überhaupt nicht meine Art. Ich bin die Nette. Die Vermittlerin. Das typische Mittelkind.«

»Diese Josefine hätte sich so jedenfalls nicht verhalten. Die hätte ihrem betrügerischen Freund verziehen und weiter ihre Hochzeit geplant. Blind. Naiv. Und immer darauf bedacht, dem Mann ihrer Träume zu gefallen. Du hast den Herrn Autor mit Sicherheit ein bisschen schockiert.« Antonia kicherte und drückte sie noch einmal an sich. »Das gefällt mir echt gut. Vielleicht ist es einfach an der Zeit, nicht mehr das brave Mädchen zu sein. Möglicherweise schlummert ein Biest in dir, das du viel zu lange an die Kette gelegt hast und das jetzt endlich raus will.«

»Antonia!« Rosa lachte. Zu ihrer Schwester zu fahren war eine gute Idee gewesen. Antonia schaffte es immer, sie aufzumuntern. »In mir schlummert ganz bestimmt kein Biest.«

»Mit langen Klauen, das struppige Haar zu einer Flechtfrisur gebunden«, malte ihre Schwester das Bild weiter. »Du hast es, ohne es zu wissen, jahrzehntelang unter Kontrolle gehalten. Bis der Mann kam, der dafür gesorgt hat, dass es seine Ketten sprengt und auf ihn losgeht.«

»Alte Märchentante«, neckte Rosa sie. »Und wenn sie nicht gestorben sind ...«

»... zerfleischt das Biest den armen Schriftsteller noch

heute«, vollendete Antonia den Satz. »Ich habe später noch einen Termin mit einer meiner Schwangeren und kann deshalb nichts trinken. Aber ich mach dir gern ein Bier auf. Ich dürfte auch noch eine Packung Chips haben. Wir sollten darauf anstoßen, dass du den Blödmann aus dem Tal vertrieben hast.«

Rosa schüttelte den Kopf. Ihre Schwester sah in den kurzen Shorts und dem Spaghettiträger-Top, die sie trug, fantastisch aus. Antonia machte zwar viel Sport, trotzdem war es Rosa unbegreiflich, wie sie bei ihrem Lebenswandel und ihrer Art, sich zu ernähren, ihre Figur hielt. Abgesehen davon stand ihr der Sinn im Moment weder nach Chips noch nach Bier. Sie musste aber zugeben, dass es gut getan hatte, sich alles von der Seele zu reden. »Das ist ein sehr verlockendes Angebot«, sagte sie, und brachte Antonia damit abermals zum Lachen. »Aber ich fahr lieber wieder nach Hause. Danke fürs Zuhören.«

»Jederzeit.« Antonia umarmte sie. »Kann ich noch was für dich tun? Möchtest du noch einen Schluck Wasser?«

»Nein, danke. Ich mach mich jetzt auf den Heimweg.« Der Gott sei Dank größtenteils bergab führte. Rosa umarmte ihre Schwester zum Abschied und hob ihr Fahrrad auf.

Sie war noch nicht weit gekommen, als ihr Handy in der Hosentasche zu klingeln begann. Rosa zog die Bremsen und kam schlitternd zum Stehen. Sie holte das Handy aus der Tasche und runzelte die Stirn, als sie Annas Namen auf dem Display stehen sah. Die Betreiberin des *Holzwurms*, ihrer Stammkneipe, war Antonias beste Freundin. Auch wenn Rosa genau wie Hannah regelmäßig in der Bar vorbeischaute, rief die Barkeeperin sie eher selten an. »Hey Anna«, meldete sie sich. »Was kann ich für dich tun?«

»Rosa-Schätzchen, für mich kannst du gar nichts tun. Nur für dich selbst. Schwing deinen Hintern so schnell wie möglich in den *Holzwurm*. Dieser Schreiberling aus München hockt an meinem Tresen und glaubt, mir mit einem charmanten Lächeln Informationen über dich entlocken zu können.«

»Was?« Rosa schlug mit der flachen Hand auf den Lenker. Das durfte doch nicht wahr sein! »David Kaltenbach ist im *Holzwurm*?«

»Leibhaftig«, erwiderte Anna gedämpft. »Wenn du mich fragst, bin ich mit Sicherheit nicht die erste Anlaufstelle für ihn gewesen. Er hat eine Zimmerpflanze aus dem *Blatt und Blüte* dabei.«

»Dieser Mistkerl!«, fluchte Rosa. »Ich bin in ein paar Minuten da.«

»Gut. Ich werde in der Zeit versuchen, ihn ebenfalls ein bisschen auszuhorchen. Bis gleich.«

Rosa legte auf und schob das Handy zurück in ihre Hosentasche. Sie trat in die Pedale und raste den holprigen Waldweg schnell genug hinunter, dass ihre Zähne klappernd aufeinanderschlugen. Es war ihr egal. Die Ränder ihres Blickfeldes färbten sich in einem wütenden Rot ein. Sie hatte nur ein Ziel: sich David Kaltenbach vorzuknöpfen und dafür zu sorgen, dass er ein für alle Mal aus Berchtesgaden verschwand.

Sie sah Kaltenbach sofort, als sie in den *Holzwurm* stürmte. Normalerweise genoss sie das gemütliche, rustikale Ambiente des ehemaligen Holzlagers. Doch heute nahm sie die zwei Touristenpaare, die an einem der Tische aßen, nur aus dem Augenwinkel wahr. Ihr Blick war auf David fixiert, der es sich auf einem der Hocker an der Bar gemütlich gemacht hatte. Vor ihm ein frisch gezapftes Bier und ein Enzian-schnaps. Neben ihm ein Philodendron, eingepackt in das Papier mit dem Edelweißblüten-Logo des Blumenladens von Rosas Mutter. David hatte das Papier oben so weit umge-schlagen, dass ein paar der Blätter, die zwischen Rot und Lila changierten, vorwitzig herausschauten.

David drehte sich nicht zu ihr um. Er sah sie auch nicht an, als sie sich auf den Hocker neben ihm setzte. Stattdessen hob er sein Bier, wie zu einem Toast, und trank dann. »Darf ich vorstellen?« Er wies mit dem Glas in Richtung Pflanze. »Frau Obermaier – Rosa. Rosa – Frau Obermaier. Ich habe sie nach meiner Grundschullehrerin benannt. Sie hatte die gleiche Haarfarbe wie die Blätter.« Nun drehte er sich doch zu ihr um. »Ich habe mich schon gewundert, wie lange es dauert, bis du hier auftauchst, nachdem ich mir des bösen Blickes der Barkeeperin bewusst geworden bin.«

»Anna. Ihr Name ist Anna. Und sie ist eine Freundin der Familie. Was mich allerdings viel mehr interessiert, als ob je-mand bescheuert genug ist, seinen Zimmerpflanzen Namen zu geben, ist die Frage, was du noch hier verloren hast. Ich dachte, wir wären uns einig gewesen, dass du die Klamotten deines Bruders in den Kofferraum deiner Schrottkarre packst und aus dem Tal verschwindest. Stattdessen schnüffelst du hier rum. Nicht nur in meiner Lieblingskneipe, sondern ganz offenbar auch im Blumenladen meiner Mutter. Was genau an ›Hau ab‹ hast du nicht verstanden?«

David sagte nichts. Er sah sie einfach nur an, und Rosa wurde bewusst, wie sie vermutlich aussah. Die Haare zer-zaust vom Fahrradfahren. Die Wangen gerötet vom Fahrt-wind und der Wut, die durch ihre Adern tobte. Sie unter-drückte das Bedürfnis, wenigstens glättend über ihre Frisur zu streichen. David Kaltenbach würde keinen weiteren Angriffspunkt für ihre vermeintliche Schwäche finden. Sie zog die Augenbrauen hoch und hielt seinem Blick stand.

»Was soll ich sagen?« Er hob die Mundwinkel zu einem halben Grinsen. »Deine Freunde haben so viel Gutes über dich zu erzählen. Der Autor in mir kann diesen Geschichten einfach nicht widerstehen. Ich will wissen, wie du wirklich bist.«

Rosa stieß ein abfälliges Lachen aus. »Wie viel Ärger hättest du dir ersparen können, wenn du diese Informationen eingeholt hättest, bevor du dein beschissenes Buch geschrieben hast? Denn Ärger ist das Einzige, was dich hier noch erwartet, wenn du nicht bald verschwindest.«

Wieder nippte er an seinem Bier und ließ sich Zeit mit seiner Antwort. Was Rosa wahnsinnig machte. »Bist du der Boss von Sternmoos? Ich wusste gar nicht, dass du hier das Sagen hast. Statt deinem langweiligen kleinen Versuch nachzugeben, mich unter Druck zu setzen, habe ich mich zu etwas ganz anderem entschieden: Du bekommst die Chance, mir zu zeigen, wie du wirklich bist.«

»Spar dir deine Gönnerhaftigkeit. Wenn hier jemand beweisen muss, dass er nicht ganz so mies ist wie die Romane, die er schreibt, dann bist das du. Aber anscheinend bist du keinen Deut besser als dein Bruder.«

Wieder dieses herablassende Starren. Doch diesmal sah Rosa eine Emotion durch seinen Blick huschen. Nur für den Bruchteil einer Sekunde. Sie hatte ihn erwischt! Offenbar hasste er es, mit Julian verglichen zu werden. »Ich muss ein Buch schreiben, Rosa. Ob du willst oder nicht. Und ich werde es schreiben. Ob du mit mir redest oder nicht.« Er zuckte mit den Schultern. »Ob die Leute in Sternmoos mit mir reden oder nicht. Du kannst es dann einfach nachlesen. Ich schick dir ein Exemplar, sobald es erschienen ist.«

Dieser Mistkerl. »Es wird kein zweites Buch über mich geben.« Rosa sagte es in einer Ruhe, zu der sie sich mit aller Macht zwingen musste. Sie griff nach seinem Enzian und kippte ihn runter. Der Schnaps brannte in ihrer Kehle. »Wenn du auch nur darüber nachdenken solltest, mache ich dir das Leben zur Hölle, wie du es dir in deinen dunkelsten Träumen nicht vorstellen kannst.« Ohne eine Erwiderung abzuwarten machte sie auf dem Absatz kehrt und verließ das Lokal. Gemessenen Schrittes, auch wenn sie das Bedürfnis hatte zu rennen. Und gegen irgendetwas zu treten.

6

Am nächsten Morgen musste sich Rosa richtig zwingen, ihr Bett zu verlassen. Sie fühlte sich zerschlagen und erschöpft. Ihr Blick fiel auf ihr Handy, das auf dem Nachttisch lag. Sie würde es ignorieren, zumindest bis sie einen Kaffee getrunken hatte. Was auch immer die Hiobsbotschaften des heutigen Tages waren, sie wollte erst einmal nichts davon wissen. Nach einer heißen Dusche fühlte sie sich bereits ein bisschen lebendiger. Sie flocht ihre Haare sorgfältig und schminkte sich, dann wählte sie ihr pinkfarbenes Dirndl, dessen Schürze mit kleinen Rosenknospen auf rosa Grund bedruckt war. Eines ihrer Lieblingskleidungsstücke, das es bis jetzt noch immer geschafft hatte, ihre Laune zu heben.

Auf dem Weg in die Küche ließ sie Toby herein, der wie jeden Morgen vor ihrer Haustür geduldig darauf gewartet hatte, bei ihr ein Leckerli und ein paar Streicheleinheiten abzustauben. Sie kochte sich einen Kaffee und setzte sich mit ihrem Müsli an den kleinen Bistrotisch auf der Loggia. Es würde nicht mehr viele Tage geben, an denen man den Morgen im Freien genießen konnte, ohne sich Frostbeulen zu holen. Rosa genoss den stillen Moment. Der Mühlenladen war noch geschlossen, und von ihrer Tante, die über dem Geschäft wohnte, war noch nichts zu sehen. Wahrscheinlich saß sie gerade ebenfalls auf ihrem Balkon auf der anderen

Seite des Hauses und hielt das Gesicht in die Sonne. Die drei Alten würden erst gegen Mittag hier auftauchen und ihre Bank besetzen.

Rosa lauschte auf das Rauschen des Mühlbachs und das Zwitschern der Vögel. Der Zauberwald, der sich hinter dem Mühlenhof ins Tal erstreckte, soweit Rosa blicken konnte, verbreitete einen schweren, erdigen Duft, der sich mit dem Geruch der Latschenkiefern mischte. Sie ließ die Ruhe auf sich wirken, die ihr half, ihre innere Mitte wiederzufinden. Egal, was in der nächsten Zeit passieren würde – und sie war sich sicher, das Drama um die *schöne Müllerin* war noch nicht vorbei –, sie würde sich auf ihre Gelassenheit besinnen und die Dinge logisch und methodisch angehen. Sie würde kein weiteres Mal aus der Haut fahren wie an den letzten Tagen. Abgesehen davon, gab es so viele Dinge, auf die sie sich konzentrieren musste. So viel Arbeit, die vor ihr lag. Einen weiteren solchen Anfall konnte sie sich schlicht nicht leisten.

Ein Geräusch ließ sie zum alten Gasthaus hinüberblicken. Louisa öffnete die Haustür und ging zum Mühlenladen hinüber. Sie blickte in Rosas Richtung und winkte ihr, als sie sie auf der Loggia entdeckte. Rosa grüßte zurück. Es wurde Zeit, mit der Arbeit zu beginnen.

Mit Toby an ihrer Seite überquerte sie den Hof. Louisa und sie würden bei einem Kaffee den Wochenplan durchsprechen. Sie mussten die gebuchten Mühlenführungen untereinander aufteilen, ihre Bestellungen überprüfen und überlegen, ob ihre Getreidesilos wieder aufgefüllt werden mussten. Ihren Vorräten und Auslieferungen nach würde Rosa diese Woche nur zwei Mehle mahlen. »Guten Morgen«, sagte sie, als sie den Laden betrat. Sie sog den Duft nach altem

Holz, Kräutern, frisch gebrühtem Kaffee und dem Hauch von Mehlstaub ein.

Louisa sah vom Tresen auf, an dem sie lehnte, während sie durch ihr Tablet scrollte. Sie nahm ihre Lesebrille ab und schenkte Rosa ein Lächeln, das ihre Augen nicht erreichte. Augenblicklich machte sich ein unangenehmes Kribbeln in Rosas Magen breit. Was war nun schon wieder vorgefallen? Hätte sie doch einen Blick auf ihr Handy werfen sollen?

»Guten Morgen«, sagte Louisa und schob eine Tasse Kaffee auf dem Tresen in ihre Richtung.

Rosa durchquerte den Mühlenladen und küsste ihre Tante zur Begrüßung auf die Wange. »Was ist passiert?«, fragte sie und griff nach dem Kaffee. Es brachte nichts, so zu tun, als ob nichts geschehen wäre. Sie kannte Louisas Blick viel zu gut.

Ihre Tante drehte das Tablet zu ihr herum. »David Kaltenbach ist passiert. Mal wieder.«

Rosa seufzte. »Ich dachte eigentlich, ich hätte für klare Verhältnisse gesorgt. Eigentlich müsste er längst wieder in München sein.«

»Das Problem ist euer Aufeinandertreffen auf dem Mühlenhof, gestern Mittag.«

Rosa rieb sich über die Stirn, hinter der es dumpf zu pochen begann. »Diese Frauen haben es gefilmt«, erinnerte sie sich. »Und online gestellt, vermute ich.« Einen Moment schwebte ihr Finger über dem YouTube-Video, das Louisa auf dem Bildschirm des Tablets eingefroren hatte. Zögern half nichts. Sie klickte auf den Pfeil und sah sich selbst dabei zu, wie sie gestern die Nerven verloren hatte. Wie eine Furie hatte sie alles aus dem Fenster geworfen, was ihr in die Finger gekommen war. David hingegen stand in stoischer Haltung mitten auf dem Hof, nachdem er den ersten Kleidungsstücken seines Bruders noch ausgewichen war. Er wirkte wie ein... ein verdammter Held! Der den Ausraster der Verrückten über sich ergehen ließ. »Mist«, murmelte Rosa und ließ das Video noch einmal abspielen. »Ich wirke, als würde ich in eine Zwangsjacke gehören – und in die nächste geschlossene Anstalt.« Sie spürte, wie ihr die Hitze in die Wangen stieg. »Und der sieht so aus, als trage er das Schicksal der ganzen Welt auf seinen Schultern. Nicht einmal dieses blöde Eiweißpulver lässt ihn lächerlich wirken!«

»Also die Stelle fand ich ziemlich gut«, hielt Louisa dagegen. Sie pustete in ihren heißen Kaffee und nippte dann daran. »Abgesehen davon finde ich tatsächlich auch, dass er viel zu gut wegkommt. Das Video wurde seit gestern fast hunderttausend Mal aufgerufen.«

Rosa gab einen fassungslosen Laut von sich. Das war unglaublich! »Genau das, was wir uns für die Mühle gewünscht haben.«

»Ja, nur eben nicht auf deine Kosten. Die Kommentare unter dem Video sind gemischt. Er hat mindestens so viele Fans wie du. Das hält sich also die Waage. Aber hier...« Louisa zog das Tablet wieder zu sich herüber, um eine neue Seite aufzurufen. »... wird er gerade hoch gehandelt.«

»Die heißesten Junggesellen Münchens?« Rosa musste lachen, als sie das Foto sah, das ihn, eingehüllt in Eiweißpuder, zeigte. »Sogar als Opfer der Attacke einer enttäuschten Frau noch sexy – Bestsellerautor David Kaltenbach, 35, aus Schwabing«, las Rosa den Text unter dem Bild laut vor. »Enttäuschte Frau? Ich bin nicht *enttäuscht*. Ich bin stinkwütend und... und...« verletzt, fügte sie in Gedanken hinzu. Sie stützte die Hände auf die Kante des Tresens und ließ den Kopf hängen, ehe sie langsam ein- und wieder ausatmete. »Siehst du?«, sagte sie leise und hob den Kopf wieder. »Das macht dieser Kerl aus mir. Ich werde zur Furie. Aggressiv und böse. So bin ich nicht. Und so will ich auch nicht sein. Soll er doch der beliebteste Junggeselle von ganz Bayern werden! Mir ist das egal. Ich will nur, dass in der *Alten Mühle* wieder Frieden einzieht und die Leute dieses Buch ganz schnell vergessen. Falls der heiß begehrte Junggeselle allerdings wirklich plant, einen zweiten Teil zu schreiben, werde ich zum Hulk.«

»Na ja, so heiß begehrt ist der Junggeselle noch nicht.« Louisa scrollte den Text ein Stück herunter, vorbei an ein paar eiweißpulverfreien Fotos. »Hier. Er ist ziemlich weit hinten auf der Liste eingestiegen.«

»Trotzdem steht er darauf«, grummelte Rosa. Sie zwang sich zur Ruhe. Es war an der Zeit, sich Gedanken zu machen, wie sich David Kaltenbach stoppen ließ. »Ich habe gestern versucht, mit ihm zu reden.« Oder ihn unter Druck zu setzen, räumte sie insgeheim ein. »Das hat wahrscheinlich nichts gebracht. Auf diesem Weg kommen wir einfach nicht weiter. Vielleicht können wir rechtlich gegen ihn vorgehen. Dazu müsste ich mich informieren …«

Louisa räusperte sich. »Ähm …« Sie hielt den Blick auf den Verkaufstresen gesenkt und wischte an einem nicht vorhandenen Fleck herum. »Darum habe ich mich schon mal gekümmert. Na ja.« Sie zuckte mit den Schultern, als Rosa nicht sofort antwortete. »Wir müssen zumindest alle Möglichkeiten ins Auge fassen, oder? Dieser Kaltenbach schadet mit seinem Buch nicht nur dir, sondern auch der Mühle. Das können wir nicht einfach hinnehmen. Wir müssen ja wissen, was wir gegen ihn unternehmen können.«

Louisa war bei einem Anwalt gewesen? Aber sie kannten gar keinen … »Oh! Hast du dich mit diesem Anwalt aus Augsburg getroffen? Michael Brandner?« Rosa konnte sich noch gut daran erinnern, wie ihrer Tante die Nerven durchgegangen waren, als dieser Brandl mit seinem Oldtimer in Sternmoos aufgetaucht war, um ihn im *Alten Milchwagen* restaurieren zu lassen. Ihre Tante und dieser Mann hatten eine gemeinsame Vergangenheit. Auch wenn Rosa und ihre Schwestern bis zu diesem Sommer noch nie von ihm gehört hatten. Auch wenn Louisa sich noch immer weigerte, darüber zu sprechen und ihren Nichten zu verstehen gegeben hatte, dass sie es nicht wünschte, wenn sie über sie und Brandl tratschten.

So viel war in diesem Sommer geschehen. Der schreckliche Unfall von Rosas Schwester Hannah in Brasilien. Ihre Heimkehr. Während Hannahs Wunden geheilt waren, hatte sie zu ihrer großen Liebe Jakob zurückgefunden. All das hatte sie in Atem gehalten, hatte ihre Gedanken beherrscht. An Michael Brandner hatte niemand mehr einen Gedanken verschwendet. »Nun sag schon«, bohrte Rosa weiter, nachdem ihre Tante ihre Frage nicht beantwortet hatte. »Hast du dich mit diesem Brandner getroffen?« Das wäre doch eine gute Entwicklung. Ihre Tante war bereits viel zu lange allein. Und der Anwalt war attraktiv, charmant und intelligent.

»Ich habe ihn kontaktiert, um herauszufinden, wie wir gegen Kaltenbach vorgehen können«, korrigierte Louisa. Mehr würde sie zu ihrer persönlichen Beziehung zu dem Mann nicht sagen, das war Rosa klar.

»Haben wir irgendwelche Möglichkeiten?«

»Im Grunde hat er nichts falsch gemacht. Er hat dich nur als Vorlage für den Roman genutzt. Solange niemand gewusst hat, dass du diese Josefine bist und diese Mühle uns gehört, gab es ja auch kein Problem. Erst seit Kaltenbachs Mutter deine Identität preisgegeben hat, wurde das Ganze zum Ärgernis. Aber dafür kann der Autor im Grunde nichts«, erklärte Louisa.

»Es sei denn, er hat seine Mutter angewiesen, es öffentlich zu machen, damit noch mehr Leute auf das Buch aufmerksam werden und die Verkaufszahlen noch weiter steigen. Über einen kleinen Skandal geht schließlich nichts«, dachte Rosa laut nach.

»Stimmt.« Louisa trank noch einen Schluck Kaffee. »Das können wir ihm leider nicht nachweisen.«

»Ich höre das unausgesprochene Aber. Was für eine Idee habt ihr ausgebrütet, du und dieser Anwalt?«

»Wir können das nutzen, um zumindest den Verlag unter Druck zu setzen. Vielleicht erreichen wir auf diesem Weg ja irgendwas. Schließlich geht es hier um deine Persönlichkeitsrechte.«

*

David erwachte in Zeitlupe. Im ersten Moment war ihm nur bewusst, dass er tief und traumlos geschlafen hatte. Er hielt die Augen geschlossen, noch nicht ganz bereit, die angenehme Schläfrigkeit aufzugeben. Von draußen hörte er Vogelgezwitscher, das entfernte Rauschen von Wasser und leise Stimmen. Das Bellen eines Hundes und gleich darauf das laute Lachen eines Jungen holten ihn schließlich endgültig aus dem Schlaf. Die Sonne schien warm auf seine geschlossenen Lider, bis er sie schließlich blinzelnd öffnete und dann gegen die Helligkeit zusammenkniff.

Im ersten Moment wusste er nicht, wo er sich befand.

Dann sah er die Pflanze, die er Frau Obermaier getauft hatte, und ihm fiel alles wieder ein. Der Anruf seines Bruders. Sein Agent, der ihn überzeugt hatte, nach Sternmoos zu fahren. Und Rosa Falkenberg, die ihm erst eine Szene gemacht und ihn dann vom Hof gejagt hatte. Seine Schnüffeleien im Dorf. Und die wachsende Faszination für die wahre *schöne Müllerin*. Nach dem Aufeinandertreffen im *Holzwurm* hatte er darüber nachgedacht, sich an der Hotelbar einen hinter die Binde zu kippen, aber sich dann doch dagegen entschieden. Er hatte Frau Obermaier in seinem Zimmer auf den Tisch gestellt, sich ausgezogen und war aufs Bett gefallen. Genaugenommen konnte er sich ab diesem Zeitpunkt an gar nichts mehr erinnern. Aber gemessen an der Helligkeit vor seinem Fenster hatte er einen großen Teil des in den letzten Tagen verloren gegangenen Schlafs nachgeholt.

David tastete auf dem Nachttisch nach seinem Handy und warf einen Blick auf das Display. Zehn vor zehn – er hatte ganze zwölf Stunden geschlafen. Höchste Zeit, aus den Federn zu kriechen. Er schob die Bettdecke zur Seite und stand auf. Auf seinem Handy wurden wie immer in letzter Zeit mehrere eingegangene Nachrichten, E-Mails und verpasste Anrufe angezeigt. Er ignorierte sie und gönnte sich erst einmal eine heiße Dusche. Dann lieh er sich noch einmal Klamotten von seinem Bruder und verließ das Zimmer. Als er im Erdgeschoss des Hotels aus dem Fahrstuhl trat, konnte er durch die offene Halle sehen, wie im Frühstücksraum bereits das Büfett abgebaut wurde. Zu spät. Aber sicher würde er auch beim Bäcker oder Metzger etwas bekommen, das seinen Hunger stillte.

»Herr Kaltenbach.«

David drehte sich nach der Stimme um und sah sich

einem älteren Mann gegenüber, der einen Anzug mit einem moosgrünen Janker trug.

»Hubert Valentin.« Er streckte ihm die Hand entgegen. »Willkommen im *Hotel Seeblick*. Ich hoffe, Sie hatten eine angenehme Nacht.«

»Ja. Vielen Dank.« David ging davon aus, dass der Hotelbesitzer nicht jeden seiner Gäste persönlich begrüßte. In Hubert Valentins wachem Blick konnte er lesen, dass er genau wusste, wer er war. David wurde das Gefühl nicht los, dass der Ältere irgendetwas im Schilde führte. Die Berechnung, die in seinen Augen lag, war nicht zu übersehen.

Valentin blickte an ihm vorbei in Richtung Speiseraum. »Sie haben noch nicht gefrühstückt?«, fragte er.

»Nein. Ich bin zu spät dran. Ich hole mir unterwegs …«

»Kommt gar nicht infrage«, unterbrach der Hotelier ihn. »Folgen Sie mir.« Ohne Davids Erwiderung abzuwarten, ging er an ihm vorbei und betrat den Frühstücksraum. »Nehmen Sie Platz«, rief er über die Schulter und griff nach einer der Thermoskannen mit dem Kaffee. Widerspruch schien kein Thema zu sein, mit dem sich der Mann besonders gut auskannte.

»Hören Sie, ich muss wirklich nicht …«

Der Hotelier wies auf einen Zweiertisch am Fenster. »Das ist doch ein netter Platz.« Er ging voraus und füllte die Kaffeetasse des Gedecks auf dem Tisch. Dann drehte er sich nach seiner Angestellten um, die gerade die Platten vom Büfett räumen wollte. »Sarah, wären Sie so nett, Herrn Kaltenbach eine kleine Frühstücksauswahl zusammenzustellen. Und bringen Sie ihm bitte eine Frühstückspost.«

Die Frau lächelte freundlich. »Selbstverständlich, Herr Valentin.« David schoss sofort der Gedanke durch den Kopf, dass sie nicht wusste, wer er war. Sonst wäre ihre Freundlichkeit wahrscheinlich ein paar Nuancen frostiger ausgefallen.

»Spiegelei oder Rührei?«, wollte Valentin wissen.

»Nein, Sie müssen wirklich nicht ... Rührei«, erwiderte David mit einem Seufzen auf die hochgezogenen Augenbrauen des Hoteliers hin.

Hubert Valentin nickte und schlug David jovial auf die Schulter. »Genießen Sie Ihren Aufenthalt in unserem Haus, und scheuen Sie sich nicht zu fragen, wenn wir etwas für Sie tun können.«

»Danke.« David sah dem Hotelier nach, der mit schnellen Schritten Richtung Rezeption davoneilte. In seiner Hosentasche vibrierte sein Handy. Doch er hatte noch keine Lust, sich mit der Welt da draußen auseinanderzusetzen. Anders als von seinem Zimmer aus blickte man vom Speiseraum auf den Sternsee. Er konnte auf der glatten dunkelgrünen Oberfläche die beiden kleinen, steinernen Inseln erkennen, auf denen Moose und von Wind und Wetter geformte Kiefern wuchsen. Durch die Mischung aus Laub- und Nadelbäumen sah er die riesigen Findlinge, die von einem gigantischen Erdrutsch, Tausende Jahre zuvor, zurückgeblieben waren. Irgendwo hatte er darüber gelesen, bekam die Details aber nicht mehr zusammen.

»Guten Appetit«, erklang die Stimme der Bedienung neben ihm. Sie stellte ihm einen Korb Brötchen und eine Platte mit Käse- und Wurstvariationen, garniert mit Weintrauben und zu Rosen geschnitzten Radieschen, hin. Auf dem Unterarm balancierte sie einen Teller Rührei, den sie vor ihm platzierte. Daneben legte sie ein gefaltetes DIN-A4-Blatt – die Frühstückspost.

Als ihm der Duft des Frühstücks in die Nase stieg, wurde

ihm bewusst, wie hungrig er war. Er wäre mit einem süßen Teilchen beim Bäcker oder einer Leberkässemmel vom Metzger klargekommen, aber insgeheim war er dankbar, dass Hubert Valentin auf dieses Frühstück bestanden hatte. Gierig schaufelte er das Rührei in sich hinein und belegte sich anschließend zwei Brötchen dick mit Käse und Wurst. Und, weil er schon dabei war, noch eines mit Schokocreme. Während er aß, überflog er das Infoblatt aka die Frühstückspost, die darauf hinwies, dass die Temperaturen in den nächsten Tagen beständig warm bleiben würden und Senioren am Donnerstag die Jennerbergbahn zum Sondertarif nutzen konnten. Die Bob-Nationalmannschaft hatte am Königssee mit dem Training begonnen, und man konnte nicht nur dabei zusehen – für schlappe neunzig Euro durfte man selbst die Eisröhre hinunterrasen. Einen Moment dachte David darüber nach, ob ihm dieses Erlebnis fast einen Hunderter wert war. Wahrscheinlich eher nicht.

Er sah zur Rezeption hinüber und entdeckte einen Mann, vielleicht in seinem Alter, der, ein kleines Mädchen auf dem Arm und einen Hund an der Leine neben sich, das Hotel betrat.

»Opa«, rief das Mädchen, lief auf Hubert Valentin zu, der immer noch an der Rezeption stand, und ließ sich vertrauensvoll in seine Arme fallen. Der Hund wedelte gut gelaunt mit dem Schwanz und machte auf ein Handzeichen des jüngeren Mannes hin Sitz. Das Tier schleppte einen pinkfarbenen Rucksack mit sich herum, der dem des Mädchens glich und grauenvoll glitzerte, als sich ein Sonnenstrahl darin fing, der durch die hohen Fenster fiel. Armer Hund, ging es David durch den Kopf.

Die beiden Männer sprachen leise miteinander, und der

jüngere drehte den Kopf mit gerunzelter Stirn in Davids Richtung. Er gehörte im Gegensatz zu dem Hotelier ganz sicher nicht zu seinem Fanclub. Er schüttelte den Kopf über etwas, das der Ältere sagte und gab eine scharfe Bemerkung von sich, die David aber nicht verstehen konnte. Dann drückte er Valentin die Hundeleine in die Hand, küsste das Mädchen auf den Scheitel und verließ das Hotel mit einem letzten finsteren Blick in Davids Richtung.

Das Handy in seiner Hosentasche vibrierte mit dem nächsten Anruf. Er löste den Blick von Valentin und seiner Enkelin und zog das Handy heraus. Sein Agent. »Hallo Martin«, meldete er sich und bemühte sich, sein Seufzen zu unterdrücken.

»David!«, brüllte sein Agent ins Telefon. »Was hast du angestellt? Du solltest recherchieren, nicht Rosa Falkenberg auf die Palme bringen. Was daran ist so schwer zu verstehen?«

David schob sich eine der Weintrauben von der Wurstplatte in den Mund. »Ich habe die Klamotten meines Bruders abgeholt. Was glaubst du denn, wie das ausgehen sollte? Sie ist weder von mir noch von Julian begeistert.«

»Offenbar hast du es übertrieben«, warf Martin ihm vor, und David musste sich beherrschen, bei all dieser Dramatik nicht die Augen zu verdrehen. »Der Verlag hat sich gemeldet. Sie will uns verklagen. Also eigentlich den Verleger. Aber du weißt, wie das ist, am Ende bekommen wir unseren Anteil ab. Und das Angebot für die Romanfortsetzung können wir uns dann auch abschminken.«

Rosa Falkenberg wollte sie verklagen? Er biss sich auf die Innenseite seiner Wange, um nicht laut loszulachen. Sie befürchtete wahrscheinlich, dass er ein weiteres Buch über sie schrieb. Und jetzt fuhr sie die Krallen aus. Ihr Temperament hatte er ja nun zur Genüge kennengelernt – sie war eine Kämpferin. Als sie am vergangenen Abend im *Holzwurm* aufgetaucht war, hatte sie ihn gereizt bis aufs Blut. Er hatte nicht behaupten wollen, dass er einen zweiten Roman mit ihr als Hauptfigur plante. Aber ihr Verhalten hatte ihn herausgefordert. Er hatte die Worte nicht zurückhalten können und es genossen, dabei zuzusehen, wie ihre Wangen sich gerötet hatten und sie die wütend funkelnden Augen zusammengekniffen hatte. Entgegen ihrer ersten Begegnung am Mittag hatte sie in der Kneipe nur ein schlichtes T-Shirt zu ihren Jeans getragen. Ihre Frisur war völlig zerzaust gewesen, so als ob sie in einen kleinen Sturm geraten war. Wenn er ehrlich zu sich selbst war, hatte er jede Sekunde ihres Streites genossen. Und das, obwohl er jede Art von Auseinandersetzung hasste. Besonders, wenn sie öffentlich zur Schau getragen wurde. »Soll sie uns doch verklagen. Ich habe nichts falsch gemacht. Das kann nur zu ihren Ungunsten ausgehen.«

»Tja, der Verlag sieht das anders. Du bist noch in den Bergen, oder?«, wollte Martin wissen.

»Ja.« Und soeben beschloss er, auch noch eine Weile hier zu bleiben. Er hatte schon lange nicht mehr so gut geschlafen wie in dieser Nacht oder so viel Action gehabt wie am vergangenen Tag, wobei er auf die Eiweißpulverdusche durchaus hätte verzichten können. Aber abgesehen davon …

»Sehr gut«, holte Martin ihn aus seinen Gedanken. »Bleib dort. Der Verlag schickt einen Mediator, der zwischen dieser Müllerin und dir vermitteln soll. Er wird für heute Abend einen Tisch in einem Restaurant in Berchtesgaden reservieren. Ich erwarte, dass du dort auftauchst und dich von deiner besten Seite präsentierst.«

Ach, auf einmal. Sein Agent war wirklich ein Fähnchen

im Wind. Die Eurozeichen blinkten mit Sicherheit nach wie vor, aber verklagen lassen wollte er sich natürlich nicht. Obwohl sie nichts zu befürchten hatten. »Schick mir einfach den Namen des Restaurants und die Uhrzeit. Ich muss jetzt auflegen.« Ohne sich zu verabschieden drückte er den roten Telefonhörer auf dem Display, legte den Kopf in den Nacken und atmete tief aus.

»Hat der Mann mit dir geschimpft?«, fragte auf einmal ein dünnes Stimmchen von der Seite.

Er senkte den Kopf und blickte zu Hubert Valentins Enkelin hinunter, die, den Hund an ihrer Seite, neben seinem Tisch stand.

»Ich bin Leni«, sagte sie und fuchtelte mit einem glitzernden Stab mit einem beleuchteten Stern an der Spitze vor sich herum. »Ich bin eine Fee und kann zaubern, dass es dir besser geht.« Mit kindlicher Empörung kniff sie die Augen zusammen. »Der Mann war bestimmt böse. Er hat so laut geredet, dass ich ihn hören konnte.«

Vielleicht konnte die kleine Leni-Fee seinen Agenten wirklich einfach verschwinden lassen. »Hallo Leni«, sagte er, statt sie um diesen Gefallen zu bitten. »Ich bin David.«

7

Rosa hatte den Tag damit verbracht, eine ganze Ladung Roggenmehl in Kilopäckchen abzupacken. Eine Tätigkeit, die sie normalerweise mochte, denn sie hatte fast etwas Meditatives an sich und erdete sie. Doch heute ließ sie ihr einfach zu viel Zeit, um über David Kaltenbach nachzudenken. Obwohl er der Letzte war, von dem sie sich wünschte, dass er ihre Gedanken beherrschte. Julian hatte ihm so viel über sie erzählt. Auch wenn er entweder gelogen hatte oder David die Wahrheit so verdreht hatte, dass sie in sein Weltbild passte – oder in seinen Roman –, hatte ihr Ex-Freund sie nicht nur in ihrer Beziehung betrogen, er hatte ihr Leben vor einem fremden Menschen ausgebreitet.

Rosa hatte im Gegenzug nicht einmal gewusst, dass Julian einen Bruder hatte. Im Buch hatte sie gelesen, dass ihr Ex-Freund bei David auftauchte, wenn er mal in München gestrandet war und einen Platz zum Pennen brauchte. Ein paar Dinge hatte sie in Artikeln und Interviews über David im Internet gefunden. Er probierte regionale Biere, wo auch immer er hinreiste. Und er hasste Türkis, fiel ihr ein. In einer Talkrunde hatte er sich einmal lachend darüber beschwert, dass er das Pech hatte, auf Reisen immer an Hotels zu geraten, deren Zimmer türkis eingerichtet oder gestrichen waren. Eine Farbe, die er nicht ausstehen konnte.

Je länger Rosa über das Treffen mit dem Mediator am Abend nachdachte, desto klarer wusste sie, wie sie die Sache angehen würde. Sie wollte, dass David aus Sternmoos verschwand. Er hatte ihr und der Mühle geschadet. Er hatte an der Existenzgrundlage gerüttelt, die ihre Tante und sie sich so mühevoll aufgebaut hatten. Menschen in ganz Deutschland zerrissen sich im Internet schamlos das Maul über sie, während er auf irgendeine Heiße-Junggesellen-Liste gesetzt worden war. Louisa und sie hatten so lange daran gearbeitet, die Mühle zu einem Erfolg zu machen, die Krönung sollte das Herbstfest Ende nächsten Monats sein. Aber jetzt hatte Rosa das Gefühl, nicht mehr ernst genommen zu werden. Ihre Art zu leben ging niemanden etwas an. Ihre Interessen, die Dinge, die sie mochte oder verabscheute, waren ihre Privatangelegenheit. Und doch konnte ganz Deutschland sie in einem Roman nachlesen.

Das Einzige, das ihr blieb, war Schadensbegrenzung. Und die würde sie heute Abend betreiben. Dazu brauchte sie keinen Mediator, sondern einfach nur Davids Versprechen, ihr für den Rest ihres Lebens nie wieder unter die Augen zu treten. Wenn Julians Bruder allerdings nur auf den Vermittler des Verlages hören würde, war ihr das auch recht. Solange er verschwand.

Rosa brauchte drei Anläufe, bis der Flechtkranz, zu dem sie ihre Haare flocht, perfekt saß. Sorgfältig schminkte sie sich und zog dann das türkisfarbene Dirndl an, das sie auch im Fernsehstudio getragen hatte – einfach nur, um David zu ärgern. Dazu wählte sie eine Dirndlbluse mit Schneewittchenkragen. Das Dekolleté wurde von einer winzigen, zarten Blütenranke betont, und die Ärmel waren aus der gleichen Spitze wie die Schürze, die sie zum Kleid wählte. Zufrieden betrachtete sie sich im Spiegel, schlüpfte in ihre Stiefeletten und legte sich das Wolltuch um die Schultern, das sie vor der abendlichen Kühle schützte. Optisch verkörperte sie im Moment alles, was David verabscheute. Nun musste sie ihn nur noch davon überzeugen, dass er auch das Tal hasste und so schnell wie möglich nach Hause zurückwollte.

Das Restaurant in Berchtesgaden, in dem der Mediator einen Tisch reserviert hatte, würde ihr dabei auf jeden Fall in die Karten spielen. Der *Hirsch* gehörte zu den Lokalen, die seit Generationen in Familienhand waren und in denen man versuchte, die alten Traditionen mit einem modernen Flair zu vertreiben. Was nur in den seltensten Fällen gelang. Obwohl der *Hirsch* zu einer der vornehmsten Adressen im Talkessel gehörte, war das rustikale Ambiente zu einer möchtegern-angesagten Scheußlichkeit verkommen. Genau das richtige Umfeld, David in die Flucht zu schlagen.

*

David hatte sich einmal mehr bei den Klamotten seines Bruders bedient. Jeans und ein graues Hemd, das nur leicht zerknittert war. Er hatte keine Ahnung, wie förmlich es in dem Lokal zuging, in das der Verleger Rosa und ihn einlud. So wie das Haus aussah, in dem sich der *Hirsch* befand, stand es schon seit ein paar Jahrhunderten in der verwinkelten kleinen Gasse, die vom Marktplatz abging. Von außen wirkte es rustikal, eines der für Berchtesgaden typischen Wandbilder zierte die Fassade. Der gediegene Eindruck bestätigte sich beim Öffnen der Tür, nur um dann in einem Wirrwarr aus Tradition und Moderne zugrunde zu gehen. Die alten Dielen knarrten unter seinen Füßen, aber die Rehgeweihe, die an den anthrazitgrau gestrichenen Wänden hingen, waren mit glitzernden Strasssteinchen beklebt. Die Bar aus Holz zu seiner Linken erweckte den Eindruck, jahrzehntealte Geschichten erzählen zu können. Auf den Tischen standen massive silberne Kerzenständer, in denen wuchtige Votivkerzen brannten – das wirkte ganz urig. Dafür hatte jemand die glorreiche Idee gehabt, die Stühle gegen Sitzbänke auszutauschen. David hatte noch nie nachvollziehen können, wie es jemand als sinnvoll erachten konnte, Stühle, in die man sich gemütlich zurücklehnen konnte, durch diese unbequemen Dinger zu ersetzen.

Er ließ den Blick durch den Raum schweifen. Rosa war noch nicht da. Überall saßen Pärchen oder Gruppen, und nur an einem Tisch saß ein einzelner Mann, im Anzug, der Blick entspannt und gelassen. Er war um die fünfzig, hatte volles graues Haar und trug eine dezente Brille. Als er David erblickte, erhob er sich von seinem Platz, schloss mit einer unauffälligen Bewegung den Knopf seines Jacketts und kam ihm mit einem offenen Lächeln entgegen. »Klaus Hoffmann. Schön, Sie kennenzulernen, Herr Kaltenbach.«

David konnte den Mann auf Anhieb nicht ausstehen. Obwohl er ihn wahrscheinlich sympathisch gefunden hätte, hätte er ihn unter anderen Umständen kennengelernt. »Guten Abend«, sagte er und schüttelte die dargebotene Hand.

»Lassen Sie uns Platz nehmen. Frau Falkenberg ist noch nicht da.« Hoffmann ging voraus, und David folgte ihm zurück zu dem Tisch, an dem er bereits gesessen hatte. Normalerweise würde er so viel Platz wie möglich zwischen sich und den Mediator bringen. Da das aber bedeutet hätte, auf der Bank neben Rosa sitzen zu müssen, biss er in den sauren Apfel und ließ sich neben Hoffmann nieder. So hatte er wenigstens die Tür im Blick. Er würde sehen, wenn sie das Restaurant betrat. Das gab ihm zumindest etwas das Gefühl, Kontrolle über die Situation zu haben, in die er geschlittert war.

»Hatten Sie einen produktiven Tag?«, fragte Hoffmann.

Ehrlich? Wollte der Small Talk betreiben? »Ja, sehr«, log David, weil er befürchtete, dass der Mediator dem Verleger haarklein Bericht über alles erstatten würde, was an diesem Abend im *Hirsch* gesprochen werden würde. Oder gab es sowas wie Schweigepflicht für Mediatoren? Er hatte keine Ahnung. Und er wollte es nicht wissen. Alles, was er wollte, war, diesen Abend so schnell wie möglich hinter sich zu bringen.

»Wirklich? Das ist ja ganz fantastisch«, sagte Hoffmann begeistert.

David ersparte sich eine Antwort. Er starrte auf das Besteck, das vor ihm auf dem Tisch bereitlag. Auf einer türkisfarbenen Serviette mit einem weißen Geweih, unter das in schnörkeliger Schrift das Wort *Jagdsaison* gedruckt war. Als er den Blick wieder hob, zog Rosa gerade die Restauranttür auf. Ihre Wangen waren von der Kälte ein wenig gerötet. Die Flechtfrisur saß perfekt. Sie hatte sich ein graues Tuch mit einer türkisfarbenen Spitzenkante über die Schultern geworfen. Darunter erkannte er das gleiche Dirndl, das sie bei ihrem Talkshow-Auftritt getragen hatte. Mit einem Blick, den er nicht deuten konnte, kam sie auf ihren Tisch zu.

»Herr Hoffmann, nehme ich an.« Sie streckte die Hand aus und schüttelte die des Mediators, der sich erhoben hatte.

»Angenehm.«

Dann streifte ihr Blick David. Mit einem sarkastisch hochgezogenen Mundwinkel brachte sie ein »Hallo« heraus.

»Rosa, wie schön, dich zu sehen.« David wusste, dass er sich auf die Zunge beißen müsste, aber sie reizte ihn schon wieder bis ins Mark. Und das gefiel ihm. »Hübsches Outfit. Hast du dein Dirndl auf die Farbe der Servietten abgestimmt?« Er hasste die Farbe, keine Frage, aber ihr Outfit an sich faszinierte ihn. Diese Bluse, die ihr Dekolleté betonte und sich dann wie ein kleiner Stehkragen an ihren Hals schmiegte, war ... wenn er auf so etwas stehen würde, könnte er den Blick vermutlich nicht mehr abwenden. Als Teenager hatte er einmal eine Freundin gehabt, die ein Dirndl auf der Wiesn getragen hatte. Er erinnerte sich plötzlich lebhaft daran, wie er sie damals aus diesen Kleidungsstücken geschält hatte. Die Bluse war eine Attrappe gewesen, denn sie hatte direkt unter dem Busen geendet und den Bauch frei gelassen. Ob Rosas Bluse an der gleichen Stelle aufhörte?

Sie lächelte ihn an. Breit und falsch. Es war wohl keine gute Idee, sich weiter Gedanken über ihr Outfit zu machen. »Zumindest besitze ich eine gewisse Auswahl an Kleidern. Wie ich sehe, trägst du die Klamotten deines Bruders auf«, konterte sie und holte ihn damit in die Gegenwart zurück. »Wenn du dich schon bei ihm bedienst, zieh doch das grüne Hemd an. Das wird dir wesentlich besser stehen als das hier.«

»Frau Falkenberg, Herr Kaltenbach«, rief sich der Mediator wieder in Erinnerung. Er räusperte sich leise. »Die Mediation ist ein Vorschlag des Verlages. Ich weiß also nicht, inwieweit Sie bereit sind, sich darauf einzulassen. Aber vielleicht lassen Sie mich zunächst ein paar Grundsätze darlegen.«

»Hey, Röschen!« David blickte zu dem Kellner auf, der zu ihnen an den Tisch getreten war und Herrn Hoffmann damit unterbrach. Er grinste Rosa breit an. »Lange nicht gesehen. Wie geht's dir?«

Offenbar einer von denen, die noch nichts von der *schönen Müllerin* gehört hatten. Rosa warf David einen bösen Blick zu, ehe sie den Mann anlächelte, aufstand und ihn umarmte. »Benny Fuchsleitner!«, rief sie. »Was für eine Überraschung. Wir haben uns ja ewig nicht gesehen.«

Der schlaksige Typ schlang seine Arme um Rosas Mitte und drückte sie fest an sich. »Ich helfe meiner Großmutter aus. Ihr sind heute gleich zwei Servicekräfte ausgefallen, also bin ich eingesprungen.« Er zuckte die Schultern und lachte, nachdem er Rosa endlich wieder losgelassen hatte. »Ist ein bisschen wie in alten Zeiten.«

»Das glaube ich dir gerne«, gab sie lachend zurück.

»Nur, dass wir inzwischen was anderes als Cola trinken dürfen. Was kann ich euch bringen? Ein Bier vom Fass? Oder ein gutes Glas Rotwein?« Offenbar fiel Rosas Freund wieder ein, dass sie nicht allein am Tisch saß.

»Ich nehme ein Glas von eurem Malbec«, sagte Rosa, ohne einen Blick in die Karte zu werfen.

»Gute Wahl.« Benny nickte.

»Mein Lieblingswein«, verriet Rosa ihm verschwörerisch.

»Und die Herren?«

Klaus Hoffmann hob sein Wasserglas. »Vielen Dank. Ich habe noch.«

David schüttelte den Kopf. »Für mich nichts.« Er wartete, bis sich der Kellner entfernt hatte, ehe er sich zu dem Mediator umwandte. »Ist es für eine Mediation nicht Voraussetzung, sich auf neutralem Boden zu treffen? Oder bin ich hier der Einzige, der der Meinung ist, dass Frau Falkenberg einen unfairen Vorteil hat?«

»Frau Falkenberg«, ahmte Rosa seine Stimme nach und beugte sich über den Tisch, »war nicht diejenige, die diese

Mediation wollte.« David konnte einen Hauch ihres Duftes wahrnehmen. Vanille. Weich und warm. Bei ihrem ersten Treffen hatte sie nach grünen Äpfeln gerochen, und im *Holzwurm* nach dem Wald und frischer, klarer Luft. »Ich habe diesen Treffpunkt nicht gewählt«, fuhr sie fort und forderte damit wieder seine Aufmerksamkeit. »Aber so groß ist der Talkessel nun mal nicht. Wusstest du, dass es in Berchtesgaden nur zwei Gymnasien gibt? Benny und ich waren auf einem davon. O nein!« In gespielter Überraschung schlug sie die Hände vor den Mund. »Das wusstest du ja gar nicht. Ja, David. Ich habe tatsächlich einen Schulabschluss.«

»Herrschaften.« Hoffmann sprach leise, und doch schaffte er es mit einer gewissen Schärfe im Ton, Rosa zum Verstummen zu bringen. Und David davon abzuhalten, noch eine verbale Salve in ihre Richtung abzufeuern. »Sie haben recht, Herr Kaltenbach. Genau wie Sie, Frau Falkenberg«, ergänzte er, als Rosa bereits wieder Luft holte und den Mund öffnete. »Der Verlag hat diese Mediation vorgeschlagen und auf dieser Umgebung beharrt, weil man der Meinung war, Sie würden sich in diesem Ambiente lockerer und offener fühlen. Aber lassen Sie mich meine Sicht auf die Situation schildern. Dieses Lokal ist sicherlich eine fantastische Wahl, wenn man sich einen Rehrücken mit Preiselbeersoße gönnen möchte. Für eine Mediation ist es tatsächlich ein denkbar ungünstiger Ort – dazu ist in der Tat neutraler Boden vonnöten. Ich möchte dieses Treffen deshalb ausschließlich dazu nutzen, Ihnen zu erklären, wie die Mediation aussehen wird, und zu besprechen, wie sich die nächsten Termine gestalten werden.«

Die nächsten Termine? David sah, wie Rosa die Hände vor der Brust verschränkte und die Lippen zu einer schmalen

Linie zusammenpresste. Okay, zumindest was diese Zwangs-mediation betraf, waren sie sich einig.

»Eine Mediation ist ein ergebnisoffenes Verfahren«, fuhr Hoffmann fort. »Das ist etwas, das ich meinen Klienten immer als Erstes erkläre.« Er legte die Hände flach auf den Tisch und sah erst Rosa und dann David an. »Ich kann erah-nen, was Sie beide umtreibt. Aber ich kann Ihnen eines ver-sichern: Ich werde Ihr Problem nicht für Sie lösen. Denn Sie sind die Spezialisten für die Situation, in der Sie sich befin-den. Meine Aufgabe ist es nur, Ihre Gespräche zu strukturie-ren. Ich ergreife keine Partei. Ich lasse Sie beide ausreden. Meine Aufgabe ist es dazwischenzugehen, wenn einer von Ihnen beleidigend werden sollte. Ich steuere das Gespräch und greife ein, wenn es notwendig wird. Jeder von Ihnen be-kommt die Zeit, die er benötigt, um seinen Standpunkt zu vertreten. Erst wenn wir das geklärt haben, beschäftigen wir uns mit der Lösung des Problems. Sie werden …«

»Ein Malbec für die Dame.« Rosas Freund unterbrach die Rede des Mediators, indem er schwungvoll das Glas vor ihr abstellte. »Der Herr, immer noch nichts zu trinken?«, fragte er David und war sich nicht im Geringsten bewusst, dass er Hoffmanns Rede damit völlig zerstörte.

Der Mediator blinzelte und schien kurz zu überlegen. Dann lächelte er und sah wieder erst Rosa und dann David an. »Jedenfalls hoffe ich, dass Ihre Mediation damit enden wird, dass Sie beide eine Vereinbarung schließen, mit der jeder von Ihnen zufrieden ist. Und an die Sie sich dement-sprechend halten.« Er griff in die Innentasche seines Jacketts und zog ein kleines Etui heraus. Dann schüttelte er zwei Visi-tenkarten in seine Hand und legte je eine vor Rosa und David auf den Tisch. »Zu unserem heutigen Treffen gibt es nicht mehr zu sagen. Meine Praxisräume sind in Bad Reichenhall. Ich würde mich freuen, wenn wir schnellstmöglich einen Folgetermin vereinbaren können.« Er lächelte David an. »Ich gehe davon aus, dass Sie in den nächsten Wochen in der Gegend bleiben.«

»Er ist schon wieder so gut wie in München.«

»Ja, ich glaube, ich bleibe noch etwas in Berchtesgaden«, sagte David im gleichen Moment.

Rosas Kopf fuhr zu ihm herum. »Was?«, fauchte sie.

David zuckte mit den Schultern. Er gab es nur ungern zu, aber es machte wirklich Spaß, Rosa auf die Palme zu bringen. Ihm gefiel dieses wütende Rot, das ihre Wangen färbte. »Ist doch ganz schön hier. Herbst in den Bergen und so.«

Hoffmann erhob sich. »Sie sehen«, setzte er noch einmal an. »Es gibt viel, worüber wir sprechen müssen. Sie, Frau Falkenberg, sollten darüber nachdenken, was Sie sich von Herrn Kaltenbach wünschen. Eine Entschuldigung vielleicht? Wiedergutmachung? Machen Sie sich einfach ein paar Gedanken. Rufen Sie mich an und vereinbaren Sie einen Termin. Einen schönen Abend Ihnen beiden.«

Stumm sahen Rosa und David ihm nach, bis die Restauranttür ins Schloss fiel. Für einen Moment breitete sich die unangenehme Stille zwischen ihnen aus. Dann hob sie die Augenbrauen und sah David direkt an. Der Kampf ging weiter.

»Ich weiß, was ich von dir will«, beantwortete Rosa die Frage, die Hoffmann in den Raum geworfen hatte, an David gerichtet. »Und ich war mir sicher, dir das gestern genau erklärt zu haben. Wer so schlaue Bücher schreibt wie du, sollte das doch eigentlich verstehen können. Du. Sollst. Verschwinden«, betonte sie jedes Wort. »Eine Entschuldigung wird niemals ausreichen, um den Schaden gutzumachen, den du angerichtet hast.«

David fuhr sich durch die Haare und stützte dann die Ellenbogen auf den Tisch, um sich, genau wie Rosa, vorzulehnen. Wieder stieg ihm dieser Hauch von Vanille in die Nase, der von ihr ausging. Anders als bei den beiden anderen Auseinandersetzungen fühlte er sich unbehaglich. »Ich habe dir nie schaden wollen«, sagte er schlicht und blickte in ihre großen ausdrucksstarken Augen. »Ich weiß, dass du mir das nie glauben wirst, aber so ist das. Wenn ich etwas zugeben muss, dann, dass ich nicht darüber nachgedacht habe, was passiert, wenn die Welt erfährt, wer Josefine in Wirklichkeit ist.«

Rosa ballte ihre Hände auf dem Tisch zu Fäusten. Ihre Augen verengten sich zu Schlitzen, die Funken zu sprühen schienen. »Aber ich bin nicht Josefine«, zischte sie. »Weder bevor noch nachdem deine Mutter meine Identität ganz zufällig an die Medien verhökert hat.«

Langsam glaubte er das ebenfalls. Aber das war nichts, was er einfach so zugeben würde. »Das hast du inzwischen ein paar Mal betont. Aber weißt du«, er ließ sich von ihrem Blick nicht einschüchtern und beugte sich noch ein paar Zentimeter weiter in ihre Richtung, »du kannst das nicht einfach behaupten und mir dann keine Chance geben herauszufinden, ob das wirklich stimmt.«

»Es kann dir egal sein. Alles, was mich, meine Familie, meine Freunde und meine Heimat betrifft, geht dich, genau wie meine Frisuren, mein Lippenstift und meine Kleidung, nicht das Geringste an. Den zweiten Teil des Buches, von dem du gestern gesprochen hast, kannst du dir abschminken.«

»Genau da liegt das Problem.« David lehnte sich wieder ein Stück zurück und verschränkte die Arme vor der Brust.

»Ich kann und werde das Buch schreiben, wenn mir danach ist. Ob du mit mir redest oder nicht. Ob deine Familie den Mund aufmacht, die Frau in der Tourismuszentrale oder irgendjemand in den Hotels. Ganz egal. Ich brauche weder dich noch deine Freunde dazu.« Er genoss es, ihr wenigstens etwas den Wind aus den Segeln zu nehmen.

Rosa schluckte den Satz, der ihr auf den Lippen gelegen hatte, offensichtlich herunter. Sie hatte erkannt, dass sie nicht in der Position war, ihn noch weiter zu reizen. Falls er das Buch wirklich schreiben wollte, würde sie mit diesen verbalen Angriffen erneut nicht gut wegkommen. Sie hatte wirklich Glück, dass er sie nicht noch einmal zur Hauptfigur machen würde. Abermals dachte er, dass es trotzdem kein Fehler war, sie in dem Glauben zu lassen.

»Du willst hierbleiben und recherchieren? Gibt es nicht so etwas wie Autorenehre? Du hättest ja schon bei deinem ersten Buch recherchieren müssen, bevor du ein völlig falsches Bild von mir und meinem Leben gezeichnet hast.«

»Ich hatte eine Quelle«, verteidigte er sich.

»Ach ja! Richtig!« Theatralisch schlug sich Rosa gegen die Stirn. Sie war etwas lauter geworden, und die Gäste an den Nachbartischen drehten ihnen bereits neugierig die Köpfe zu. David war erleichtert, dass sie nicht dabei war, ihm die zweite Szene in zwei Tagen zu machen, sondern mit etwas gemäßigterer Stimme fortfuhr, als sie weitersprach. »Der betrügerische Mistkerl von Freund, von dem du wusstest, dass er ein betrügerischer Mistkerl von Freund ist. Eine wirklich ganz fantastische Quelle.«

Aus Rosas Sicht betrachtet konnte er, was Julian betraf, nicht widersprechen. Deshalb schwieg er einfach. Partei würde er für seinen Bruder nicht ergreifen.

»Kannst du nicht einfach verschwinden, damit Gras über diese ganze Geschichte wachsen kann und in der Mühle wieder der Alltag einkehrt? Ganz ohne Instagram, Twitter und YouTube?« Ihre Stimme war noch leiser geworden. Sie drehte den Stiel ihres Weinglases in den Fingern. Bis jetzt hatte sie noch keinen Schluck getrunken. Ihr Blick ruhte auf der rubinroten Flüssigkeit, die sanft an den Glaswänden hinaufschwappte und das Licht der Kerzen spiegelte.

In diesem Moment wurde David etwas klar. Er würde nicht gehen. Nicht, bis er alles über Rosa Falkenberg herausgefunden hatte. Bis er alles über sie wusste. Und sie verstand. Nicht, indem er ihre Freunde und Nachbarn aushorchte. Und nicht, um ein weiteres Buch über sie zu schreiben. Er musste herausfinden, wie er sich so hatte täuschen lassen. Und er wollte, dass sie ihm all diese Dinge selbst erzählte. Dass sie ihm ihr wahres Leben zeigte. »Tut mir leid«, sagte er leise, und sie hob den Blick von ihrem Glas. »Ich kann nicht gehen. Aber ich kann dir versprechen, dass ich keine weiteren Skandale verursachen werde. Reicht dir das für den Anfang?« Ein Friedensangebot.

Das sie ausschlug. »Nein.« Sie stand auf und griff nach ihrem Tuch. »Wenn ich dich nicht dazu bringen kann zu verschwinden, dann soll es so sein. Bleib in Sternmoos, genieß den Herbst in den Bergen. Aber halte dich so weit fern von mir wie möglich. Wehe, du schreibst auch nur noch einen einzigen Satz über mich.« Mit diesen Worten drehte sie sich um und verließ das Restaurant. Mit hoch erhobenem Kopf. Sie rannte nicht, aber er erkannte eine Frau, die auf der Flucht war.

*

Sind auf dem Dachboden, hatte Hannah als WhatsApp geschickt. Rosa war dankbar, dass ihre Schwestern nach dem Treffen mit dem Mediator auf sie warteten. Sie fuhr nach Hause, tauschte ihr Kleid gegen bequeme Yogahosen und ein kuscheliges Kapuzenshirt. Dann stieg sie die steilen Treppen unter das Dach der Mühle hinauf.

Toby erwartete sie schwanzwedelnd am Rande der Bodenklappe. Rosa kraulte ihn zwischen den Ohren und fühlte sich sofort ein bisschen besser. »Komm mit«, forderte sie ihn unnötigerweise auf und ging zu ihren Schwestern hinüber. Der Hund folgte ihr auf dem Fuß und kletterte auf ihren Schoß, sobald sie sich auf den Sitzsack fallen ließ.

»Und? Ist Mediation besser oder schlimmer als die Zauberelse?«, fragte Antonia und hielt Rosa ihre Chipstüte entgegen.

»Nichts ist so schlimm wie die Zauberelse«, widersprach Hannah. Sie schob die Chipstüte mit der Hand zur Seite und warf Rosa einen Kinderriegel zu.

Rosa fing ihn und riss die Verpackung auf. »Ob es so viel besser ist, wage ich zu bezweifeln.« Sie biss ab und erzählte ihren Schwestern haarklein, wie das Gespräch mit David und Klaus Hoffmann gelaufen war.

»Ich befürchte, dass wir ihn nicht loswerden«, sagte Antonia, als Rosa geendet hatte. Sie zog einen Kartoffelchip aus der Packung und hielt ihn Toby hin, der sie bettelnd ansah. »Müssen wir härtere Geschütze auffahren, um ihn loszuwerden?«

»Ich habe gehört, dass er im *Seeblick* abgestiegen ist«, ergänzte Hannah. »Wenn wir mit ein paar Leuten reden, können wir ihm das Leben in Sternmoos sicher zur Hölle machen. Xander wäre garantiert sofort mit von der Partie.«

Rosa biss noch ein Stück von ihrem Schokoriegel ab.

Hannah hatte recht. Xander Valentin, der Sohn des Besitzers des *Hotel Seeblick*, würde ihr mit Sicherheit helfen. Genau wie Anna und viele andere im Ort. Sie legte den Kopf in den Nacken und blickte in die Feenlichter im Gebälk hinauf, während die Schokolade auf ihrer Zunge schmolz. »Wenn ihr auch alle in seinem verdammten zweiten Buch landen wollt, könnt ihr das probieren. Ich für meinen Teil habe beschlossen, ihn einfach zu ignorieren. Er wird sowieso schreiben, was er will. Egal, wie ich mich verhalte. Wenn wir Glück haben, langweilt er sich hier bald und haut wieder ab.«

*

David war vom Restaurant, in dem er nichts gegessen hatte, direkt ins Hotel zurückgefahren. Jetzt stand er in seinem Zimmer am Fenster und starrte auf den dunklen Marktplatz hinunter. Er riss die Tüte Salzbrezeln aus der Minibar auf, die ihm heute als Abendessen genügen mussten, und öffnete ein Bier. Dann warf er Frau Obermaier einen Blick zu und zog sein Handy aus der Tasche. »Mir bleibt keine Wahl«, erklärte er der Zimmerpflanze. Er brauchte die Hilfe seines besten Freundes, Wastl Lindner. Was aber automatisch mit einer Standpauke verbunden sein würde. »Ich kenne ihn zu gut. Die Chance, mir die Leviten zu lesen, wird er sich nicht entgehen lassen«, ergänzte er und trank einen Schluck Mutbier. Mit einer Zimmerpflanze zu reden war echt erbärmlich. Es brachte nichts, es noch weiter hinauszuzögern. Er wählte die Nummer seines Freundes.

»Ein Wunder!«, sagte Wastl statt einer Begrüßung. »Der Typ, der früher behauptet hat, mein bester Freund zu sein, aber nichts mehr von sich hören lässt, seit er der große Bestsellerautor ist, ruft mich an.«

David verdrehte die Augen und wartete das Ende der Tirade ab. Wastl konnte eine Dramaqueen sein. Manchmal war er nicht viel besser als die Teenager, die er in Mathe, Physik und Sport unterrichtete. Selbstverständlich hatten sie miteinander gesprochen, seit sein Buch zu einem Erfolg geworden war. Als er Platz eins der Bestsellerliste erreicht hatte, hatten sie das gemeinsam mit einer danach nicht mehr nachvollziehbaren Anzahl an Gin Tonics gefeiert. Wastl mochte das Buch zwar nicht, aber er gönnte David trotz allem den Erfolg. Von Herzen. »Wie geht es Sanne?«, fragte er, statt zu antworten.

»Sodbrennen. Geschwollene Knöchel. Ständig am Nörgeln und mit Gelüsten, die kein normaler Mensch nachvollziehen kann. Noch sechs Wochen. Mann, David«, verwandelte er sich innerhalb eines Wimpernschlages wieder in seinen besten Freund zurück. »Ich habe vielleicht Schiss.«

»Das glaube ich dir. Sogar ich habe Schiss, wenn ich daran denke.« Was nicht gelogen war. Wastl und seine Frau hatten ihn gebeten, der Patenonkel ihres Babys zu werden. Er hatte sich im ersten Moment geehrt gefühlt – im nächsten hatte er die Hosen voll, weil er keinen blassen Schimmer hatte, was er als Pate tun musste, und ob er das Zeug dazu hatte. Wenn es etwas gab, was er auf keinen Fall wollte, war es, ein Kind zu enttäuschen. »Grüß sie von mir, okay? Ich wünschte, ich wäre in letzter Zeit mehr für euch da gewesen.«

»Vergiss es, David. Uns geht es gut, und du musst dich um deine Buch-Promo kümmern. Wo treibst du dich denn im Moment rum?«

David trank noch einen Schluck. »In Sternmoos.« Dann

zählte er die Sekunden, in denen die Stille zwischen ihnen pulsierte. Drei … vier … fünf …

»Sternmoos?« Wastl räusperte sich. In der Frage klang seine ganze Ungläubigkeit mit. »Das Sternmoos in Berchtesgaden? Wo diese Mühle steht? Und Rosa Falkenberg wohnt?«

David lehnte die Stirn gegen die kühle Fensterscheibe und drehte eine Salzbrezel zwischen seinen Fingern. »Genau dieses Sternmoos.«

»Dann hast du Rosa Falkenberg getroffen? Sie dürfte nicht allzu gut auf dich zu sprechen sein«, sagte Wastl.

»Das wäre noch harmlos ausgedrückt. Ich würde eher sagen: Sie hasst mich.«

»Kann man ihr nicht wirklich verübeln, Kumpel. Ich habe diese Talkshow gesehen. Sie hatte keinen blassen Schimmer, was sie da erwarten würde, und ist völlig ahnungslos in die Falle getappt. Das war echt hinterhältig.« Die Standpauke begann. Und David konnte es seinem Freund nicht einmal übel nehmen.

»Da hast du absolut recht. Auch wenn ich nichts dafür kann, dass sie ahnungslos war, als sie in diese Sendung eingeladen wurde. Diese Aktion vom Sender war echt fies«, stimmte David ihm zu.

»Die Ursache dafür lag aber bei dir. Du bist derjenige, der das Buch geschrieben hat. Du bist derjenige, der sie vorher nicht um Erlaubnis gefragt hat. Und am Ende bist du derjenige, der nicht verhindert hat, dass deine Mutter alles ausplaudert«, zählte Wastl die schlimmsten von Davids Verfehlungen der letzten Monate auf.

Dabei zeigte sein Freund zumindest bei einem Punkt zu Unrecht mit dem Finger auf ihn. »Als ob irgendjemand auf diesem Planeten meine Mutter bremsen könnte«, hielt er dagegen, und Wastl gab ein zustimmendes Schnauben von sich. Wenn es jemanden gab, der Martina Kaltenbach wirklich kannte, dann war es sein bester Freund. Wastls Familie war in das Nachbarhaus gezogen, als die Jungen drei Jahre alt gewesen waren. Sie waren zusammen aufgewachsen. Über die Jahre hinweg hatte David wahrscheinlich mehr Zeit im Haus von Wastls Eltern verbracht als in den eigenen vier Wänden. Wastl hatte jede Stimmungsschwankung seiner Mutter erlebt. Jeden Nervenzusammenbruch. Jede manische Phase. Er und seine Familie waren immer da gewesen. Hatten ihn immer aufgefangen. »Abgesehen davon hast du natürlich recht«, sagte David. »Sie hat allen Grund, sauer auf mich zu sein. Und auf Julian. Sie hat ihn rausgeschmissen, sobald sie von seinen Affären erfahren hat.«

»Ich mag die Frau.« Wastl lachte leise. »Wahrscheinlich hat dein Bruder die Welt nicht mehr verstanden.«

»Genau so war es. Abgesehen davon hat er mir die Schuld an seinem Schlamassel gegeben und versucht, mich dazu zu bringen, seine Klamotten zu holen. Das wiederum hielt mein Agent für eine fantastische Idee.« David erzählte Wastl, was sich in den letzten Tagen ereignet hatte.

Als David schließlich endete, stieß Wastl einen langen, leidvollen Seufzer aus. »In meiner Fantasie rufst du mich einfach irgendwann an und sagst: Hey, Wastl, du wirst es nicht glauben, aber ich habe ein lustiges Kinderbuch geschrieben. In ganz hellen Farben. Ganz fröhlich. Und ich bin dabei niemandem auf die Füße getreten.« Er legte eine künstliche Pause ein, die David dazu nutzte, sich die letzten beiden Salzbrezeln in den Mund zu schieben. »Du weißt schon«, fuhr er dann fort. »Mit kleinen Häschen mit großen Augen. Oder Spatzen, die glückliche Lieder singen. Aber diesen Traum wirst du mir nie erfüllen. Stattdessen legst du dich mit der Frau an, die du in deinem Roman öffentlich durch den Kakao gezogen hast, und machst sie noch wütender, als sie sowieso schon ist. Ich finde, du hast Glück, dass sie dich nicht mit der Playstation getroffen hat. Wobei – vielleicht hätte das in deinem Kopf ein paar Dinge an die richtige Stelle gerückt.«

»Du bist so witzig.« David stippte mit dem Finger die letzten Salzkrümel aus der Brezelpackung und schob sie in den Mund. »Ich habe mich in eine echt beschissene Situation manövriert.«

»Das kann man wohl sagen. Diese Rosa glaubt, du hängst in Sternmoos herum, weil du einen zweiten Bestseller auf ihre Kosten schreiben willst. Und du lässt sie in dem Glauben, damit du in ihrer Nähe herumhängen und von ihr fasziniert sein kannst. Habe ich das richtig zusammengefasst?« Manchmal stand Wastl David in Sachen Zynismus in nichts nach. »Dein Roman ist eigentlich eine Abrechnung mit Julian. Das merkt nur niemand außer mir, weil du diese Josefine ein bisschen zu plastisch dargestellt hast. Jetzt ist sie das große Thema, und die Abrechnung mit deinem Bruder geht völlig unter. Das ist das Problem, mein Freund.«

David seufzte. »Ich habe keine Ahnung, warum ich Julian die ganze Zeit überhaupt zugehört habe. Warum ich Josefine im Roman genau so angelegt habe, wie er mir Rosa beschrieben hat.«

»Und wie sie offenbar kein bisschen ist«, ergänzte Wastl. »Wie geht das Ganze jetzt weiter? Was hast du vor?«

»Ich habe keine Ahnung. Ich will einfach noch ein bisschen hierbleiben. Ich möchte Rosa kennenlernen.« In dem Moment, in dem er es aussprach, wusste David, dass das die Wahrheit war. Er wollte wirklich mehr über sie erfahren. Er wollte wissen, warum sie jeden Tag anders duftete. Wie viele Dirndl sie in ihrem Schrank hängen hatte. Wie lange es dauerte, sich diese kompliziert aussehenden Flechtfrisuren zu machen. Sie sah aus wie die Josefine in seinem Buch, aber abgesehen davon war sie offenbar eine moderne, hart arbeitende Frau mit Visionen und Engagement. Was er mit dem, was er herausfand, anfangen würde, wusste er allerdings noch nicht. »Deshalb brauche ich deine Hilfe. Ich habe keine Klamotten hier und will nicht die ganze Zeit in den Jeans meines Bruders herumlaufen. Kannst du in meiner Wohnung vorbeischauen und mir was schicken?«

»Kein Problem, mache ich gerne.« Wastl lachte. »Diese Rosa würde ich zu gerne kennenlernen.«

»Vielleicht kommt sie ja zur nächsten Buchpremiere«, brummte David.

Wastl lachte noch ein bisschen lauter. Er verabschiedete sich und legte auf. David ließ das Handy sinken und blickte auf den menschenleeren Marktplatz hinaus. Die Stille, die ihn umgab, hatte plötzlich etwas Erdrückendes.

8

Das Schwesterntreffen auf dem Dachboden hätte eigentlich eine beruhigende Wirkung auf Rosa haben sollen. Doch dann war sie hellwach durch ihre Wohnung getigert, weit davon entfernt, auch nur an Schlaf zu denken. Schließlich hatte sie Davids Buch noch einmal zur Hand genommen. Sie erinnerte sich, dass in einem Post im Internet geschrieben stand, dass die Texte an Poetry Slams erinnerten, was irgendwie stimmte. Diesmal überflog sie den Roman nicht nur, sondern las ihn Seite für Seite. Alles, was Julians Bruder über sie und ihre Beziehung geschrieben hatte. Wut und Scham hatten sich ständig miteinander abgelöst. Waren mit der Fassungslosigkeit verschwommen, die sie immer wieder wie eine Welle überflutete. Am schlimmsten fand sie den Teil, in dem es darum ging, wie Josefine versuchte, Fabian reinzulegen und zu einer Heirat zu zwingen. Sie las die Stelle zweimal, nicht sicher, ob sie wirklich glauben konnte, was da geschrieben stand.

Fabian ist der Typ Bruder, der unangemeldet in deiner Bude sitzt, wenn du nach einem beschissenen Tag nach Hause kommst und dich vorwurfsvoll fragst, warum du noch kein Netflix hast. Die Schuhe ausziehen, bevor er sich auf die Couch fläzt? Fehlanzeige.

Wenn ich es mir leisten kann, denke ich, während ich sage: »*Wenn ich Zeit habe, die ich mit Serien verschwenden kann.*«

»Na ja. Dann halt Fußball.« Er schaltet ins öffentlich-rechtliche Fernsehen und ich zurück in den Gereizter-Bruder-Modus. »Das ist zumindest besser als dieses Trash-TV, das ich mir immer mit Josefine reinziehen muss.«

Das Dirndl-Flechtfrisuren-Mädchen. Mal wieder. »Wolltest du das Wochenende nicht mit ihr in Berchtesgaden verbringen?« Das hätte mir zumindest Schuhe auf dem Sofa erspart. Und den Bruder, der daran hängt, gleich mit.

»Alter!« Fabian richtet sich so ruckartig auf, dass ich zurückzucke. »Niemals!« Er sieht mich entsetzt an. »Du musst mir helfen, eine Strategie zu entwickeln. Du kannst dir gar nicht vorstellen, was sie versucht hat.«

»Nein, vermutlich nicht«, sage ich und bin wie immer begeistert, dass Fabian so unfassbar sensibel auf die Vierkanthölzer reagiert, die man ihm gegen die Stirn schlägt. Dabei versuche ich, wirklich deutlich zu zeigen, dass ich die Geschichten des Dummchens aus den Bergen nicht hören will. Sonst würde ich ja einen Heimatfilm einschalten. Der läuft auch auf den Öffentlich-Rechtlichen.

»Gestern hat sie mir allen Ernstes angeboten, es ohne Gummi zu machen. Kannst du das glauben?«

Zu viel Information. Aber da ich ihm sowieso nicht entrinnen kann, stimme ich meinem Bruder zu. Unglaublich, so verantwortungslos zu sein, mit jemandem in die Kiste zu steigen, der seinen Schwanz nicht in der Hose lassen kann. Verantwortungslos oder naiv. Fabians kleines Landei weiß wahrscheinlich nichts von seinen Eskapaden, also ist mir nicht ganz klar, worauf mein Bruder hinauswill.

»Du blickst es nicht, Mann.«

Das Einzige, was ich blicke, ist, dass ich mir schleunigst ein Bier aus dem Kühlschrank holen sollte. Denn erstens hat

Fabian schon den Großteil vernichtet, wie die Flaschen neben der Couch zeigen. Und zweitens ertrage ich seine Verschwörungstheorien zum Thema Gebirgsdirndldummchen nicht komplett nüchtern.

»Sie versucht, mich reinzulegen«, erklärt Fabian mir. Die Augen voller jugendlicher Empörung. Früher hat mich das immer dazu verleitet, ihm den Arsch zu retten. Jetzt bin ich gewillt, besagten Arsch aus meiner Wohnung zu schmeißen. Stattdessen lehne ich mich in den Türrahmen und warte auf Erleuchtung. »Ich habe ihre Eltern kennengelernt und so. Ihre Mutter hört gar nicht mehr auf, davon zu reden, dass ihre biologische Uhr tickt. Und jetzt ist Josefine plötzlich der Meinung, dass wir keine Kondome brauchen, nur, weil ich keins mehr hatte und sie es nicht schafft, beim Einkaufen an die wirklich wichtigen Dinge zu denken. Aber alles kein Problem, sagt sie. Schließlich wären wir ja schon eine Weile zusammen. Sie nehme ja die Pille. Und ich könne ihr vertrauen. Erinnert dich das an etwas?«

Ja, verdammt. Das erinnert mich an etwas. An meine Stiefmutter zum Beispiel, die es genauso gemacht hat. Sie hatte sich von meinem Vater schwängern lassen, nur um ihm dann die Pistole auf die Brust zu setzen. Vielleicht war es nicht ganz so gewesen und die Ehe meiner Eltern wäre auch so kaputt gegangen. Aber fragen Sie mal einen Fünfjährigen zu diesem Thema, der plötzlich keinen Papa mehr hat, dafür aber einen nervigen Halbbruder, der auch heute noch auf meiner Couch herumhängt – und dem wiederum niemand vertrauen sollte. Es sieht schlecht aus, ihn in absehbarer Zeit wieder loszuwerden. Die Dirndlmüllerin will Fabian also ein Kind unterschieben und ihn so zur Hochzeit zwingen? Das würde mir zumindest meine Couch wiedergeben.

Irgendwann waren Rosa auf ihrem Sofa die Augen zugefallen, und sie war in einem unruhigen Schlaf voller wirrer Träume versunken, die sich allesamt um die Kaltenbach-Brüder drehten. Und darum, wie Julian sie beschuldigte, ihn übers Ohr hauen zu wollen und wie David sich über sie kaputtlachte. Gott sei Dank wurde sie am nächsten Morgen von ihrem Freund Nico überrascht, der gemeinsam mit Toby vor ihrer Tür stand, eine Tüte mit duftendem Stuck aus der Bäckerei, in der er arbeitete, in der Hand. Er umarmte sie fest und machte sich dann an der Kaffeemaschine zu schaffen.

Nico und sie hatten schon immer von einem gemeinsamen Projekt geträumt. Sie waren bereits seit der Berufsschule befreundet. Damals mussten sie gemeinsam nach Stuttgart pendeln, wo Rosa das Müllerhandwerk gelernt hatte und er zum Bäcker ausgebildet worden war. Nächte um Nächte hatten sie sich um die Ohren geschlagen, gelacht, gefeiert. Und immer wieder hatte Nico sie mit seinen verrückten Datinggeschichten unterhalten. Er hatte mit fünfzehn herausgefunden, dass er schwul war, und war der perfekte Sofapartner, um über die männlichen Darsteller in diversen Trash-TV-Sendungen zu lästern. Nico war der Einzige, der diese Fernsehleidenschaft, über die vor allem ihre Schwestern nur die Augen verdrehten, teilte. Innerhalb kürzester Zeit war er zu Rosas bestem Freund geworden – und es seitdem geblieben.

Sie linste in die Tüte und atmete den Duft des kugelförmigen Roggengebäcks ein. »Eigentlich hatte ich für das Frühstück etwas Gesünderes geplant.« Mit einem kleinen Seufzen räumte sie die Haferflocken weg, die die Basis für ihr Porridge bilden sollten, platzierte das Gebäck auf einem Teller und holte die Butter aus dem Kühlschrank. Während Nico mit zwei Tassen Kaffee zum Tisch herüberkam, deckte sie mit Tellern, Besteck und Servietten, die über und über mit kleinen Muffins bedruckt waren. Der Hintergrund war türkis, was sie automatisch an den vergangenen Abend denken ließ. Wer brauchte schon Porridge? Das Gebäck war genau der richtige Weg, ihren Sieg über David zu feiern. »Ich hatte diesen Herbst noch keinen einzigen Stuck«, gab sie zu und legte eines der Gebäckstücke auf ihren Teller. Das war eine der Spezialitäten, die den Berchtesgadener Talkessel ausmachten. Stuck, ein beliebtes Gebäck bei den Einheimischen, das es nur zwischen dem Beginn des Schuljahres und dem Nikolaustag gab. Von diesen Dingen hatte jemand wie David Kaltenbach mit Sicherheit nicht den Hauch einer Ahnung.

»Dann vergiss das Porridge«, holte Nico sie aus ihren Grübeleien und stellte eine Kaffeetasse vor ihr ab, bevor er sich mit der zweiten auf den Platz ihr gegenüber fallen ließ. »Erzähl mir lieber alles über diesen gut aussehenden Mistkerl.«

»So gut sieht er nicht aus«, widersprach Rosa.

»Hallo?« Nico fächelte sich theatralisch Luft zu. »Er mag sich dir gegenüber ganz schön mies verhalten haben, Schätzchen. Aber er ist heißer als die Luft in der Backstube.«

Wieder wanderten Rosas Gedanken zum vergangenen Abend zurück. Natürlich war ihr nicht entgangen, dass David gut aussah. Er war schließlich nicht umsonst auf der Liste der begehrtesten Junggesellen Münchens gelandet. Ohne die dunklen Ringe unter seinen Augen hatte er erholter gewirkt. Ausgeruhter. Er war rasiert gewesen, und der Blick aus seinen grünen Augen war scharf und fokussiert. Seine dunklen Haare wellten sich, zu kurz, um sie zu einem Pferdeschwanz zusammenzufassen, aber zu lang, um noch als Frisur durchzugehen. Er wirkte eher wie jemand, der vergaß, zum Friseur zu gehen, nur um sich dann den kürzesten Schnitt zuzulegen, damit er sich das halbe Jahr keine Gedanken über das Thema machen musste. Aber es spielte keine Rolle, ob er gut aussah oder nicht. »Ein schlechter Charakter wird auch in einer hübschen Hülle nicht schöner«, sagte sie und strich Butter auf ihren Stuck.

Nico und Rosa hatten in den vergangenen Tagen ein paar WhatsApp und Mails ausgetauscht. Ihr Plan war, im Holzbackofen neben dem Hofladen gemeinsam Mühlenbrot zu backen. Als ihr Geschäftspartner war auch Nico vom Ruf der Mühle betroffen. Wenn Rosa und ihre Arbeit durch den Dreck gezogen wurden, dann betraf das ihn genauso. Sie brachte ihn auf den neuesten Stand.

Dann sprachen sie bei einer zweiten Tasse Kaffee über ihr Projekt. Sie hatten bereits ein paar Testläufe gemacht, die bei ihren Kunden gut angekommen waren. Spätestens zum Mühlenfest Ende Oktober wollten sie das Mühlenbrot als feste Konstante in den Hofladen integriert haben.

Schließlich hielt sich Nico die Hand vor den Mund und gähnte herzhaft. »Ich muss dringend heim und ein Nickerchen machen.« Er warf einen Blick auf ihre Arbeitskleidung. »Schmeißt du die Mühle an?«

»Ja.« Rosa strich ihre weiße Müllerjacke glatt und stand auf, um den Tisch abzuräumen. »Für heute steht ein dunkles Weizenmehl auf dem Plan.« Wenn sie fertig gemahlen hatte, würde sie mit Louisa die ersten Entwürfe für das Herbstfest durchgehen.

Nicos Besuch und die Stuck hatten ihre Stimmung noch weiter gehoben. Gemeinsam mit ihm und Toby verließ sie ihre Wohnung. Ihre gute Laune hielt genau so lange an, bis sie die Haustür hinter sich ins Schloss zog und ihr Blick auf den rostigen Mercedes-Kombi fiel, der an der Mauer geparkt war. David lehnte mit verschränkten Armen am Kotflügel. Neben ihm auf der Motorhaube stand eine Flasche Wein. Wenn sie sich nicht täuschte, gehörten das dunkelblaue Longsleeve, die Softshell-Jacke und die Jeans, die er heute trug, ebenfalls Julian.

»Sieht so aus, als hättest du ihn doch nicht vertrieben.« Nico zog die Augenbrauen zusammen. »Soll ich ihn mir vorknöpfen?«

Das brachte Rosa tatsächlich für einen Moment zum Schmunzeln. Das Gewalttätigste, was ihr Freund jemals tat, war mit aller Kraft Teig zu kneten. »Nein«, sagte sie und legte ihm beruhigend die Hand auf den Arm. »Ich komme schon klar. Geh dein Nickerchen machen.«

»Okay. Ruf mich an, wenn du mich brauchst.« Er umarmte sie zum Abschied. »Tschüss, Schätzchen.«

Rosa wartete, bis er David einen letzten finsteren Blick zugeworfen hatte und in seinen Corsa kletterte. Als er vom Hof geknattert war, atmete Rosa tief durch. »Ich habe die Befürchtung, wir zwei sprechen nicht dieselbe Sprache. Woran liegt es nur, dass du nichts von dem verstehst, was ich dir gesagt habe?«, wandte sie sich an David, während sie langsam in seine Richtung ging. Die drei Alten saßen morgens auf einer Bank am Marktplatz, und der Hofladen hatte um diese Tageszeit auch noch keine Kunden. Damit konnten sie diese Auseinandersetzung wenigstens ohne Publikum führen.

David löste sich mit einer lässigen Bewegung vom Kotflügel seiner Rostlaube, griff nach der Weinflasche und kam auf sie zu. »Das überrascht dich jetzt wahrscheinlich, aber ich habe dich sehr gut verstanden.« Er lächelte und hielt die Flasche hoch. »Ich komme in Frieden. Du hast gestern so von dem Wein geschwärmt, bist aber gar nicht dazugekommen, ihn zu trinken.«

Rosa ließ sich nicht ablenken. Auch wenn es ein warmes Gefühl in ihrem Magen auslöste, dass er so aufmerksam gewesen war und das mitbekommen hatte. Julian hatte nie ... *Er ist Schriftsteller*, rief sie sich selbst zur Ordnung. Es war Davids Job, alles um sich herum zu beobachten. Abwehrend verschränkte sie die Arme vor der Brust. »Was willst du?«, fragte sie.

»Ich recherchiere.« Wieder dieses Lächeln, das ganz leise in ihrem Bauch nachklang. Gut aussehender Mistkerl hatte Nico ihn genannt.

Rosa wollte den Gedanken nicht vertiefen und rief sich stattdessen lieber in Erinnerung, wie Josefine versucht hatte, Fabian in die Baby- und Ehefalle zu locken. Mit dem Kinn wies sie in Richtung der Weinflasche. »Und damit willst du mich bestechen?«

»Beschwichtigen würde ich es nennen. Vielleicht trinkst du sie ja aus und gewährst mir ein Interview. Ich stelle mir das echt toll vor. Du, wie du mit einem Glas Rotwein in der Hand dasitzt und mir alle meine Fragen beantwortest.«

Rosa schenkte David ihr strahlendstes falsches Lächeln. »Du weißt, wohin du dir deine Fragen stecken kannst. Also tu es, verdammt noch mal! Aber erst, wenn du deine Schrottkarre vom Hof geschafft hast.«

»Hey, wir leben in einem freien Land. Ich entscheide selbst ...«

»Im Moment stehst du auf Falkenberg-Land. Und hier hast du Hausverbot«, schnitt sie ihm das Wort ab.

»Seit wann denn das?«

Seit dem Moment, in dem er dieses dämliche Buch zu schrei-

ben begonnen hatte. »Seit du zum ersten Mal hier aufgetaucht bist«, sagte sie, statt ihre Gedanken laut auszusprechen.

*

David konnte nicht anders. Er musste lachen. Rosa stand mit todernster Miene vor ihm und drohte, ihn wegen Hausfriedensbruch anzuzeigen.

Als sie zusammen mit diesem Typen aus dem Haus gekommen war, hatte es ihm kurz die Sprache verschlagen. Im ersten Moment hatte er überlegt, ob sie seinen Bruder bereits ersetzt hatte. Oder ob sie vielleicht genau wie Julian Affären gehabt hatte. Der Mann war groß gewesen und sah gut aus. Aus welchem Grund verlässt ein Mann am Morgen das Haus einer Frau, außer, weil er die Nacht dort verbracht hatte? War sie dabei, den nächsten Mann um ihren Finger zu wickeln? Doch dann war der Typ in seinen klapprigen Corsa gestiegen, und David wurde sich Rosas Outfit bewusst. Weiße Hose, weißes Oberteil und feste Schuhe. Die Haare zu einem Pferdeschwanz gebunden, der aus der hinteren Öffnung einer weißen Baseballkappe hing, dessen Vorderseite ein Abbild der Mühle zierte. Von diesem Aufzug hatte sein Bruder ihm nie etwas erzählt – und er musste gestehen, dass ihn das einen Moment sprachlos gemacht hatte. Schlagartig war sein Bedürfnis, sie besser kennenzulernen, noch weiter gestiegen. »Wer war denn der morgendliche Besucher?«, fragte er, statt auf ihre Aufforderung, zu verschwinden, einzugehen.

»Was geht dich das an?«, zischte sie.

»Na ja…« David zog die Augenbrauen hoch und wedelte mit der Weinflasche. »Vielleicht willst du das Fläschchen ja mit ihm trinken«, sagte er und legte einen anzüglichen Ton in seine Stimme. Das Bedürfnis herauszufinden, was zwischen Rosa und diesem Typen lief, war plötzlich übermächtig.

»Nico«, betonte sie den Namen mit vor Zorn bebender Stimme, »ist nicht dein Problem.« Sie riss ihm die Flasche aus der Hand. »Und deinen Versuch, Gutwetter zu machen, kannst du dir schenken. Verschwinde!« Mit einer wütenden Bewegung schleuderte sie die Flasche von sich.

Sie gehörte ganz eindeutig zu den Frauen, die keinen besonders guten Wurfarm ... Rosa riss erschrocken die Augen auf – im gleichen Moment, in dem David den dumpfen Aufschlag hörte. Er fuhr herum und sah fassungslos die dunkelroten Rinnsale, die von dem Spinnennetz im Sicherheitsglas der Scheibe auf der Beifahrerseite seines Kombis auf die Pflastersteine liefen.

»O Gott ...«, stammelte Rosa hinter ihm. »O mein Gott! Das ... das wollte ich nicht. Es tut mir leid!«

»Tatsächlich?« David drehte sich langsam zu ihr um. In ihren großen braunen Augen stand blanker Schock.

»Wirklich! Du musst mir glauben, David!« Rosas Stimme hatte einen flehenden Ton angenommen. »Normalerweise werfe ich besser.« Was er bezweifelte. »Und normalerweise steht da auch kein Auto.«

»Du hast Gundula kaputt gemacht.« Mit ein paar Sätzen war er bei seinem Wagen und betrachtete den Schaden. Andere mochten ihn für eine Rostlaube halten, aber er liebte die alte E-Klasse, die sich sein Großvater Anfang der Neunzigerjahre zugelegt und ihm später vererbt hatte. Den Namen hatte er dem Mercedes gegeben, und David wäre nie auf die Idee gekommen, die alte Dame umzutaufen.

»Gundula?«, hörte er Rosa hinter sich. Sie war ihm gefolgt und blickte an ihm vorbei auf das gesplitterte Glas. David wollte sich auf den Schaden konzentrieren, den sie seinem Kombi zugefügt hatte, kam aber nicht umhin, den zarten Duft nach Sommer wahrzunehmen, der von ihr ausging. »Dieses Auto heißt Gundula?«

Langsam wandte er sich wieder um. »Gundula ist ein ehrbarer Name für ein Auto.« Er war nicht sicher, ob ihre aufgerissenen Augen noch immer dem Schock bezüglich ihres misslungenen Wurfes geschuldet waren oder von seiner Namenswahl herrührten. Die Arme vor der Brust verschränkt, zog er die Brauen zusammen und bedachte Rosa mit einem wütenden Blick. Die Scheibe zu reparieren war kein Problem. Zumindest nicht mehr, seit er einen Bestseller geschrieben hatte und endlich ein bisschen Geld auf seinem Konto lag. Aber es machte einfach viel zu viel Spaß, mit Rosa zu spielen. »Ich sollte dich wegen Sachbeschädigung anzeigen.«

»Was?« Rosa wurde ein wenig blass um die Nase. Sie schluckte. »Das sagst du jetzt nur, weil ich dir gedroht habe, dich wegen Hausfriedensbruchs anzuzeigen. Dieses alte, hässliche Auto kann man gar nicht beschädigen.«

David legte sich in einer feierlichen Geste die Hand auf das Herz. »Der emotionale Wert ist alles, was zählt.«

»Du spinnst doch komplett.« Rosa stemmte die Hände in die Hüften und fixierte ihn aus zusammengekniffenen Augen. »Das ist deine Retourkutsche, weil ich dir mit einer Anzeige gedroht habe«, versuchte sie es noch einmal. »Das ist lächerlich!«

David konnte sein Grinsen nicht mehr zurückhalten. »Vielleicht ist es lächerlich. Aber vor allem ist es total einfach. Wenn du mich anzeigst, zeige ich dich an. Ich würde sagen: Wir sind quitt.«

»Wir beide«, Rosa wedelte mit dem Zeigefinger zwischen ihnen hin und her, »werden niemals quitt sein. Und jetzt verschwinde.«

»Mach ich. Schließlich muss ich mir eine Werkstatt suchen.« Er konnte sich nicht dagegen wehren. Ohne nachzudenken, trat er einen Schritt auf Rosa zu, um noch einmal diesen leichten Duft einzuatmen. »Morgen komme ich wieder, und du kannst nichts dagegen machen.«

*

Rosas Herz schlug wie wild. Es hatte zu rasen begonnen, als die Malbec-Flasche ihre Flugbahn eingeschlagen hatte und ihr im Bruchteil einer Sekunde klargeworden war, dass sie nicht in Richtung Wald fliegen würde – was bei ihren Wurfkünsten sowieso absolut utopisch gewesen wäre. Sie würde auch nicht an der Mauer, die den Hof begrenzte, zerschellen. Sie sauste geradewegs auf Davids Auto zu.

Davids Drohung, sie wegen Sachbeschädigung anzuzeigen, ließ ihre Pulsfrequenz noch ein wenig weiter in die Höhe schnellen. Und dann hatte er einen Schritt auf sie zu gemacht, war ihr viel zu nahe gekommen, als er ihr ins Ohr geflüstert hatte, dass sie quitt waren. Sie war sich sicher, dass ihr Herz in diesem Moment einen Purzelbaum geschlagen hatte und vollends aus dem Häuschen geraten war. Nicos Worte fielen ihr wieder ein. David war heiß, hatte er behauptet. Sein Mund so nahe neben ihrem Ohr hatte ihr eine Nahaufnahme seiner Bartstoppeln beschert. Eine seiner dunklen Haarsträhnen hatte sich im Wind selbstständig gemacht und war weich über ihre Wange geglitten. Dann hatte David wieder Abstand zwischen sie gebracht und sich die widerspens-

151

tige Strähne hinter das Ohr gestrichen. Trotzdem hing sein Geruch noch zwischen ihnen. Er ließ sie an frische Luft und Baumwolle denken. Ein wenig nach Pfefferminze. Unaufdringlich und vermischt mit dem herben Duft des Rotweins, der hinter ihm noch immer von seinem Auto tropfte.

Sie hatte keine Ahnung, was hier gerade geschah. Aber das musste sofort aufhören. Also tat sie es David gleich und brachte einen weiteren Schritt Abstand zwischen sie. »Bis morgen«, sagte er, hob die Hand zum Gruß und zog die Fahrertür auf. Im nächsten Moment war er vom Hof verschwunden. Zurück blieb eine Rotweinpfütze inmitten der zerbrochenen Flaschenscherben.

Rosa hockte sich hin und sammelte das Glas ein. Sie warf es in die Mülltonne und kippte einen Eimer Wasser über den Rotwein, sonst dachte am Ende noch jemand, sie hätte einen Mord begangen. Zum Beispiel an David Kaltenbach.

Langsam normalisierte sich Rosas Herzschlag wieder. Der Hofladen war noch geschlossen, aber sie musste mit Louisa reden. Jetzt. So schnell wie möglich überquerte sie den Hof und stieg die Stufen zur Wohnung ihrer Tante hinauf. Sie klopfte, wartete Louisas Antwort aber nicht ab. Hier war sie immer willkommen. Als sie die Tür aufschob, war sie sich da im ersten Moment allerdings nicht so sicher.

»Nein, verdammt. Ich habe es dir tausendmal gesagt, aber ich bin gern bereit, es noch einmal zu wiederholen: Lass! Mich! In! Ruhe!«, fauchte Louisa. Sie stand vor den großen, bodentiefen Fenstern, von denen man auf ihren Balkon und den Zauberwald hinausblickte, und telefonierte. Als sie Rosa hereinkommen hörte, drehte sie sich um. Zwischen ihren Brauen hatte sich eine tiefe Falte in die Haut gegraben. »Diese Idee ist völliger Schwachsinn, und das weißt du genau. Dafür wirst du niemals grünes Licht bekommen.« Sie hörte einen Moment zu. »Wage es nicht, mir zu drohen«, zischte sie schließlich. Sie drückte das Gespräch weg, ohne sich zu verabschieden.

»Wer war das?«, fragte Rosa.

»Niemand.« Louisa legte das Handy auf den Küchentresen und rieb sich mit der Hand über das Gesicht. »Entschuldige. Ich wollte dich nicht anschnauzen«, sagte sie dann etwas ruhiger. »Ich brauche jetzt einen Kaffee. Willst du auch einen?«

»Gern.« Rosa setzte sich an die Kücheninsel und wartete, bis ihre Tante eine Tasse vor ihr abstellte.

Die routinierten Handgriffe beruhigten Louisa. Sie setzte sich Rosa gegenüber und drehte ihren Kaffee in den Händen. »Hubert Valentin hat mich genervt. Genau genommen tut er das schon eine ganze Weile«, erzählte sie schließlich.

»Xanders Vater?« Rosa mochte Xander, der seine süße Tochter Leni allein großzog. Sie mochte den tollpatschigen Hund der Familie und wusste um die Freundschaft, die Xander mit Hannahs großer Liebe Jakob verband. Aber Xanders Vater ließ hin und wieder raushängen, dass er die dickste Nummer im Talkessel war – oder sich zumindest dafür hielt.

»Er liegt mir schon seit Jahren immer mal wieder in den Ohren, ihm die Lichtung zu verkaufen.«

»Unsere Lichtung?« Rosa setzte ihren Kaffee ab, von dem sie gerade trinken wollte. Die Lichtung lag hinter der Mühle und war Teil des Grundstücks, das Louisa vor all den Jahren gekauft hatte, um die Mühle wieder zum Laufen zu bringen. Vom See aus, der hier eine kleine Bucht bildete, stieg die Wiese sanft an, bis sie sich unter majestätischen Kiefern und knorrigen Eichen verlor. Große Findlinge lagen seit Jahrtausenden wild verstreut im Gras. Direkt vor der Bucht lagen die beiden kleinen, steinigen Inseln, die mit Moos, Farnen und ein paar hartnäckigen Kiefern bewachsen waren. Auf der anderen Seite der Wiese befand sich Louisas Pferdekoppel. »Wie kommt er denn darauf?«, fragte Rosa. »Du würdest doch niemals einen Teil des Mühlengrundstücks verkaufen.«

»Nein, würde ich nicht. Und schon gar nicht an Valentin. Er hat die wahnwitzige Vorstellung, auf der Lichtung einen Hotelbunker zu errichten.« Louisa nippte an ihrem Kaffee und verzog die Lippen. »Aber nicht mit mir«, ergänzte sie.

»Ein Hotel? Das ist doch gar nicht möglich im Nationalpark.« Die Kapazitäten in der Region waren ausgeschöpft. Neue Häuser durften in ihrer Gemeinde gar nicht gebaut werden. Geschweige denn Bettenburgen. Im Berchtesgadener Land wurde der sanfte Tourismus großgeschrieben. Touristen waren willkommen – aber eben nur so viele, dass es für die Einheimischen erträglich blieb. Damit fuhren die Gemeinden im und um den Nationalpark herum seit Jahrzehnten gut.

Louisa lehnte sich auf ihrem Stuhl zurück. »Genau deswegen liegt Valentin mir in den Ohren. Irgendwann hat jemand auf dem Baurechtsamt einen Fehler gemacht und die Lichtung als Bauland erfasst. Der Fehler ist nie behoben wurden. Aber solange ich hier das Sagen habe, wird an dieser Stelle nichts gebaut. Valentin hat irgendwann Wind davon bekommen und will mir das Land seitdem abkaufen.«

»Im Gemeinderat hat er darüber kein Wort verloren«, überlegte Rosa. »Will er es geheim halten?«

»Das vermute ich«, stimmte Louisa ihr zu. »Schließlich will er weder, dass ihm jemand anderer das Grundstück wegschnappt, noch soll der Preis in die Höhe getrieben werden. Im Moment hat er wohl einen finanzstarken Investor an der

Hand. Deshalb nervt er mehr als sonst. Aber er beruhigt sich auch wieder.« Sie winkte ab. »Du hast aber auch nicht gerade glücklich ausgesehen, als du hereingeschneit bist. Und du riechst ein bisschen nach Wein. Ist es dafür nicht noch etwas früh am Tag?«

Rosa blickte auf die kleinen dunkelroten Spritzer auf ihren weißen Hosenbeinen hinunter. Sie seufzte. »Ich habe eine Rotweinflasche auf Gundula geworfen.«

Louisa legte den Kopf schief und ließ Rosa nicht aus den Augen. »Brauchst du einen Anwalt?«, fragte sie, wirkte aber nicht allzu beunruhigt.

»Wahrscheinlich.« Rosa trank einen Schluck Kaffee und erzählte ihrer Tante, was an diesem Morgen geschehen war.

Louisa schüttelte den Kopf, als sie geendet hatte. »Kaltenbachs schlechtes Karma scheint auf dich abzufärben. Wir sollten uns auf jeden Fall beraten lassen. Ich rufe Brandl an und schildere ihm, was passiert ist. Mal sehen, was er dazu sagt.«

Rosa seufzte tief und trank ihren Kaffee aus. Dann umarmte sie ihre Tante und ging zur Mühle hinüber, um das Weizenmahlen vorzubereiten.

Als Louisa kurze Zeit später bei ihr vorbeischaute, konnte Rosa bereits an ihrem Gesichtsausdruck erkennen, dass sie gegen David verloren hatte. »Was hat er gesagt?«, fragte sie.

»Er meinte, der Schriftsteller hat recht. Du hättest dich nicht zu so etwas hinreißen lassen dürfen.« Sie zuckte die Schultern und warf Rosa einen entschuldigenden Blick zu. »Du bist vom Opfer zum Täter mutiert. Seine Worte, nicht meine«, ergänzte sie. »Sieht ganz so aus, als wären David Kaltenbach und du wirklich quitt.«

»Na wunderbar.« Das bedeutete, Rosa würde David nicht

loswerden. Er würde am nächsten Tag wieder auf dem Hof stehen. Wenn sie Pech hatte, war er bereits dabei, sie in der Fortsetzung seines Romans durch den Kakao zu ziehen.

»Um es nicht noch schlimmer zu machen, solltest du ihm zumindest anbieten, den Schaden zu zahlen«, schlug Louisa vor.

Ihre Tante hatte recht. Es spielte keine Rolle, dass sie David dorthin wünschte, wo der Pfeffer wuchs. Sie drückte sich nicht um Verantwortung und würde sie auch in diesem Fall übernehmen. »Ich kümmere mich darum«, versprach sie.

9

Der *Alte Milchwagen*, die Autowerkstatt von Jakob Mandel, war David bereits im Vorbeifahren aufgefallen. Sie lag auf halbem Weg zwischen der Mühle und dem Ortskern von Sternmoos. Nach Rosas Rotweinangriff lenkte er Gundula auf den Hof der ehemaligen Molkerei.

Zwei der drei Rolltore standen offen, und aus der Werkshalle dröhnten die Foo Fighters, begleitet von einem unrhythmischen Hämmern auf Metall. David stellte den Kombi ab und stieg aus. Der Geruch von Motoröl und Benzin schlug ihm entgegen. An einem der offenen Tore lehnte ein Typ wie ein Bär und zog genüsslich an einer Kippe. Er trug einen schwarzen Overall mit dem Logo der Werkstatt. Seine Baseballkappe saß verkehrt herum auf seinem Kopf und passte perfekt zu seinem Hipsterbart und dem Tribal, das sich an seinem Hals hinaufzog. »Moin«, sagte der Monteur, der ein bisschen so wirkte, als hätte er eine Zeitreise von einer amerikanischen Tankstelle der Fünfzigerjahre in die Gegenwart hinter sich.

Den Freund von Rosas Schwester Hannah hatte sich David völlig anders vorgestellt. »Sind Sie Jakob?«, fragte er über die kreischenden Gitarren hinweg.

»Nee.« Der Typ grinste. »Ich bin Peer.« Er wies mit seinem ölverschmierten Zeigefinger auf das ovale Namensschild an seinem Overall, das David nicht aufgefallen war. »Boss!«, brüllte er ins Innere der Werkstatt. »Kundschaft! Willst du solange einen Kaffee?«, fragte er und hielt sich nicht mit Förmlichkeiten wie einem ›Sie‹ auf. Mit dem Kinn wies er auf ein ausgedientes Ölfass, auf dem neben einer Kaffeemaschine ein wackliger Turm aus Kaffeebechern aufgestapelt war. Daneben war eine alte Zapfsäule platziert worden, die den Charme der Werkstatt unterstrich.

»Danke, nein. Ich warte einfach.«

Peer nickte. »Wie du willst, Meister. Jakob kommt gleich.« Er drückte seine Zigarette in einem Aschenbecher auf dem alten Ölfass aus, tippte sich an die Stirn und verschwand in den Tiefen der Werkstatt.

Jakob Mandel trug den gleichen Overall wie Peer. Im Gegensatz zu seinem Mitarbeiter hatte er allerdings keine Tattoos. Sein Unterkiefer war lediglich von einem Dreitagebart bedeckt, und seine Augen lagen im Schatten des Schirms seiner Baseballkappe, die er richtig herum trug. Trotzdem war der wachsame Ausdruck in seinem Gesicht nicht zu übersehen. Jakob wusste, wer David war. »Womit kann ich dir helfen?«, fragte er und blieb direkt vor David stehen.

»Damit.« David trat zur Seite und gab den Blick auf Gundula frei.

Jakob blickte auf das Auto und dann zurück zu David. »Das ist kein Blut, oder?« Er trat näher an den Kombi heran und schnüffelte. Mit dem Zeigefinger fuhr er vorsichtig durch die roten Schlieren. »Rotwein?« Er blickte über die Schulter zu David zurück.

»Ja.« David zuckte mit den Schultern. Er würde es nicht beschönigen. »Rosa sind die Pferde durchgegangen.«

»Wow.« Jakob richtete sich wieder auf, schob seine Baseballkappe nach hinten und kratzte sich am Kopf. Dann zog er die Kappe wieder in die Stirn. »Rosa so weit zu bringen, das muss man erst mal schaffen. Sie mit Dingen um sich werfen zu lassen ist allerdings keine gute Idee. Sie hat einen extrem schlechten Wurfarm. In der Schule wurde sie nur deshalb nicht als Letzte ins Team gewählt, weil alle sie so sehr mochten.«

»Na ja, ich habe es schon vor heute Morgen geschafft, Rosa wütend auf mich zu machen«, gab David zu. »Aber das weißt du ja wahrscheinlich schon.«

»Jepp.« Jakob zog ein ölverschmiertes Geschirrtuch aus der Gesäßtasche seines Overalls und wischte seine Hände ab. »Meine Freundin ist schließlich auch von dieser Geschichte betroffen. Und sie ist nicht weniger sauer als Rosa.« Er betrachtete das Auto, während er das Tuch zurücksteckte. »Ich könnte die Scheibe reparieren«, bot er an. »Und, ehrlich gesagt, könnte deine Kiste hier und da ein bisschen Pflege vertragen, wenn sie dir nicht unter dem Arsch wegrosten soll.«

David schüttelte den Kopf. »Nur das …« *Nötigste*, wollte er sagen. Dann erinnerte er sich wieder daran, dass auf seinem Konto inzwischen Geld lag und er sich ein paar grundlegende Reparaturen durchaus leisten konnte. Er hatte Gundula in den vergangenen Jahren ziemlich vernachlässigt. »Ja, das wäre super«, besann er sich.

»Du kannst den Wagen hierlassen. Ich gebe dir Bescheid, wenn er fertig ist.« Jakob betrachtete noch einmal die Roststellen an der Karosserie. »Kann aber ein paar Tage dauern, die Scheibe muss ich erst bestellen. Soll dich jemand nach Hause fahren?«

»Nein. Das Stück bis zum Hotel kann ich laufen.« Er ließ sich von Jakob den Weg zum Büro seiner Mutter zeigen, gab Gundulas Schlüssel ab und füllte einen Reparaturauftrag aus.

Dann kehrte er auf den Weg zurück, der am Sternsee entlang in Richtung Dorf führte. Ein frischer Wind wirbelte buntes Herbstlaub um ihn herum und ließ es vor ihm auf den Boden rieseln, wo es einen farbigen Teppich bildete. Die Sonne stand an einem dunkelblauen Himmel, aber David fiel auf, dass die Laubbäume im Tal in den vergangenen Tagen begonnen hatten, sich zu verfärben. Er setzte sich auf eine der Bänke am Wasser und sah der Entenfamilie zu, die seelenruhig über den See schwamm.

Das Klingeln seines Handys riss ihn schließlich aus seinen Naturbetrachtungen. Er zog es aus der Tasche der Softshell-Jacke, die ebenfalls zum Kleiderbestand seines Bruders gehörte. *Peter*, las er auf dem Display. Sein Vater – den er schon seit Ewigkeiten bei seinem Vornamen nannte, weil er der Vorstellung, die David von einem Vater hatte, schon nicht mehr entsprochen hatte, als er selbst noch in den Kindergarten gegangen war. Ein Vater, der ihn nie anrief. Ihn, den kaltenbachschen Versager. Der nicht in das Familienunternehmen eingestiegen war und glaubte, Schriftsteller sei ein Beruf, von dem man leben konnte. Ein Anruf von Peter konnte nur eines bedeuten: Julian, der Kronprinz, hatte sich über David beschwert. Einen Augenblick lang schwebte Davids Daumen unentschlossen über dem roten Hörer auf dem Display, dann drückte er den Anruf weg. Er konzentrierte sich wieder auf die Entenfamilie, die inzwischen die Mitte des Sees erreicht hatte, und atmete die kühle, klare Luft ein. Dann schloss er die Augen und genoss die Sonnenstrahlen, die warm über sein Gesicht strichen.

Er hatte keine Ahnung, wie lange er am See sitzen blieb. Als ein besonders kalter Windstoß um ihn herumfegte, öffnete er die Augen wieder und stand auf. Langsam schlenderte er nach Sternmoos. Er schaffte es bis in sein Hotelzimmer, bevor sein Handy abermals klingelte – diesmal war es seine Mutter. Der Grund ihres Anrufs war offensichtlich. Trotzdem war es etwas anderes, wenn sie anrief, also nahm er das Gespräch an. »Hallo Mutter«, sagte er, während er sich die Jacke von den Schultern schüttelte.

»Dein Vater hat mich angerufen. Mich!« Sie schnappte nach Luft. »Ich habe keine Ahnung, wann er zum letzten Mal persönlich mit mir gesprochen hat. Wobei: Gesprochen hat er natürlich nicht. Er hat mich angeschrien. Aber etwas anderes habe ich von Peter Kaltenbach auch nicht erwartet.«

David wusste, dass die Tirade noch eine Weile weitergehen würde. Seine Mutter war sich sicher, das Opfer ihres Vaters zu sein. Immer. Seit er sie vor dreißig Jahren für eine jüngere Frau verlassen hatte.

»Dieser ungehobelte Klotz hat die Dreistigkeit, mir vorzuwerfen, dich nicht anständig erzogen zu haben«, wartete sie mit dem immer gleichen Vorwurf auf.

David prüfte mit dem Zeigefinger die Erde in Frau Obermaiers Topf. Sie war feucht. Offenbar hatte das Zimmermädchen nicht nur sein Bett gemacht und frische Handtücher aufgehängt – sie hatte auch seine Pflanze gegossen.

Er klappte sein Laptop auf, während seine Mutter über die Fehler seines Vaters lamentierte. »Seiner Meinung nach hast du keinen Respekt vor deiner Familie.« Sie lachte harsch. »Erkennst du die Ironie?«

Ja, David erkannte sie, sparte sich aber eine Antwort und fuhr stattdessen den Laptop hoch.

»Ausgerechnet er! Ausgerechnet! Du würdest alles verraten, was im Leben eine Rolle spielt, nur um Erfolg zu haben. Genau so hat er es gesagt! Wortwörtlich!« Das Lachen seiner Mutter nahm einen schrillen Unterton an. David kannte ihn. Sie war nicht mehr weit davon entfernt, komplett auszuflippen. Er hasste das. Er hasste es, dass sie sich nicht im Griff hatte. Er hasste es, dass sein Vater so mit seiner Mutter sprach, weil er ganz genau wusste, wie sie darauf reagieren würde. Er hasste seinen Bruder dafür, dass er seine Probleme noch nie hatte selbst lösen können. Dafür, dass er immer zu Papa rannte. Auch noch mit dreißig Jahren.

David starrte auf das leere Worddokument vor ihm. Er fixierte den blinkenden Cursor. Seine Mutter redete ohne Punkt und Komma weiter, doch er achtete nicht mehr auf sie. Seine Hände strichen über die Tasten. Er fühlte das kühle, glatte Plastik unter seinen Fingerspitzen. Wie von selbst glitten seine Finger über die Buchstaben. Drückten die Tasten, die er schon Hunderttausende Male heruntergedrückt hatte. *Ich* erschien auf dem Display. *Hasse… meine… Familie.* Seine Finger schwebten über der Tastatur. Er starrte auf seine Worte. *Ich hasse meine Familie.* Eine starke Aussage. So hart wie der Kontrast zwischen der schwarzen Schrift auf dem weißen Untergrund. Es brachte seine Gefühle auf den Punkt. Beschrieb die dysfunktionalen Verbindungen zwischen seinen Angehörigen.

Bis zu meinem fünften Geburtstag war alles okay. Es gab nur Mama, Papa und mich. Ich wünschte mir dieses unglaublich coole blaue Fahrrad. Es wartete, mit einer riesigen gelben Schleife versehen im Wohnzimmer auf mich – und machte mich zum glücklichsten kleinen Jungen der Welt. Und dann – mit einem Fingerschnippen – zerbrach alles.

Als seine Mutter das Gespräch schließlich beendete, hatte er eineinhalb Seiten geschrieben, ohne darüber nachzudenken.

Er schenkte sich ein Glas Wasser ein und trank es gierig.

Seine Gedanken waren längst wieder bei dem kleinen, enttäuschten Jungen, von dem er zu erzählen begonnen hatte. Seine Fingerspitzen kribbelten in dem Bedürfnis, sie wieder auf die Tasten zu legen. Er stellte das Glas ab und schrieb weiter. Als er sich das nächste Mal seiner Umgebung bewusst wurde, war es dunkel um ihn herum. Die Nacht war über Sternmoos hereingebrochen.

*

Rosa war unruhig. David hatte angedroht, am nächsten Morgen wieder auf der Matte zu stehen und sie zu nerven. Doch er war nicht aufgetaucht. Er hatte Sternmoos allerdings auch nicht verlassen. Der Buschfunk funktionierte viel zu gut. Daher war sie längst darüber informiert, dass David am Vortag von ihrem Rotweinflaschenattentat direkt zu Jakob in die Werkstatt gefahren war, um den Schaden reparieren zu lassen.

Rosa biss sich auf die Unterlippe und blickte an der Fassade des Hotels *Seeblick* nach oben. Auf dieser Seite brannte nur in zwei der Zimmer Licht. Saß David in einem davon? Sie sollte ihm anbieten, für die Reparatur seines Wagens aufzukommen. Auch wenn sie nach wie vor der Meinung war, dass eigentlich David schuld an dem Desaster war – er hatte sie einmal zu viel herausgefordert. Seine Versicherung würde den entstandenen Schaden aber wahrscheinlich nicht übernehmen. Louisas mysteriöser Brandl hatte Rosa jedenfalls geraten, gut Wetter zu machen und nett zu David zu sein. Seiner Meinung nach war es am besten, sich für ihren Wurf zu entschuldigen.

Rosa hatte sich seelisch und moralisch darauf vorbereitet, doch dann war David einfach nicht aufgetaucht. Das wiederum hatte zur Folge, dass Rosa den Tag über immer wieder in Richtung Dorf geblickt und darauf gewartet hatte, ihn zu sehen. Ihre Gedanken waren immer wieder in seine Richtung gewandert. David machte sie nervös. Nicht zu wissen, was er plante und warum er nicht plötzlich auf dem Hof stand, ließ ihr keine Ruhe.

Sie hatte am Nachmittag ihrer Mutter einen Besuch in der *Blüte*, wie sie die Gärtnerei innerhalb der Familie nannten, abgestattet und dann beschlossen, den Stier bei den Hörnern zu packen. Rena war alles andere als begeistert von den Umständen. Da konnte sich Rosa nur anschließen. Auch wenn sie optisch mehr ihrem Vater ähnelte, kam sie vom Charakter her sehr nach ihrer Mutter. Sie beschützten beide, was ihnen wichtig war. Sie kämpften für ihre Familie und das, was sie sich aufgebaut hatten.

»Ich finde es wirklich dreist, wie dieser Mann hier vor allen Augen herumstolziert. Wie er dich dazu bringt, Dinge zu tun…«, schimpfte Rena.

»Na ja, für das was ich tue, bin ich immer noch selbst verantwortlich. Ich hätte mich besser im Griff haben müssen, und deshalb werde ich mich bei ihm entschuldigen.« Da ihre Tante nicht über Brandl sprach, ging Rosa davon aus, dass auch sie nicht das Recht hatte, ihn bei ihrer Mutter zum Thema zu machen. Also erwähnte sie nicht, dass die Idee, schön Wetter zu machen, von ihm stammte.

Das war auch nicht nötig. Rena nickte verständnisvoll. »Wenn du Unterstützung brauchst, kann ich dich gern begleiten.«

»Das ist lieb, Mama. Aber nein. Das muss ich allein hinter mich bringen. Aber weißt du, was ich brauchen könnte?

Zwei von diesen Kränzen. Sie würden sich sicher gut an der Mühlentür und im Hofladen hinter dem Tresen machen.«

*

Rena blickte ihrer Tochter nach. Rosas Pferdeschwanz wippte, als sie mit federnden, energiegeladenen Schritten in Richtung Rathaus davonging. Wann waren aus ihren Töchtern erwachsene Frauen geworden? Sie würde nie aufhören, sich um sie zu sorgen. Das ließ ihr Mutterherz nicht zu. Aber sie brauchten sie nicht mehr, damit sie ihnen ein Pflaster aufs Knie klebte, die Tränen aus dem Gesicht wischte und mit einem Kuss auf die Stirn versprach, dass alles gut werden würde. Sie vermisste das. In letzter Zeit hatte sie zu viel über die Vergangenheit nachgedacht. Vielleicht, weil Hannahs Rückkehr ins Tal auch die Zeit ihres Weggangs wieder zurückgebracht hatte. Alte Gefühle waren aus ihrem Inneren hervorgekrochen. Die Angst, ihre Töchter zu verlieren. An das Leben – und an ihre Schwester, die ach so coole Tante Lou. Bei der es keine Grenzen gab. Keine Regeln außer ihren eigenen. Rena hatte ihrer Schwester eigene Kinder gewünscht, einfach nur damit sie begriff, was diese Sorge um ihr Wohl mit einem machte. Stattdessen war Louisa den Weg des geringsten Widerstandes gegangen. Eigene Kinder? Warum denn, wenn ich mir einfach die meiner Schwester schnappen kann, wenn mir danach ist. Wenn ich sie verwöhnen und ihnen Flausen in den Kopf setzen kann, die ihre Mutter im Gegenzug wie eine spießige, ängstliche Glucke aussehen lassen.

Rena seufzte. Sie hatte den Groll auf Louisa vor langer Zeit in ihrem Herzen weggeschlossen. Wer wusste schon, wie ihr Leben verlaufen wäre, wenn sie damals … Sie schob den Gedanken zur Seite. »Nora«, rief sie ins Hinterzimmer des Blumenladens.

»Ja«, kam die gedämpfte Antwort.

»Ich mache mit den Gestecken weiter. Kannst du die beiden Kränze hinter dem Tresen für Rosa einpacken? Ich bring sie auf dem Heimweg in der Mühle vorbei.«

»Alles klar.«

Rena ging zu ihrem Arbeitstisch in die Gärtnerei und schaltete das Radio ein. Die letzten Monate des Jahres waren die arbeitsreichsten. Erst kamen die Grabgestecke und dann die Weihnachtsdekoration. Sie erhielt von Jahr zu Jahr mehr Bestellungen, aber sie konnte sich noch gut an das Allerheiligen erinnern, an dem die Idee für die Gärtnerei in ihr gereift war. Damals, kurz bevor ihre Welt aus den Fugen geraten war.

Oktober 1978

Rena blies auf ihre steifen, von der Kälte geröteten Finger. Der Winter hatte sich früh im Talkessel niedergelassen und neben einem eisigen Wind auch jede Menge Schnee im Gepäck gehabt.

Sie zog ihre Handschuhe aus der Manteltasche und schlüpfte hinein, während sie das Grab vor sich betrachtete. Frei von Schnee und der Erde des Vorjahres. Rena hatte den alten Boden abgetragen, neue Erika gepflanzt und ein Gesteck in die Mitte gesetzt. Sie bewegte ihre Finger in den lammfellgefütterten Fäustlingen, um das Aufwärmen ein wenig zu beschleunigen. Nur Verrückte hantierten bei minus fünf Grad mit bloßen

Händen herum, aber sie konnte so nun mal besser arbeiten. Alte Pflanzen rausreißen, das Laub, das unter dem Schnee lag, von der Grabeinfassung fegen.

»Die Anger-Gräber sind wieder die schönsten. Das sagt wirklich jeder hier auf dem Friedhof.« Die alte Frau Stangassinger stützte sich neben ihr schwer auf ihren Stock. »Sie sind so eine talentierte junge Frau.«

»Vielen Dank.« Rena drehte sich zu der alten Dame um. »Kann ich Sie später nach Hause begleiten?«, fragte sie. Die zugeschneiten, überfrorenen Wege waren für alte Leute, die nicht mehr besonders gut zu Fuß waren, eine echte Herausforderung.

»Das ist nett, aber meine Nachbarin nimmt mich mit.« Sie räusperte sich. »Sie könnten mir aber trotzdem einen Gefallen tun. Würden Sie meinem Wilhelm auch so ein Gesteck machen?«

Rena blickte auf den Grabschmuck vor sich. Wilhelm, Maria Stangassingers erster Mann, war im Zweiten Weltkrieg gefallen, wenn sich Rena richtig erinnerte.

»Meine Tochter und mein Enkel werden es dieses Jahr wahrscheinlich gar nicht zum Grabrundgang des Pfarrers schaffen. Und meine alten, krummen Finger können so etwas Schönes wie Sie gar nicht erschaffen. Ich würde Ihnen einen anständigen Preis zahlen.«

»Ich helfe Ihnen gern, Frau Stangassinger«, versprach Rena. Sie wusste, wie es war, wenn ein Familienmitglied aus dem Tal verschwand und einfach nicht mehr auftauchte. Bei Rena war es nur die Halbschwester, die das Weite gesucht hatte. Wie musste es für die alte Bäuerin sein, wenn das eigene Kind wegzog?

In diesen Fällen blieb alles an einem selbst hängen. So wie

die Pflege des Anger-Grabes an ihr hängen geblieben war. Ihre Eltern waren mit dem Hof zu beschäftigt, und ihre Halbschwester Louisa trieb sich, der letzten Postkarte nach, die sie geschickt hatte, in München herum – und war verliebt. Rena verdrehte innerlich die Augen. Wolfgang Anger war Louisas Vater gewesen. Benedikt ihr Bruder. Die beiden waren bei einem Unwetter in den Bergen ums Leben gekommen, als der Junge gerade einmal sieben Jahre alt gewesen war. Louisa war damals noch nicht einmal zwei, wahrscheinlich erinnerte sie sich überhaupt nicht mehr an die beiden. Ihre Mutter hatte den Hof jedenfalls nicht allein weiterführen können. Nach einer angemessenen Trauerzeit hatte sie Gustav Stadler geheiratet, und neun Monate später war Rena zur Welt gekommen. Gustav war Louisa gegenüber weder strenger noch gleichgültiger gewesen als Rena. Er hatte beide Schwestern mit der gleichen stillen Strenge erzogen, aber er hatte Lou nie wirklich als seine Tochter angenommen. Sie blieb eine Anger. Und vielleicht war es das, was sie schließlich aus dem Tal getrieben hatte.

Rena wusste es nicht. Aber sie wusste, was die Karte ihrer Schwester zu bedeuten hatte. Ich bin verliebt war gleichzusetzen mit ich bin noch immer nicht bereit, ins Berchtesgadener Land zurückzukehren.

Lou hatte noch nie Probleme gehabt, sich einen Mann zu angeln. Ganz anders als Rena, der dieses Flirten und Kokettieren kein bisschen lag. Umso glücklicher war sie gewesen, Michl kennenzulernen. Er war genau wie sie zurückhaltend, glaubte an Traditionen und Werte. Als er um ihre Hand angehalten hatte, war sie das glücklichste Mädchen im Talkessel gewesen. Doch dann hatte er an die Universität zurückkehren müssen, und in letzter Zeit hatte sie immer seltener von ihm gehört. Seine Briefe kamen seltener, wurden kürzer und blieben dann *ganz aus. Als er sie ein letztes Mal geküsst hatte, bevor er in den Zug gestiegen war, hatte er ihr noch fest versprochen, das Weihnachtsfest gemeinsam mit ihr zu verbringen. Inzwischen hatte sie zwischen den Zeilen lesen können, dass er die Feiertage über vielleicht in München bleiben musste, um zu lernen. Sie legte die Hand über ihrem dicken Wintermantel auf die Stelle, an der unter ihrer Kleidung Michls Verlobungsring an einer Kette baumelte. Sie trug ihn dort, über ihrem Herzen, um ihn nicht bei der Arbeit auf dem Hof zu verlieren. Wie gern würde sie einfach zu ihm fahren, ihn überraschen. Aber dafür reichte das lächerliche Geld nicht, das sie in der Dorfwirtschaft verdiente. Abgesehen davon, dass sie von ihrem Gehalt so viel wie möglich für ihre Hochzeit zur Seite legte. Diesen Spargroschen wollte sie auf keinen Fall anrühren.*

»Ich bin wirklich dankbar, dass Sie meinem Wilhelm ein so schönes Gesteck machen. Pfüa Gott, Rena«, verabschiedete sich Frau Stangassinger hinter ihr und humpelte in Richtung Kirche davon.

Rena drehte sich nach ihr um, und plötzlich schoss ihr ein Gedanke durch den Kopf. »Frau Stangassinger.« Sie wartete, bis die alte Frau sich noch einmal nach ihr umdrehte. »Sie haben gesagt, dass die Leute über meine Gestecke reden.«

»O ja. Sie glauben gar nicht, wie neidisch die Blicke sind, mit denen Ihre Gräber bedacht werden, Kindchen.«

Renas Herz hüpfte vor Aufregung. »Meinen Sie… würden sich auch andere einen Grabschmuck von mir anfertigen lassen?«

Frau Stangassinger lachte. »Mädchen, Sie könnten daraus einen ganzen Industriezweig machen.«

»Danke.« Rena spürte das breite Strahlen, das sich über ihr vor Kälte ganz taubes Gesicht ausbreitete. Das war es. Ihre

Chance, ein wenig Geld zu verdienen. Geld, mit dem sie nach München fahren und Michl überraschen konnte.

*

Nach einer ziemlich öden Gemeinderatssitzung, die sich um die neue Friedhofsordnung gedreht hatte, war Rosa vom Rathaus zum Hotel hinübergelaufen. Hubert Valentin, der genau wie sie im Gemeinderat saß, hatte ihr den ganzen Abend über finstere Blicke zugeworfen. Das Thema Bettenbunker hatte er allerdings nicht angesprochen. Wahrscheinlich, weil die Gemeinderatsmitglieder von der Friedhofsordnung bereits genug genervt waren und er dann nicht die Reaktion erzielt hätte, die er sich erhoffte. Rosa hingegen hoffte, Hubert nicht noch im Hotel über den Weg zu laufen, denn dann würde er garantiert über die Lichtung und den Starrsinn ihrer Tante sprechen wollen. Vielleicht war David auch gar nicht da. Sie seufzte und zog die Tür auf. Dann hätte sie es immerhin versucht.

Sie betrat die Eingangshalle und war erstaunt, Huberts Sohn Xander hinter der Rezeption aus dunklem Holz stehen zu sehen. Er hob den Kopf vom Computerdisplay vor sich und zog erstaunt die Brauen hoch, als er sie erkannte. »Rosa«, grüßte er sie, kam um den Tresen herum und umarmte sie fest.

»Hallo Xander. Was treibst du denn hier?«, fragte sie. »Und wo ist Leni?« Jeder im Dorf wusste, dass Hubert das Hotel vor zwei Jahren auf seinen Sohn überschrieben hatte, um sich um all die anderen Geschäfte zu kümmern, die er nebenher betrieb. Was ihn selbstverständlich nicht davon abhielt, sich ständig in Xanders Arbeit einzumischen. Wenn Hubert noch Manager des Hotels wäre, hätte er keine Zeit, auf so dumme

170

Ideen wie eine Expansion auf Louisas Grundstück zu kommen, ging es ihr durch den Kopf. Rosa rief sich zur Ordnung. Diese Gedanken waren unangebracht und vor allem Xander gegenüber unfair. Denn er ging in der Leitung des Hotels auf und machte seinen Job im *Seeblick* mindestens genauso gut wie als alleinerziehender Vater seiner fünfjährigen Tochter.

»Unsere Rezeptionistin ist ausgefallen«, erklärte Xander seine Anwesenheit im Hotel. »Ich bin eingesprungen, und Caro, die die Nachtschicht hat, kommt nachher ein bisschen früher zum Dienst. Leni ist so lange bei ihrer Oma und lässt sich verwöhnen.« Er warf einen Blick auf die Uhr, die hinter dem Empfang an der Wand hing. »Wobei ich hoffe, dass sie inzwischen schläft. Was treibt dich zu uns?«

Rosa biss sich noch einmal auf die Unterlippe. Konnte sie Xander einfach bitten, ihr die Zimmernummer von David zu verraten?

Xander lehnte sich gegen den Tresen und kniff die Augen ein wenig zusammen. So, als müsse er ein kompliziertes Rätsel lösen. »Mal überlegen«, begann er und tippte sich nachdenklich mit dem Zeigefinger gegen die Unterlippe. »Wenn du nicht gekommen bist, um dich bei mir über die aktuelle hirnrissige Idee meines Vaters zu beklagen, kann der Grund für deinen Besuch eigentlich nur David Kaltenbach sein. Und da du nicht wissen konntest, dass ich heute eine Sonderschicht schiebe, warst du nicht auf dem Weg zu mir. Ich setze mein Geld also auf den Schriftsteller.«

»Wow! Was für ein Ermittlerinstinkt«, konnte Rosa sich nicht verkneifen.

»Leni und ich lesen zurzeit die Olchi-Detektive. Das scheint abzufärben.« Xander zuckte mit den Schultern. »Du bist also wegen Kaltenbach hier.«

»Um ehrlich zu sein: ja. Ich muss etwas mit ihm besprechen.«

»Besprechen?« Xander grinste über das ganze Gesicht.

Rosa stieß langsam die Luft aus. »Tu nicht so. Jakob hat dir doch sicher längst erzählt, was passiert ist.«

In Xanders Augen tanzten belustigte Funken. Er und der Freund ihrer Schwester waren die dicksten Kumpels, Jakob war sogar Lenis Patenonkel. Natürlich hatte der ihr Missgeschick brühwarm weitergetratscht. Rosa spürte die Hitze, die in ihre Wangen kroch. »David Kaltenbach mag ein Buch über dich geschrieben haben«, sagte Xander. »Aber er kennt dich nicht wirklich. Denn wenn er das täte, wäre ihm klar gewesen, dass man dir keine Wurfgeschosse überlassen darf. Deine miese Wurfhand ist über die Grenzen des Tals hinaus bekannt. Wobei ich mir in diesem Fall gar nicht sicher bin, ob du ausnahmsweise doch genau das getroffen hast, was du treffen wolltest.«

»Du bist ja so witzig«, brummte Rosa. Sie verdrehte die Augen, auch wenn er nicht ganz unrecht hatte. »Ich kann nicht in allem die Beste sein. Und ich war noch nie der Typ, der absichtlich anderer Leute Eigentum beschädigt. Gibst du mir jetzt Kaltenbachs Zimmernummer?«

»Wird dein Besuch damit enden, dass ich die Polizei rufen und einen Mord melden muss?«, stellte er die Gegenfrage.

»Ich will nur mit ihm reden«, betonte Rosa noch einmal. Musste es Xander ihr wirklich so schwer machen?

Xander nickte. Er kehrte hinter den Tresen zurück und rief das Buchungsprogramm im Computer auf. »Zimmer 218«, sagte er.

Ein Hoch auf Sternmoos, wo das Thema Datenschutz einfach noch kein Thema war. »Danke dir. Und grüß Leni von mir. Sie soll bald mal wieder auf dem Hof vorbeischauen. Wir können eine Runde mit Lous Pferden drehen.« Rosa trat in den bereits wartenden Aufzug und drückte den Knopf für den zweiten Stock.

»Das richte ich ihr aus. Sie wird sich sicher freuen.« Xander winkte ihr zu, und Rosa erwiderte den Gruß durch die sich schließenden Türen und ließ sich dann nach oben tragen.

Der Weg in die zweite Etage war viel zu kurz, und Rosa stand viel zu schnell in dem mit dunklem Teppich ausgelegten Flur. Zimmer 218 war von ihr aus gesehen die vierte Tür auf der linken Seite. Langsam ging sie über den weichen Untergrund, der jedes Geräusch schluckte. Was sich irgendwie unheimlich anfühlte. Vor Davids Tür blieb sie stehen. Sie gab sich selbst keine Zeit, noch einmal darüber nachzudenken – Zögern würde ihr nicht helfen. Stattdessen klopfte sie. Nichts geschah. Sie klopfte noch einmal, lauter diesmal, und wartete. Hinter Davids Tür regte sich nichts. Xander hätte wahrscheinlich in seinem schlauen Computer nachsehen können, ob er auf seinem Zimmer war, dann hätte sie sich den Weg nach oben sparen können. Aber auf diese Idee war sie natürlich nicht gekommen.

Rosa klopfte ein letztes Mal und betrachtete beim Warten die Fotografien von Watzmann, Königssee und Berchtesgaden, die die Flurwände zierten. Ein paar dieser Aufnahmen stammten sogar von Hannah, wie Rosa sofort erkannte – was sie unglaublich stolz auf ihre kleine Schwester machte. Hinter Davids Tür regte sich aber nichts. Sie wartete noch einen Moment und kehrte dann zum Aufzug zurück.

Sie war bereits drei Schritte von der Tür entfernt, als diese hinter ihr plötzlich aufgerissen wurde. »Was zum Henker …«, knurrte David. Dann stieß er einen überraschten Laut aus. »Rosa?«

Sie drehte sich langsam zu ihm um und nahm gerade noch sein Blinzeln wahr. So als wäre er dabei, aus einem Traum in die Realität zurückzufinden. Wie jemand, der gerade aus dem Tiefschlaf gerissen worden war. Seinen zerknitterten Kleidern nach zu urteilen und den Haaren, die so aussahen, als hätte er sich im Bett hin und her gewälzt, oder wäre ständig mit seinen Händen hindurchgefahren, konnte das gut möglich sein. Mit einer fahrigen Bewegung schob er eine Brille mit anthrazitgrauem Rahmen – mit der sie ihn zum ersten Mal sah – auf seinen Kopf und musterte Rosa.

»Hallo David«, sagte sie und versuchte, den dunklen Bartschatten zu ignorieren, der sein Kinn bedeckte – und ihn dunkel und gefährlich aussehen ließ. »Ich komme offenbar ungelegen. Tut mir leid, wenn ich dich geweckt habe.«

»Geweckt?« Er blinzelte noch einmal. »Ich habe nicht geschlafen – ich habe geschrieben. Wie spät ist es denn?«

»Halb zehn«, antwortete Rosa nach einem Blick auf ihr Handy.

»Oh.« David schien einen Augenblick zu überlegen. »Ich würde dich ja hereinbitten, aber im Moment...« Er hob die Hand zu einer Geste, die Rosa nicht verstand.

Sah es in seinem Zimmer zu chaotisch aus? Wollte er nicht, dass sie sah, woran er schrieb? Egal. Rosa war hier, um zu Kreuze zu kriechen – davon würde sie sich nicht abhalten lassen. »Lass uns in die Hotelbar gehen«, schlug sie vor.

»Gute Idee.« David trat einen Schritt in den Flur, blieb dann aber stehen und blickte an sich herunter. »Wie wäre es, wenn du schon mal vorgehst?«, schlug er vor. »Ich brauche eine Dusche. Gib mir zehn Minuten.«

»Okay.« Rosa drehte sich um und ging zu den Fahrstühlen, während hinter ihr Davids Tür ins Schloss fiel.

*

David schaffte es in siebeneinhalb Minuten. Duschen, Zähne putzen, frische Klamotten. Ein Blick in den Spiegel zeigte ihm, dass es höchste Zeit war, sich zu rasieren. Aber heute Abend würde es noch so gehen müssen.

Er war in einen Schreibrausch geraten. Endlich war es wieder passiert. Schreiben. Schreiben, schreiben, schreiben. Dieses überwältigende Gefühl, wenn die Finger gar nicht mehr hinterherkamen, die Gedanken festzuhalten, die wie ein Strom aus blanker Energie aus ihm herausflossen. Er war so energiegeladen, obwohl er den größten Teil der vergangenen Nacht und dieses Tages nur an dem kleinen Tisch in seinem Zimmer vor dem Laptop gesessen hatte und nur die Finger auf den Tasten fliegen ließ. Rosas Klopfen hatte er ignoriert. Zumindest, bis er das laute Hämmern an der Tür nicht mehr aus seinen Gedanken hatte verdrängen können. Im ersten Moment wollte er den Störenfried zusammenstauchen, doch dann begriff er, dass es Rosa war, die ihn aus seinem Rausch gerissen hatte. Zunächst hatte er sie gar nicht erkannt. Jeans, eine rotweiß karierte Trachtenbluse und darüber ein hellgrauer Cardigan mit Zopfmuster. Ihr Haar war zu einem schlichten Pferdeschwanz gebunden, dessen Enden sich lockten.

David hatte keine Ahnung gehabt, was sie von ihm wollte. Aber eines war klar gewesen: Er hatte weder geduscht noch seine Klamotten gewechselt, seit sie die Weinflasche nach Gundula geworfen hatte. Bevor er das nicht nachgeholt hatte, würde er sich nicht mit Rosa unterhalten.

Als er schließlich auf den Gang trat und die Zimmertür hinter sich ins Schloss zog, fühlte er sich so lebendig wie seit Langem nicht mehr. Statt des Aufzugs nahm er die Treppe ins Erdgeschoss und fand dort Rosa wie versprochen in der Bar. Sie hatte es sich in einem tiefen Sessel bequem gemacht, der am knisternden Kamin stand, und tippte auf ihrem Handy herum. Auf einem kleinen Bistrotisch zwischen ihrem und dem Sessel gegenüber standen ein Glas Rotwein und ein frisch gezapftes Bier.

Außer Rosa war niemand hier. David sah sich in dem Raum um. Bisher hatte er der Bar noch keinen Besuch abgestattet. Das Ambiente hier erinnerte an eine gemütliche Berghütte. Wie auch im Frühstücksraum bestand die Außenwand aus großen Fenstern, durch die man, wenn es nicht bereits dunkel wäre, den See sehen könnte. »Da bin ich«, sagte David und ließ sich in den Sessel Rosa gegenüber fallen. Im Kamin knackte ein Holzscheit, und die Wärme des Feuers hüllte ihn ein wie eine weiche Decke. Er könnte ewig hier sitzen bleiben. Allein mit Rosa in diesem urigen Raum.

»Ich habe ein Bier für dich bestellt. Regional. Das probierst du doch gerne aus, oder?« Rosa lächelte leicht. »Zumindest behauptet das Internet das über dich.«

»Du hast dich über mich schlau gemacht?« Das fiel vermutlich in die Kategorie »Gleiches Recht für alle«.

Sie legte den Kopf schief und musterte ihn einen Moment. Dann hob sie ihr Weinglas zu einem Toast. »Kenne deine Feinde«, sagte sie.

David griff nach seinem Bier. »Vielleicht will ich gar nicht dein Feind sein«, sagte er und ließ sein Glas gegen ihres klingen.

»Tja.« Rosa rieb mit der flachen Hand über ihren Oberschenkel. »Da sitzen wir und haben keine Ahnung, wie wir miteinander umgehen sollen.« Sie nippte an ihrem Wein und stellte das Glas dann zurück. Das Kaminfeuer malte bei jeder ihrer Bewegungen rotgoldene Schatten auf ihre rechte Gesichtshälfte, und David wurde bewusst, dass der angespannte Ausdruck aus ihren Zügen verschwunden war. Rosa war noch immer vorsichtig. Abwartend. Aber irgendetwas hatte sich zwischen ihnen verändert. »Ich bin gekommen, um mich für dein kaputtes Auto zu entschuldigen. Es tut mir wahnsinnig leid.«

David trank einen Schluck Bier und lehnte sich in seinem Sessel zurück. »Ich habe schon davon gehört. Dein mieser Wurfarm ist offenbar legendär in der Gegend.«

Rosa verzog die Lippen zu einem Lächeln, das ihre Augen nicht erreichte. »Ich war vielleicht nie die beste Werferin. Mich stört allerdings viel mehr, dass ich in deiner Gegenwart überhaupt dazu neige, mit Weinflaschen um mich zu werfen. So war ich nie. Und so möchte ich auch nicht sein.« Einen Augenblick lang blickte sie in die Flammen. Dann sah sie ihm wieder in die Augen. »Seit ich in diesem Fernsehstudio von deinem Buch erfahren habe, bin ich unglaublich wütend auf dich. Wahrscheinlich glaubst du mir das nicht, aber ich verliere normalerweise nie die Nerven«, gestand sie.

David konnte nicht anders. Er musste lachen. »Das typische Mittelkind. Mir geht es übrigens genauso, dabei bin ich gar kein Mittelkind. Ich hasse es zu streiten. Und ich hasse öffentliche Szenen. Seit ich dich getroffen habe, hatte ich von beidem mehr als genug.«

»Da haben wir uns echt in etwas hineinmanövriert.« Rosa wies mit dem Zeigefinger auf David. »Schuld an allem bist natürlich du«, sagte sie über den Rand ihres Weinglases hinweg.

»Natürlich«, stimmte David ihr zu. Sie hatte ja recht. Plötzlich hatte er das Bedürfnis, sich bei ihr zu entschuldigen. Richtig entschuldigen. Ernst gemeint. Auch wenn er bei Rosa vermutlich auf taube Ohren stoßen würde. So wie sein Versuch auf dem Hof nach hinten losgegangen war. »Hör mal, das, was passiert ist, können wir nicht mehr rückgängig machen. Ich kann verstehen, dass du mir das, was ich geschrieben habe, wahrscheinlich nie verzeihen wirst. Was ich getan habe, war falsch. Auch wenn es nie mein Plan war, dass all das auf dich zurückfällt. Ich hatte damit wirklich nichts zu tun. Aber ich kenne meine Mutter und hätte damit rechnen müssen, dass sie das Ganze herausposaunt, wenn ich es ihr erzähle.«

»Sie ist deine Mutter, also hätte sie auch ohne deine Hilfe eins und eins zusammengezählt.« Ergriff Rosa auf einmal Partei für ihn?

David schluckte. »Das ist möglich. Aber wir werden es nie erfahren. Mir haben jedenfalls die wenigen Tage, die ich jetzt hier bin, gereicht, um festzustellen, dass du und Josefine nichts gemein habt. Es tut mir leid, dass mein Bruder dich in diesem Licht gesehen hat. Und noch mehr tut es mir leid, dass ich auf seine Geschichten hereingefallen bin, ohne sie zu hinterfragen.«

»Ja, nicht wahr?«, murmelte Rosa und trank einen großen Schluck Wein. »Bei meiner Männerwahl hatte ich kein besonders glückliches Händchen. Aber Julian ist Geschichte, und ich möchte mir keine Gedanken mehr über ihn machen. Er gehört nicht mehr zu meinem Leben.« Sie klang fest und entschieden. David war sich nur nicht sicher, ob die Trennung von Julian wirklich so spurlos an ihr vorübergegangen war.

Eine junge Frau in Kellneruniform betrat den Raum und steuerte direkt auf sie zu. »Heute ist nicht viel los«, erklärte sie beim Näherkommen. »Ich bringe euch gern noch was zu trinken, aber dann würde ich schon mal abkassieren. Bleibt einfach gemütlich hier sitzen, solange ihr wollt.«

»Danke, Michi. Wir nehmen einfach noch mal das Gleiche«, entschied Rosa.

»Kommt sofort.« Die junge Frau drehte sich um und ließ sie wieder allein.

»Du kennst hier wirklich jeden«, stellte David fest.

Rosa zuckte die Schultern. »Ich lebe ja auch hier.«

David lächelte in sein Bier. Er würde ihr jetzt nicht erzählen, dass er schon fast zehn Jahre in seiner Wohnung wohnte und seine Nachbarn nur flüchtig vom Sehen kannte. Rosas Leben war einfach ein völlig anderes als seins. Aber seit er sich in ihrem Leben herumtrieb, ging es ihm besser, als es in der letzten Zeit der Fall gewesen war. Er wartete, bis die Kellnerin die vollen Gläser neben ihre halb leeren stellte und ihnen eine gute Nacht wünschte. Erst als sie den Raum verlassen hatte, sprach er weiter. Irgendwann zwischen Rosas Auftauchen vor seiner Zimmertür und dem ersten Schluck Bier mit ihr am Kaminfeuer war ihm klar geworden, dass er wirklich aufrichtig zu ihr sein wollte. »Was ich gestern und vorgestern gesagt habe, war nicht die Wahrheit. Ich schreibe kein zweites Buch über dich.«

Rosa hielt inne, das Weinglas auf halbem Weg zum Mund. »Nein? Du kannst mir glauben, dass ich das gern höre.«

»Das tue ich. Julian hatte mich gebeten, seine Klamotten zu holen, und der Verlag und mein Agent lagen mir schon seit Ewigkeiten in den Ohren, mit einem zweiten Roman zu beginnen. In letzter Zeit haben sie sogar richtig Druck gemacht, endlich eine Idee abzuliefern. Ich hielt den Ausflug nach Sternmoos nur für eine kleine Flucht vor den Nervensägen in München. Einfach mal raus. Luft holen. Dummerweise habe ich dabei jede Menge Eiweißpulver eingeatmet.«

Rosa kicherte. Ihre Augen blitzten. »Das war wirklich spektakulär, das muss ich zugeben.«

»Aus deinem Blickwinkel mit Sicherheit. Ich habe mich ziemlich darüber geärgert, und als du versucht hast, mich aus dem Tal zu vertreiben, hat bei mir ein gewisser Starrsinn eingesetzt.«

»Und du hast also einfach behauptet, du recherchierst für einen zweiten Teil? Ganz schön ausgefuchst.« Sie stieß ihn mit der Schuhspitze gegen das Schienbein. »Aber du hast meine Nachbarn und Freunde über mich ausgefragt. Wozu sollte das gut sein, wenn du gar nichts mehr über mich schreiben willst?«

»Blanke Neugier.« Er lächelte Rosa an. »Als ich dir begegnet bin, wurde mir ziemlich schnell klar, dass ich mich von Julian völlig hatte täuschen lassen. Ich wollte einfach wissen, wie du wirklich bist. Und das möchte ich auch immer noch. Das ist aber noch nicht alles.« Er beugte sich ein wenig vor und sah Rosa ernst in die Augen. »Ich habe wieder angefangen zu schreiben. Gestern, in meinem Hotelzimmer. Nicht über dich«, fügte er vorsichtshalber noch einmal hinzu. Dann schüttelte er über sich selbst den Kopf. Er konnte es noch immer nicht fassen. »Da musste ich erst nach Sternmoos kommen und mich mit dir anlegen, um meine Schreibblockade zu überwinden. Das bedeutet, ich werde bleiben. Wenigstens solange dieser Schreibflash anhält.«

»Sternmoos ist für vieles gut. Worum geht es in deinem neuen Buch?«, fragte sie. »Denn wenn du dich jetzt an der

Bäckerin oder Martha aus der Metzgerei versuchst, werde ich weiter Weinflaschen nach dir werfen, auch wenn es nicht um mich geht.« Sie hatte es mit Humor in der Stimme gesagt, aber David war sich sicher, dass sie für ihre Familie und Freunde genauso einstehen würde wie für sich selbst.

»Ich kann dir versichern, dass niemand aus Sternmoos in dem Manuskript auftauchen wird. Abgesehen davon möchte ich aber lieber noch nicht darüber reden. Vertraust du mir?« Er wünschte sich, dass Rosa Ja sagte.

Doch so einfach machte sie es ihm nicht. Rosa lehnte sich zurück und ließ ihn zappeln. Sie nippte an ihrem Wein und biss sich dann nachdenklich auf die Unterlippe. »Ich habe keinen Grund, dir zu vertrauen. Aber ich wäre bereit, es trotzdem zu versuchen.« Sie sah ihn ernst an. »Ich kann dir nicht versprechen, dass ich es schaffe. Und ich weiß auch nicht, was ich mache, wenn du dieses Entgegenkommen missbrauchst. Aber vermutlich werde ich mir etwas echt Fieses ausdenken. Oder meine Schwestern. Genau genommen ist das sogar wahrscheinlicher.« Sie lächelte leicht. »Ich würde sie aber davon abhalten, noch einmal auf dein Auto loszugehen. Es kann ja schließlich nichts für seinen Besitzer. Aber ich werde wirklich versuchen, dir zu vertrauen«, wiederholte sie noch einmal.

»Bedeutet das, wir brauchen keine Sitzungen bei dem Mediator?«, fragte David vorsichtig.

»Wenn es nach mir geht, müssen wir Herrn Hoffmann nicht weiter behelligen.« Die Flammen des Kaminfeuers spiegelten sich in Rosas großen dunklen Augen, und Davids Herz setzte für einen Schlag aus. Er wollte nicht darüber nachdenken, was das zu bedeuten hatte. Es war Erleichterung. Zumindest redete er sich das ein. Erleichterung, dass

Rosa Falkenberg offenbar tatsächlich in der Lage war zu verzeihen. Das müsste sie nicht, und das durfte er auch nicht von ihr erwarten. Aber sie tat es trotzdem. »Danke«, sagte er schlicht.

»Was bedeutet das jetzt?«, fragte Rosa. Sie stellte ihr Weinglas ab und hielt ihre Hände vor den Kamin, so als wolle sie sich aufwärmen. David ließ sie dabei keinen Moment aus den Augen. »Du bleibst in Sternmoos, schließt dich in deinem Hotelzimmer ein und schreibst den nächsten Bestseller? Von dem ich persönlich hoffe, dass er dir besser gelingt als der letzte.«

Ihre kleine Spitze ließ ihn lächeln. »Ich bleibe auf jeden Fall hier. Aber ich plane nicht, mich in meinem Zimmer zu verstecken. Und da wäre noch was…«

Rosa blies die Wangen auf und ließ die Luft langsam aus ihrem Mund entweichen. »Langsam nimmt das ganz schöne Ausmaße an«, bemerkte sie.

»Aber das hier ist ein wichtiger Aspekt.« Er hielt seine Hände neben ihre und wärmte sie am Feuer. »Ich habe es vorhin schon gesagt. Ich bin neugierig auf dich. Auf dein Leben. Deine Arbeit. Wenn du es mir erlaubst, würde ich dir in der Zeit, in der ich nicht schreibe, gern über die Schulter schauen.«

Rosa lachte ungläubig. »Das geht eindeutig zu weit«, sagte sie. »Ich kann akzeptieren, dass du hier bist. Ich kann versuchen, dir zu vertrauen, dass du mich nicht noch mal mit einem Roman in die Pfanne haust. Aber wir sind keine Freunde. Lebe dein Leben. Ich lebe meins. Wir sollten versuchen, die Schnittmenge so gering wie möglich zu halten.«

»Ich verstehe dich, Rosa. Aber nur, weil ich an einem neuen Buch arbeite, heißt das nicht, dass die Welt dort draußen die *schöne Müllerin* vergessen wird.« Der Buchtitel ließ sie zusammenzucken, und David hätte am liebsten nach ihren Händen gegriffen, sie festgehalten und beruhigt. Doch das hätte Rosa wahrscheinlich in die Flucht getrieben. Also ließ er seine Hände zwischen seinen Knien hängen und sprach weiter. »Ich werde mit Sicherheit weiter zu Talkshows eingeladen, Interviews geben müssen. Und ich möchte in Zukunft die Wahrheit sagen. Ich möchte erzählen, wie du wirklich bist. Wie falsch ich lag. Ich möchte deine Arbeit und die alte Mühle so beschreiben, wie sie wirklich ist.« Er sah sie offen an. »Ich kann das Buch nicht rückgängig machen. Aber ich kann versuchen, das Bild, das ich von dir gezeichnet habe, wieder geradezurücken.«

Rosa schwieg lange und starrte ins Feuer. Dann richtete sie sich auf. »Das klingt auf den ersten Blick sehr nobel. Ich bin mir nur im Moment nicht sicher, ob du wirklich *mir* damit helfen oder einfach nur deinen eigenen Kopf aus der Schlinge ziehen willst.« Sie stand auf. »Ich werde darüber nachdenken.«

»Okay.« Davids Herz sank ein Stück. Er hatte das Gefühl gehabt, Rosa würde ihm vergeben. Doch ganz so leicht würde sie es ihm natürlich nicht machen. Außerdem hatte sie ihn durchschaut. Er würde Rosa zwar nicht mehr durch den Schmutz ziehen, wie sie es nennen würde, aber er wollte selbstverständlich auch seine eigene Weste reinwaschen. »Warte!« Er stand auf und griff nach einem Bleistift und einem Bierdeckel, die jemand auf dem Fensterbrett liegen gelassen hatte. Er kritzelte seine Nummer drauf und drückte ihn Rosa in die Hand. »Hier. Melde dich, wenn du es dir überlegt hast. Jederzeit.«

»Gute Nacht«, sagte sie, knickte den Bierdeckel und schob

ihn in die Gesäßtasche ihrer Jeans. Ihr Pferdeschwanz wischte mit jedem Schritt über ihre Schultern. Hin und her. Wie ein Pendel. An der Tür blickte sie sich noch einmal nach ihm um, hob die Hand zum Gruß und verschwand in der Lobby.

»Gute Nacht«, murmelte David.

Zwei Stunden später, er saß längst wieder über sein Laptop gebeugt, blinkte eine Nachricht auf seinem Handy auf. Von einer Nummer, die er nicht kannte.

Er nahm das Handy zur Hand und rief den Text auf. *Morgen, neun Uhr vor der Mühle. Du darfst mir über die Schulter schauen.*

Ich werde da sein, tippte er und speicherte dann Rosas Nummer ab.

Er sah die drei Punkte, die über den Bildschirm hüpften, als Rosa antwortete. *Du weißt noch nicht einmal, was für Aufgaben ich dir geben werde.* Ihrer Nachricht folgte ein Emoji, das die Augen verdrehte.

Er schickte ein breites Grinsen. *Ich werde nicht jammern – und dir folgen wie ein Schatten.* Er löschte den letzten Teil. Zögerte. Tippte ihn wieder und drückte auf Senden.

Zwei Augen rollende Emojis tauchten auf seinem Display auf. *Seufz,* schrieb Rosa. *Das hatte ich befürchtet.*

Lächelnd legte er das Handy zur Seite. Er war neugierig und gespannt. So sehr er sich danach sehnte, an seinem Manuskript weiterzuarbeiten, so sehr freute er sich darauf, Rosa besser kennenzulernen.

10

Am nächsten Morgen stand David wie versprochen um kurz vor neun auf dem Mühlenhof. Er hatte bis tief in die Nacht geschrieben und nur drei Stunden geschlafen. Zum Anziehen hatte er sich noch einmal an den Klamotten seines Bruders bedient. Da Gundula noch in der Werkstatt stand, war er am See entlanggelaufen und hatte die Stille genossen, die gemeinsam mit ein paar zarten Nebelfetzen über der spiegelglatten Wasseroberfläche lag.

Auf dem Hof hatten sich bereits ein paar Leute eingefunden, die David neugierig beäugten. Er war sich sicher, dass das noch eine Weile so weitergehen würde. Umso wichtiger war es, den Leuten zu zeigen, wie gut Rosa und er miteinander auskamen. Verstohlen blickte David auf die Uhr seines Handys. Im Fokus anderer Menschen fühlte er sich nie besonders wohl. Es war höchste Zeit, dass Rosa auftauchte und die Leute um ihn herum merkten, dass er nichts im Schilde führte.

Lange ließ Rosa glücklicherweise nicht auf sich warten. Eine Minute später schwang die Haustür auf, und sie trat mit Toby an ihrer Seite auf den Hof. Sie war wieder so gekleidet, wie er es von ihr gewohnt war. Jeans, Bluse und der Cardigan vom letzten Abend waren genau wie der Pferdeschwanz verschwunden und hatten abermals einem Dirndl und einer komplizert aussehenden Flechtfrisur Platz gemacht. Sie lächelte in die Runde und nickte David zu.

*

Rosa liebte die Mühlenführungen. Umso mehr ärgerte es sie, dass sie sich inzwischen bei jedem Besucher, der eine Führung buchte, Gedanken machen musste, ob er wirklich etwas über die *Alte Mühle* erfahren wollte oder nur wegen Davids Buch hier war. Sie fand es furchtbar, jeden in der kleinen Gruppe vor sich argwöhnisch zu mustern.

David war bereits da, als sie aus dem Haus trat. Etwas anderes hatte sie nach ihrem Gespräch am vergangenen Abend aber auch nicht erwartet. Sie ließ die Besuchergruppe noch ein wenig auf dem Hof herumlaufen und die Mühle von außen bewundern, während sie zu David hinüberging. »Guten Morgen«, sagte sie leise und darauf bedacht, die Aufmerksamkeit der Besucher nicht auf sie beide zu ziehen. »Gut geschlafen?«

David zog die Augenbrauen hoch. »Danke, gut. Und selbst?«

Diese gestelzte Höflichkeit war albern, und Rosa musste grinsen. »Ja, ebenfalls sehr gut. Vielen Dank«, gab sie zurück. »Da wir jetzt mit den Förmlichkeiten durch sind: Ich führe die Leute durch die Mühle. Du kommst einfach mit und hältst dich ein wenig im Hintergrund, okay?«

David neigte den Kopf, und Rosa spürte für einen Moment die Wärme, die er ausstrahlte, gemeinsam mit einem unaufdringlichen Geruch nach Weichspüler und seinem ganz eigenen Duft. »Und was ist, wenn ich etwas wissen will?«, fragte er. Sie standen viel zu nahe beieinander, sein Atem strich unter ihrem Ohr über ihre Haut, als er sprach.

Sie ignorierte die Gänsehaut, die sich auf ihren Armen ausbreitete. *Selbst schuld, wenn du ihm so nahe kommst, damit du flüstern kannst*, schalt sie sich insgeheim und machte einen Schritt nach hinten, um etwas Sicherheitsabstand zwischen David und sich zu bringen. »Wenn du Fragen hast, stellst du sie einfach, so wie die anderen auch.«

Damit drehte sich Rosa um und ging auf ihre Besuchergruppe zu. Ihr Blick glitt noch einmal zu ihm zurück, als sie vor die Mühle trat. David hatte die Hände in die Gesäßtaschen seiner Jeans geschoben und musterte jeden der Anwesenden. Vermutlich war das eine Schriftsteller-Berufskrankheit. Ihr war bereits ein paarmal aufgefallen, dass er seine Umgebung immer sehr genau beobachtete.

Rosa hatte lange überlegt, ob es vielleicht besser wäre, David weiterhin aus dem Weg zu gehen. Sie war ehrlich genug zu sich selbst, um zuzugeben, dass sie nicht wusste, warum sie das Risiko eingegangen war, ihn in ihr Leben zu lassen. Vielleicht war es der Glaube an das Gute im Menschen. Vielleicht auch ihre Einstellung, die jedem eine zweite Chance zugestand. David hatte ihr das Gefühl vermittelt, er werde sie nutzen und Rosa davon überzeugt, dass er sie verdient hatte und nicht aufs Neue verspielen würde. Seine Argumente waren natürlich ebenfalls nicht von der Hand zu weisen. Rosa wollte, dass er ihren Ruf, den er mit einem Fingerschnippen ruiniert hatte, wiederherstellte. Wenn er das bei seinen Interviews oder Talkshow-Auftritten konnte, würde sie ihn nicht davon abhalten. Sie würde ihn in ihre Arbeit einbinden. Er sollte die Mühle verstehen, denn vielleicht würde er sogar ein wenig Werbung für sie machen. Genau aus diesem Grund würde sie ihn auch in die Planung des Herbstfestes mit einbeziehen. Das konnte ihre Besucherzahlen durchaus erhöhen.

David löste seinen Blick von der Gruppe und sah sie an. Als er ihr ein halbes Lächeln schenkte, wurde sie sich bewusst, dass sie ihn angestarrt hatte, während sie in Gedanken ihren Schlachtplan durchgegangen war. Statt peinlich berührt den Blick abzuwenden, lächelte sie zurück. Er brach den Augenkontakt ab, um sich zu Toby hinunterzubeugen und ihn zu kraulen, als wären sie schon seit Ewigkeiten die besten Freunde. Okay, er mochte Hunde, das war auf jeden Fall ein Pluspunkt. Allerdings lief er noch immer in den Klamotten seines Bruders herum. Das ging sie nichts an, wies Rosa sich selbst zurecht. Aber es erinnerte sie immer wieder an das, was vorgefallen war. An Davids furchtbare Enthüllung. Den Schock. Und ihre Trennung von Julian.

Es wurde Zeit, sich auf die Führung zu konzentrieren. »Guten Morgen und Glück zu!«, grüßte sie die Umstehenden. Sie blickte noch einmal zu David hinüber. Er hatte sich wieder aufgerichtet, und Toby trollte sich in Richtung Hofladen. »Mit dem traditionellen Müllergruß möchte ich Sie herzlich in der *Alten Mühle* willkommen heißen. Wir produzieren Bioprodukte aus dem Getreide, das die Bauern in der Region anbauen.« Rosa legte eine künstliche Pause ein, bis sie sich der Aufmerksamkeit aller Besucher sicher sein konnte, ehe sie fortfuhr. »Ich zeige Ihnen, wie eine moderne Mühle funktioniert, und erzähle etwas über die Geschichte unseres Unternehmens und das Müllerhandwerk im Allgemeinen. Zum Abschluss würde ich mich freuen, wenn Sie mich auf eine Tasse Kaffee in den Hofladen begleiten, wo ich gerne Ihre Fragen beantworten werde.

Die *Alte Mühle* war eine Wassermühle, bis sie von uns modernisiert wurde. Das Augenmerk des Müllers lag immer darauf, dass das Wasserrad gleichmäßig mit Wasser beschickt wurde. Je nach Wetterlage – Niedrigwasser, Hochwasser während der Schneeschmelze, Gewitter oder dem Eis im Winter – war das ein ziemlich gefährlicher Job.«

Rosa betrat die Mühle, gefolgt von den Besuchern, und stieg in den zweiten Stock hinauf. Wie immer fragte jemand, was über ihnen war, aber der Dachboden war für Gäste der Mühle tabu – er gehörte nur ihren Schwestern und ihr. Als sie mit ihrem Vortrag begann, blickte sie noch einmal zu David hinüber und stellte fest, dass er regelrecht an ihren Lippen hing. Aufmerksam hörte er ihr zu. Sein Blick war so intensiv – was schon wieder eine ungewollte Gänsehaut über ihren Körper jagte.

*

David folgte Rosa gemeinsam mit der Besuchergruppe ins Innere. Er hatte sich nie ernsthafte Gedanken gemacht, wie eine Mühle funktionierte. Doch jetzt hörte er Rosa genau zu. Sie war in den Mittelpunkt seiner Aufmerksamkeit gerückt, seit sie aus dem Haus getreten war. Das lag nicht nur daran, dass er – vermutlich seit der Zeit, als er deutsche Anleitungen für chinesische Haushaltsgeräte verfasst hatte – an Technik interessiert war. Es lag auch daran, dass er einen Hauch ihres Kokosduftes wahrgenommen hatte, als sie an ihm vorbeigegangen war, um der Besichtigungsgruppe die Walzenstühle zu zeigen, in denen das Getreide vermahlen wurde. Genau wie in dem Moment, als er sich vor der Mühle zu ihr hinuntergebeugt hatte, um mit ihr zu sprechen. Und nicht zuletzt lag es daran, dass es angenehm war, Rosas warmer Stimme zuzuhören, und daran, dass sie interessante Geschichten über die Vergangenheit der Mühle zu erzählen hatte.

Im Gänsemarsch folgten sie Rosa die schmalen, ausgetretenen Holzstufen in den zweiten Stock hinauf. Überall standen Maschinen verteilt. Graue Kunststoffrohre liefen kreuz und quer durch die Räume, verzweigten sich und verschwanden ohne erkennbare Logik in der Decke über oder im Boden unter ihnen. So romantisch wie von außen wirkte die Mühle von innen jedenfalls nicht.

»Heutzutage ist eine Mühle ein technisch bis ins Detail ausgefeiltes Unternehmen«, erklärte Rosa, als hätte sie seine Gedanken gespürt. »Das Vermahlen funktioniert elektrisch. Wir nutzen das Mühlrad aber trotzdem noch, um Strom für den Hof zu erzeugen. Das ist bei den aktuellen Energiepreisen gar nicht so schlecht.« Ein paar zustimmende Lacher ertönten aus der Gruppe.

»Was ist über uns?«, fragte eine Frau um die fünfzig und wies zu einer Holztreppe hinüber, die auf den Dachboden zu führen schien.

Rosa lächelte. »Das ist der magische Ort meiner Kindheit«, sagte sie schlicht und legte ihre Hand an einen großen, hölzernen Kasten, von dem jede Menge Rohre wegführten. »Wo wir schon davon sprechen: Das hier ist ein Plansichter. Hier drin spielt sich ein Teil der Magie ab, die mit dem Getreidemahlen verbunden ist«, lenkte sie die Aufmerksamkeit der Gruppe auf geschickte Weise von dem geheimnisvollen Dachboden auf die Maschinen zurück. Sie erklärte, wie das Getreide gemahlen und gesiebt wurde. Erzählte von den Bestandteilen, die sich Dunst, Grieß und Schrot nannten. Von insgesamt siebzehn sogenannten Passagen, durch die die Rohstoffe gepumpt wurden, bis sie die feine Konsistenz erhielten, die das beliebte Mehl der *Alten Mühle* ausmachte. »Wir mahlen nicht jeden Tag«, sagte Rosa, als sie das Erdgeschoss wieder erreicht hatten und sie ihnen die großen, hölzernen Mischmaschinen gezeigt hatte, die von der Decke hingen. »Die Mehle werden nach Bedarf produziert. Und damit Sie sich selbst von unseren Produkten überzeugen können, begleite ich Sie in den Hofladen, wo wir Sie zum Abschluss der Führung gern auf eine Tasse Kaffee einladen. Außerdem möchte ich Sie auf unser Hoffest am 31. Oktober hinweisen.« Sie drückte jedem Gast einen Flyer in die Hand.

Ein cleverer Schachzug, fand David und folgte Rosa, die ihre Besuchergruppe mit glänzenden Augen in den Mühlenshop führte, wo sie von Louisa und Toby in Empfang genommen wurden. Während die Leute Kaffee trinkend und Fragen stellend zusammenstanden, fiel ihnen mit Sicherheit die eine oder andere Brotbackmischung ins Auge, die sie zum Abschluss kaufen würden.

Zwei Männer ließen sich allerdings nicht von dem Kaffee ablenken und wollten jeweils ein Selfie mit Rosa machen. Was dazu führte, dass sie David einen kurzen leicht genervten Blick zuwarf.

Tut mir leid, formte er die Worte lautlos mit den Lippen. Und meinte es so, wie ihm plötzlich bewusst wurde. Offenbar hatte er, ohne es zu merken, einen Beschützerinstinkt entwickelt. Das war nichts, was er außerhalb seiner Ersatzfamilie, als die er Wastl und Sanne betrachtete, verspürte. Und nichts, womit er sich im Moment näher befassen wollte. Denn eigentlich waren sein bester Freund aus Kindertagen und dessen Frau die Einzigen, für die er durchs Feuer gehen würde.

Als die Herren begannen, die Etiketten der Marmeladen im Regal zu studieren, stellte sich Rosa neben David. »Wenigstens waren es nur zwei«, sagte sie leise. »Und niemand hat dich oder mich auf das Buch angesprochen. Wir sollten jetzt auf jeden Fall hier verschwinden, bevor sich das ändert.« Sie winkte Louisa zu und deutete mit dem Zeigefinger in Richtung Mühle. Ihre Tante nickte und gab ihr das Daumen-hoch-Zeichen.

»Wohin gehen wir?«, fragte David.

»In die Wohnung«, sagte Rosa über die Schulter und überquerte mit großen Schritten den Hof, fast ein bisschen, als wäre sie auf der Flucht. »Es gibt ein paar Unterlagen, die ich durchgehen muss. Die Planung unseres Herbstfestes geht in die nächste Runde. Du kannst mir helfen und ein paar Telefonate führen.«

»Kein Problem.« David hatte keine Ahnung, worum es bei dem Fest ging. Aber wenn er dafür die Chance bekam, einen Blick in Rosas Wohnung – und damit in ihr Leben – zu werfen, würde er den Telefondienst ohne zu murren über sich ergehen lassen.

Sie zog die Haustür auf, und er folgte ihr durch das dämmrige Treppenhaus in den ersten Stock. Rosas Wohnung lag im hinteren Bereich der Mühle, die auf den Wald und den Bach hinausging.

»In den Räumen unter uns lagern wir abgepackte Mehle, Brotmischungen und Bestellungen für die umliegenden Bäckereien und die Pensionen, die selbst backen«, erklärte Rosa ihm. Sie schob die Wohnungstür auf, die sie nicht abgeschlossen hatte, und David folgte ihr in den hellen Flur, von dem rechts ein großer, offener Wohnbereich abging. »Früher hat meine Tante hier gewohnt«, erzählte Rosa weiter und wartete, bis er eingetreten war und sie die Tür hinter ihm schließen konnte. »Nachdem wir das alte Wirtshaus restauriert hatten, ist sie in das Apartment über dem Laden gezogen. Ich habe ihre Wohnung übernommen.«

Das Erste, was David wahrnahm, waren die Schwarz-Weiß-Fotografien an den hellgrau gestrichenen Wänden. »Wow«, entfuhr es ihm. »Sind die von deiner Schwester?«

»Ja.« Rosa betrachtete ein Foto, das ihre ältere Schwester Antonia und sie unter einem Himmel aus LED-Lichtern zeigte, irgendwo unter einem alten Gebälk. Es sah aus wie ein Dachboden. »Sie sind alle von Hannah. Sie ist fantastisch, nicht wahr?« Erwartungsvoll sah Rosa ihn an.

»Vielleicht sollte ich sie fragen, ob sie meine nächsten Autorenporträts macht. Dann würde ich vielleicht nicht mehr wie eine Mischung aus lichtscheuem Vampir und entwichenem Serienmörder aussehen.«

Rosa legte den Kopf schief und schenkte ihm ein kleines Lächeln. »Wohl kaum«, sagte sie, drehte sich um und ging den Flur hinunter.

David folgte ihr, vorbei an einer weiß lasierten Kommode, die den Eindruck erweckte, bereits ein sehr langes, ereignisreiches Leben hinter sich zu haben. Dann vorbei an einem bodentiefen Spiegel, wie er im Flur eines Frauenhaushaltes wohl nie fehlen durfte. Die honiggelben Dielen knarrten unter seinen Schuhen. David konnte sich vorstellen, dass sie diesen Boden schon bedeckten, solange es die alte Mühle gab.

Rosa lief an mehreren geschlossenen Türen vorbei und trat in einen hellen Raum am Kopfende des Flurs. Die Küche – und wie sie auf David wirkte, ganz sicher das Herzstück dieser Wohnung. Sein Blick fiel sofort auf den großen, massiven Holztisch vor einer Eckbank. Dunkle Eiche, wenn er sich nicht irrte. Die Maserung war wunderschön und die Tischkanten uneben. Gerade so, als sei die Platte der Länge nach aus einem alten, breiten Baum gesägt und anschließend nur die Kanten abgeschliffen worden. Er verlieh diesem Raum eine unglaubliche Gemütlichkeit. David konnte sich bildlich vorstellen, wie Rosa hier mit ihren Schwestern und Freundinnen saß und ein Glas Rotwein trank. Seinen Bruder hingegen konnte er in diesem Szenario überhaupt nicht sehen. Auf der Fensterbank standen ein paar Töpfe mit frischen Kräutern. Der Rosmarin sah etwas zerzaust aus. Hatte Julian nicht erwähnt, dass Rosa einen Kräutertopf nach ihm geworfen hatte? Erstaunlich, dass die Pflanze das offenbar überstanden hatte.

Die Balkontür, die auf eine Loggia hinausführte, stand offen. Geranien quollen aus den Blumenkästen. An der Brüstung standen ein Bistrotisch aus Holz und zwei Stühle. Daneben, geschützt, aber in der Sonne, zwei Tomatenpflanzen und eine Paprika. Die Äste bogen sich unter der Menge reifer Früchte.

Rosa schaltete mit der rechten Hand das Radio ein, das auf einem Küchenregal über der Arbeitsfläche stand, und nahm gleichzeitig mit der Linken eine Schürze vom Haken neben dem Kühlschrank. Was das betraf, hatte sein Bruder also nicht gelogen, dachte David, als sie die Schürzenbänder hinter ihrem Rücken zu einer sauberen Schleife band.

»Was ist?«, wollte Rosa wissen, als sie sich wieder zu ihm umdrehte.

»Nichts. Wieso?«

»Weil du mich anstarrst«, ließ sie ihn wissen, dass sie seinen Blick bemerkt hatte.

»Oh.« David blinzelte. »Wozu brauchst du eine Schürze, wenn wir dieses Herbstfest planen wollen?«, konnte er sich nicht verkneifen. Es beruhigte ihn ein wenig, dass es zumindest einen Aspekt gab, den Julian nicht völlig aus der Luft gegriffen oder komplett falsch dargestellt hatte.

Rosa hatte sich bereits dem Kühlschrank zugewandt. Die Hand am Griff drehte sie sich abermals zu David um. »Autorenüberlegungen?«, fragte sie ruhig. Verdammt ruhig. Was irgendwie gefährlicher klang, als wenn sie ihn anschreien würde. »Ich koche uns nebenbei etwas zu Mittag. Wenn es dem Herrn recht ist.« Sie stützte die Hände in die Hüften. »Natürlich zwingt dich niemand mitzuessen. Ich kann jedenfalls mit leerem Magen nicht denken.«

David schluckte. Sie waren gerade haarscharf an der nächsten Auseinandersetzung vorbeigeschlittert. »Essen klingt toll«, brachte er lahm heraus. »Kann ich mir die Hände waschen?«

»Klar«, sagte Rosa. Sie hatte sich schon wieder zum Kühlschrank umgedreht und zog die bodentiefe Edelstahltür auf. Über ihre Schulter hinweg sah David, dass er nicht nur voll, sondern auch akkurat eingeräumt war. Er war sich sicher, noch nie einen so ordentlichen Kühlschrank gesehen zu haben. »Das Bad ist die erste Tür rechts«, schob sie hinterher.

David folgte ihrer Beschreibung und wusch sich die Hände in dem Raum mit dem schiefergrauen Boden und etwas heller abgesetzten Wandfliesen. Die dunkelroten Handtücher passten zueinander, und die Seife roch irgendwie blumig. Als er den Blick zur Seite drehte, um den Rest des Badezimmers in Augenschein zu nehmen, sah er das Regal neben der Dusche, das über und über mit Duschgels, Shampoos und Cremes gefüllt war. Ehe ihm bewusst wurde, was er hier eigentlich tat, griff er nach einem der Fläschchen und schnupperte daran – und begriff, warum Rosa jeden Tag anders roch. Bei dieser Auswahl an Düften war das wirklich kein Wunder. Ihm wurde bewusst, dass er es mochte, sich bei jeder ihrer Begegnungen davon überraschen zu lassen, wonach sie duftete.

»David?«

Rosas Ruf ließ ihn zusammenzucken. Er war schon viel zu lange im Bad und stöberte in ihren Sachen herum. Das würde sie mit Sicherheit nicht zu Begeisterungsstürmen verleiten. Im Handumdrehen würde der Argwohn in ihre Augen zurückkehren, den sie sowieso nur schwer unterdrücken konnte. David verschloss die Shampooflasche wieder und stellte sie an ihren Platz im Regal zurück.

Er warf einen letzten Blick in den Spiegel über dem Waschbecken und kehrte in den Flur zurück. Von hier aus konnte er einen Blick in das Wohnzimmer werfen. Die rechte Wand war mit weißen Bücherregalen eines namhaften schwedischen Möbelhauses bedeckt, genau wie in seiner Wohnung. Der Inhalt ließ sich allerdings nicht mit seiner Bibliothek vergleichen. Mehrreihig quollen die typisch bunten Buchrücken daraus hervor, die nur zu Liebesromanen passten. Dazwischen waren jede Menge Fotos in weißen Rahmen platziert, lehnten an den aufgereihten Schmökern oder dienten als Buchstützen. Unter dem großen Sprossenfenster stand ein ausladendes, abgewetztes Ledersofa. Davor ein Couchtisch im Vintage-Stil. Auf der linken Seite des Raumes befand sich eine Art Nische, mit einem braunen Klavier darin.

Rosa, noch immer in ihrer Schürze, betrat hinter ihm den Raum. Wahrscheinlich war sie neugierig – oder eher skeptisch –, was er hier trieb. »Du spielst?«, fragte David und trat an das Instrument.

»Nein. Ich konnte als Kind zwischen Klarinette und Klavier wählen. Ich habe mich für das Klavier entschieden. Mehr als den Flohwalzer bringe ich heute aber nicht mehr zustande. Ich habe mir immer vorgenommen, wieder damit anzufangen, bin aber noch nicht dazugekommen. Das Klavier steht hier, um zu beweisen, dass es mir damit wirklich ernst ist. Eigentlich gehört es Lou. Sie wollte es bei ihrem Umzug in die neue Wohnung nicht mitnehmen. Und es passt perfekt in diese Ecke, also haben wir es einfach stehen lassen.«

»Bis du Zeit zum Üben findest«, sagte David. Er strich über den Deckel. Auch er hatte Klavierspielen gelernt und seine Finger schon lange nicht mehr auf Tasten gelegt. Tatsächlich hatte er seinen Unterricht gemocht, selbst wenn ihm klar gewesen war, dass seine Mutter ihn nur zu den Stunden geschickt hatte, weil sie so verdammt teuer waren – und sie es genossen hatte, seinen Vater um jeden Cent zu schröpfen, den sie ihm aus der Tasche ziehen konnte. Er schob die düsteren Gedanken zur Seite und drehte sich zu Rosa um. »Kann ich dir beim Kochen helfen?«, fragte er.

»Ja«, gab sie zurück und lächelte ihn süßlich an. »Zwiebeln schälen.«

»Ernsthaft?« Wer fragt …

»War ein Witz«, sagte Rosa und drehte sich auf dem Absatz um.

Sie kehrte in die Küche zurück, und David folgte ihr. Während er im Bad an ihren Shampoos geschnuppert hatte, hatte sie zwei Platzsets auf den Tisch gelegt und einen Krug mit bernsteinfarbener Flüssigkeit in der Mitte platziert. Zwei Gläser mit Eiswürfeln standen daneben. »Du kannst uns ein schenken«, schlug sie vor und begann, am Küchentresen Eier in eine Schüssel zu schlagen.

»Was ist das?« David nahm den Krug in die Hand und schnupperte an dem Inhalt.

»Eistee«, erwiderte Rosa, ohne sich umzudrehen. »Den habe ich heute Morgen angesetzt. Es ist einer der letzten wirklich warmen Tage, da passt ein kühles Getränk perfekt. Eigentlich müssten wir uns zum Essen sogar raussetzen, aber am Küchentisch haben wir mehr Platz für die Unterlagen, die ich für die Planung des Mühlenfestes schon zusammengetragen habe.«

David musste sich Mühe geben, um ihren Worten zu folgen. Seine Gedanken schweiften ab. Zu dem, was sein Bruder ihm über Rosa erzählt hatte. Zu den Dingen, die er in seinem Buch über sie geschrieben hatte. Er verstand jetzt zumindest ein wenig, was Julian gemeint hatte, wenn er Rosas hausmütterliche Art beschrieben hatte. Allerdings fand David sie, jetzt, wo er sie in ihrer Küche hantieren sah, überhaupt nicht hausmütterlich. Trotz des Dirndls und der Flechtfrisur, die sie trug. Trotz der Schürze, des selbst gemachten Eistees und der Platzsets, die vor ihm auf dem polierten Eichenholz lagen. »Ich kann dir wirklich nicht helfen?«, fragte er pflichtschuldig ein weiteres Mal. Die Leute mochten ihn für ein zynisches Arschloch halten, aber Manieren hatte man ihm beigebracht. Auch wenn er das weder seiner Mutter noch seiner Stiefmutter zu verdanken hatte. Verantwortlich dafür war Wastls Mutter, die seine Erziehungsarbeit kurzerhand übernommen hatte. *Ob ich einem pubertierenden Sturkopf die Hammelbeine langziehe oder zweien, ist völlig egal,* war irgendwann zu ihrem Mantra geworden.

»Nein.« Rosa zerteilte eine Paprika und legte sie neben die Champignons auf die Arbeitsfläche. »Genieß den Eistee. Ich bin gleich so weit. Das wird sowieso nur ein schlichtes Omelett.«

Für David war an keinem Gericht, für das man mehr machen musste, als eine Tüte aufzureißen oder die Mikrowelle anzustellen, etwas schlicht. Aber das behielt er für sich.

Er nippte an dem Eistee, der erstaunlicherweise nicht so süß war, wie er befürchtet hatte. Er ließ sich die fruchtige, leicht herbe Note auf der Zunge zergehen, während er Rosa zusah, wie sie mit einer kleinen Schere Schnittlauch von einem der Kräutertöpfe abschnitt. Sie hackte ihn klein und gab ihn in ihre Eiermasse. »Du machst das richtig gern, oder?«, sprach er ungefiltert aus, was ihm durch den Kopf ging.

Rosa drehte sich zu ihm um. »Kochen entspannt mich. Genau wie Backen. Und ich weiß ein gutes Essen zu schätzen. Also ja, es macht mir Spaß.« Sie wandte sich wieder den Zutaten auf dem Schneidebrett vor sich zu. Während sie weiter schnippelte und hackte und alles in die Schüssel kippte, bewegte sie unbewusst die Hüften im Takt zu The Boss Hoss, die aus dem Radio klangen. In einem Dirndl. Mit Flechtfrisur und einer Schürze mit Blümchenmuster. Nach Kokos duftend, fügte er in Gedanken hinzu. Was nur lief falsch bei seinem Bruder, dass er sich immer beschwert hatte? Er selbst hätte sich das nie vorstellen können, aber jetzt, wo er hier in ihrer Küche saß ... Die Kombination war interessant. Manch einer fand sie vielleicht sogar sexy. So weit würde er nicht gehen, aber sie war zumindest – anziehend.

Während das Omelett briet, holte Rosa einen Stapel Unterlagen aus einem der Zimmer, die vom Flur abgingen, und legte sie auf den Tisch. Sogar Papierstapel sahen bei Rosa Falkenberg sauber und ordentlich aus. Dann schüttelte sie das Omelett in der Pfanne, klappte es mit einer fachmännischen Bewegung zusammen und schob es auf eine Platte. David sah ihr dabei zu, wie sie das Omelett teilte und auf zwei Tellern platzierte. Noch ein bisschen Schnittlauch darübergestreut, eine Blume – Blume? – daraufgelegt. Im nächsten Moment stand der Teller herrlich duftend vor ihm. »Kann man das essen?«, fragte er mit Blick auf die orangefarbene Blüte, die auf seinem Omelett thronte.

Rosa lachte. Und er kam sich ganz automatisch wie ein ahnungsloser Idiot vor. »Natürlich«, sagte sie, und ihre dunklen Augen funkelten. Sie nahm ihre Blume in die Hand und drehte sie zwischen ihren Fingern. »Das ist Kapuzinerkresse. Schmeckt ein bisschen scharf, also probier es.«

»Du zuerst!«, forderte David sie auf.

Rosa lachte. Das Funkeln gewann an Intensität. »Du hast noch immer Angst, ich könnte dich aus Rache vergiften«, stellte sie gut gelaunt fest.

»Ist nicht von der Hand zu weisen«, hielt er dagegen. »Du lässt mich eine Giftkresse essen, und dann bittest du die drei Alten, meine Leiche für immer in den Tiefen des Zauberwaldes verschwinden zu lassen.«

Gespielt nachdenklich hob sie den Blick zur Decke. »Das liegt natürlich im Bereich des Möglichen. Allerdings müsste ich so laut schreien, um Gustl, Pangratz und Korbinian den Sachverhalt zu erklären, dass es das ganze Dorf hören würde. Ob ich dann noch mit dem Giftmord durchkomme?« Sie biss sich auf die Unterlippe, und David konnte nicht anders: Er starrte auf ihren Mund. Sie machte das doch nicht mit Absicht?

»Na gut«, sagte er schließlich und seufzte ergeben. »Wir haben gestern Abend im Hotel von Vertrauen gesprochen, also werde ich dir vertrauen und das Ding essen.« Normalerweise hätte er kein Aufhebens um die Tellerdeko gemacht und sie einfach an den Rand geschoben. Aber die kleinen Wortgefechte, die er sich mit Rosa lieferte, machten einfach Spaß. Todesmutig hob er die Blüte vor sein Gesicht, kniff die Augen zusammen und schob sie sich zwischen die Lippen.

»So stelle ich mir einen Autor vor«, sagte Rosa vom Platz ihm gegenüber und brachte ihn damit dazu, die Augen wieder zu öffnen. »Immer bereit, etwas Neues auszuprobieren, Erfahrungen und Eindrücke zu sammeln. Guten Appetit. Lass dir das Omelett schmecken.« Sie zupfte ein Blütenblatt von ihrer Kresse und schob es sich zwischen die Lippen, während sich der scharfe Geschmack der Blume bereits in seinem Rachen ausbreitete.

David tat, was Rosa von ihm verlangte. Er ließ es sich schmecken, während sie die Stapel mit ihren Unterlagen auf dem Tisch verteilte und ihm einige Blätter zuschob. Sie erklärte ihm, was sie für ihr Herbstfest plante: ein großes Zelt, Stühle, eine Musikanlage und so weiter. Die Aufzählung schien gar kein Ende zu nehmen. David hatte schon Hochzeiten erlebt, auf denen es weniger Schnickschnack gab, als Rosa für ihre Mühlenparty plante. Er bekam ebenfalls ein paar Anrufe zugeteilt, die er zu tätigen hatte. Der Zeltverleih, der auch für die Stühle verantwortlich war. Ein Caterer, der das von Rosa und ihrer Tante angebotene Essen ergänzte. Sie besprach sich währenddessen mit dem Grafiker, der die Flyer und Plakate gestalten sollte.

Als David alle Telefonate auf seiner Liste abgearbeitet hatte, legte er sein Handy zurück auf den Tisch und trank seinen Eistee aus. »Du hast gekocht, ich räume auf«, sagte er, als auch sie ihren Stift sinken ließ und sich zurücklehnte.

»Nein, auf keinen Fall. Du bist mein ...« *Gast* wollte Rosa vermutlich sagen, doch das Wort kam nicht über ihre Lippen. Sie griffen gleichzeitig nach ihrem Teller. Davids Finger berührten ihre, pressten ihre Hand gegen das kühle Porzellan. Sie starrte auf die Stelle, an der sie sich berührten, dann hob sie den Blick langsam und sah David in die Augen. In ihrem

Gesicht spiegelte sich eine Mischung aus Verblüffung und Ungläubigkeit. Sie öffnete den Mund abermals, um etwas zu sagen, schloss ihn dann aber wieder. In einer endlos langsamen Bewegung zog sie ihre Hand zurück. Ihre warme, weiche Haut glitt unter Davids Hand hervor, und Davids Nervenenden, die unter ihrer Berührung zu kribbeln begonnen hatten, fingen Feuer. Es war das erste Mal, dass sie sich berührt hatten, wurde ihm bewusst. Aber was, zur Hölle, war hier gerade geschehen?

11

Louisa kuschelte sich in ihren Poncho und genoss noch eine Tasse Kaffee, bevor sie den Hofladen öffnen würde. Sie hatte es sich auf der Bank der drei Alten gemütlich gemacht. Der See lag ruhig vor ihr und changierte in allen Farbnuancen zwischen Türkis und Smaragdgrün, was einen starken Kontrast gegen das erste leuchtend bunte Herbstlaub und den strahlend blauen Himmel bildete. Louisa atmete die glasklare Luft tief ein, die wie immer ein wenig nach Latschenkiefern roch, ohne dabei David Kaltenbach aus den Augen zu lassen. Er war inzwischen seit fast einer Woche in Sternmoos. Man konnte fast meinen, er hätte sich im *Hotel Seeblick* regelrecht eingenistet.

Gegen die Morgensonne konnte Louisa nur seine Silhouette ausmachen, die am Seeufer entlang zur *Alten Mühle* lief. Wenn der Dorfklatsch stimmte, hatte Jakob Lieferschwierigkeiten gehabt und der Ersatz für die Beifahrerscheibe, die Rosa auf dem Gewissen hatte, war noch nicht da. Deshalb stand Davids alter, rostiger Kombi noch immer in der Werkstatt. Es schien ihm nichts auszumachen, zu Fuß zu gehen. Genau wie ihn offenbar nichts davon abhalten konnte, jeden Morgen aufs Neue auf dem Mühlenhof aufzutauchen.

David verbrachte den größten Teil des Tages mit Rosa. Er wich ihr nicht von der Seite, blickte ihr über die Schulter und löcherte sie mit Fragen, die Interesse an der Mühle zeigten. Und an Rosa. Im Gegenzug warf Louisas Nichte dem Schriftsteller noch immer skeptische Blicke zu und kniff die Lippen missbilligend zusammen, wenn sie das Gefühl hatte, dass er das, was er gerade über sie in Erfahrung gebracht hatte, zu ihren Ungunsten auslegen konnte. Das Zusammensein der beiden hatte etwas von einem Tanz. Nichts Schlichtes, Klassisches, dachte Louisa und trank einen Schluck Kaffee. Kein Walzer oder Foxtrott. Nein, die Art, wie Rosa und David umeinander herumschlichen, hatte etwas von einem Tango oder …

»Guten Morgen, Louisa«, grüßte David höflich, als er auf den Hof trat, und holte sie damit aus ihren Gedanken. »Was für ein toller Tag.«

Louisa wusste, dass Rosa vorhatte, den Herrn Schriftsteller heute ein paar Stunden lang Mehlsäcke schleppen zu lassen. Sie bezweifelte, dass er diesen Tag am Abend noch immer so toll finden würde. »Ja, ein ganz fantastischer Tag«, antwortete sie ihm mit einem Lächeln. Sie würde das Ganze weiter beobachten und den beiden bei ihrem Tanz zusehen. Wenn die Situation nicht so ernst wäre, wenn David und Julian ihrer Nichte nicht so übel mitgespielt hätten, wären das Schauspiel und die permanenten, verbalen Schlagabtausche zwischen David und Rosa wirklich witzig.

Louisa nippte an ihrem Kaffee und sah David nach, der den Weg zu Rosas Wohnung einschlug. Toby, der neben ihr auf der Bank gesessen hatte, sprang herunter und sauste über den Hof, bis er ihn eingeholt hatte. David beugte sich im Gehen hinunter, um ihm über den Rücken zu streicheln. Louisa war sich außerdem sicher, dass er dem Hund heimlich ein Leckerli zusteckte. Sie seufzte in ihre Kaffeetasse.

Julian war falsch für Rosa gewesen. Louisa hatte nicht gewusst, dass er ihre Nichte betrogen hatte, aber sie war sich auch so sicher gewesen, dass er nicht der Richtige für sie war. Und sie war sich sicher, dass Antonia und Hannah genauso dachten. Genau wie Rena und Josef. Aber in Beziehungen mischte man sich nun mal nicht ein. David war jedenfalls ein völlig anderes Kaliber als sein Halbbruder. Er begegnete Rosa auf Augenhöhe, und manchmal hatte Louisa das Gefühl, dass die Funken, die zwischen ihnen sprühten, nicht nur der Wut geschuldet waren, die Rosa noch immer auf dieses verdammte Buch hatte. Die beiden schienen diese Energie allerdings nicht wahrzunehmen.

Toby hatte David an Rosas Haustür abgesetzt und kam zu ihr zurück. Er sprang gerade wieder auf die Bank, als Louisas Handy in der Hosentasche vibrierte. »Da bemüht sich jemand wirklich, uns diesen schönen Morgen zu ruinieren«, sagte sie zu dem Hund und zog das Handy aus der Tasche. Sie wusste, auch ohne auf das Display zu schauen, dass die Nachricht von Brandl war. Eine erneute Bitte, mit ihr auszugehen. Louisa seufzte und steckte das Handy wieder ein. Toby sah sie mit schief gelegtem Kopf an, und sie strich ihm über das weiche Fell. »Da wird man so alt wie ich und macht immer noch einen Fehler nach dem anderen«, murmelte sie. Sie war sich selbst gegenüber ehrlich genug zuzugeben, dass es schön gewesen war, Zeit mit Brandl zu verbringen. Es war nett gewesen, sich von ihm bekochen zu lassen und ihn an ihrer Seite zu wissen, als das Leben ihrer Nichte vor ihren Augen im Fernsehen aus den Fugen geraten war. Ganz zu schweigen von dem kostenlosen juristischen Rat, den Rosa in letzter Zeit ziemlich oft zu brauchen schien.

Louisa stand auf und ging zum Laden hinüber. Sie stellte

unter Tobys wachsamen Blicken das Schild mit den Angeboten des Tages auf den Hof und prüfte mit dem Daumen, ob die Geranien in den Blumenkästen an den Fenstern noch genug Wasser hatten. Routinierte Aufgaben, die ihre Gedanken wieder zu Brandl zurückschweifen ließen. Sie hatte lange keinen Mann mehr in ihr Leben gelassen. Nicht, weil es keine Interessenten gegeben hätte, sondern weil sie kein Interesse an den Männern gehabt hatte. Ein paarmal hatte sie es in den Jahren nach dem Scheitern der Beziehung zu Brandl – falls man das überhaupt so nennen konnte – versucht. Doch niemand hatte ihre Sehnsüchte erfüllen können. Niemand war in der Lage gewesen, ihr Herz in Brand zu setzen. Vermutlich war es wie bei einem Drogensüchtigen: Wenn man den verbotenen Kick einmal gehabt hatte, wurde es schwer, ihn mit legalen Mitteln erneut zu bekommen. Louisa hatte hin und wieder ein wenig Zeit mit einem netten Mann verbracht und das Ganze beendet, bevor es zu ernst werden konnte. Ein bisschen wie Antonia, ging ihr durch den Kopf. Ihre Nichte hielt die Männer ebenfalls auf Armeslänge von sich. Während Louisas erste wahre Liebe nicht mit offenen Karten gespielt und sie nach Strich und Faden belogen hatte, hatte Antonias erster Freund zu der Kategorie Mensch gehört, die nicht wussten, wann sie eine Grenze übertraten. Als Antonia sich endlich aus dieser einengenden Beziehung befreit hatte, war er zum Stalker mutiert.

Louisa wischte die Ladentheke ab und richtete die Flyer, die neben der Kasse lagen, ordentlich aus. »Tonia wird irgendwann den Richtigen finden«, sagte sie zu Toby, der sich auf seiner Hundedecke hinter dem Tresen zusammengerollt hatte. »Und ich sollte mit so einem Quatsch überhaupt nicht erst anfangen.« Der Hund blinzelte und gähnte, so als langweilten ihn Louisas Gedanken. »Du bist mir einer.« Sie schmunzelte und warf eines der Leckerlis, die sie immer in der Schublade unter der Kasse aufbewahrte, in seine Richtung. Toby fing und inhalierte es, ohne sich von seinem Platz zu erheben.

Louisa sah sich im Laden um. Neben ihren wunderschönen, talentierten Nichten war er ihr ganzer Stolz. Sie hatte ihre ganze Energie erst in die Mühle und dann in das alte Wirtshaus gesteckt. Das hatte die Sehnsucht nach einem Mann jahrelang in den Hintergrund gedrängt. Sie hatte sich ein Zuhause geschaffen, ein florierendes Unternehmen. Einen Rückzugsort für die Mädchen. Und nun, als es endlich wieder einen Mann gab, der ihr Interesse weckte, war es ausgerechnet der eine, der tabu war.

Sie hörte einen Wagen, der auf den Hof fuhr, und warf einen Blick nach draußen. »Das darf ja wohl nicht wahr sein«, schimpfte sie leise, als sie erkannte, wessen dicker BMW bis direkt vor die Tür rollte. »Du hast mir gerade noch gefehlt, Freundchen.« Sie verschränkte die Arme vor der Brust und wartete, bis Hubert sich hinter seinem Steuer hervorgequält und aus dem SUV gestiegen war. Er strich seinen Janker glatt und rückte seinen Hut gerade, bevor er den Hofladen mit einem tief entschlossenen Ausdruck in den Augen betrat.

Hubert war groß und hatte in seinem Leben dem Schweinsbraten öfter zugesagt, als gut für ihn gewesen war. Diese Kombination setzte er gern und oft zu seinem Vorteil ein. Bei Louisa hatte er damit allerdings schon immer auf Granit gebissen – sie ließ sich nicht einschüchtern. Und verbal herumschubsen schon gar nicht. »Hubert«, grüßte sie ihn kühl.

»Grüß Gott, Louisa. Was für ein wundervoller Morgen.

Das wird wahrscheinlich einer der letzten warmen Tage in diesem Jahr«, verlegte er sich auf Small Talk.

»Du kannst dir das Gesäusel sparen«, wies Louisa ihn darauf hin, dass ihr der Grund des Besuches klar war.

Hubert seufzte, als müsse er sich mit einem pubertierenden Teenager auseinandersetzen. »Ich habe versucht, mit dir zu reden …«

»Hubert, du weißt genau, dass ich nicht mit dir reden will«, unterbrach Louisa ihn. »Zumindest nicht über diese hirnrissige Idee.«

»Sei doch vernünftig, Lou.« Er hob beschwörend die Hände und breitete seine Arme dann zu einer den Laden einschließenden Geste ein. »Stell dir vor, was du aus deiner kleinen Mühle machen könntest mit dem finanziellen Polster, das ich dir verschaffen kann.«

»Was ich auf gar keinen Fall will, ist, aus meiner *kleinen Mühle*«, sie betonte die letzten beiden Worte, »zu blicken und deinen hässlichen Bettenbunker vor der Nase zu haben.«

»Es wäre ein Gewinn für das ganze Tal«, argumentierte er.

»Pah! Es wäre ein Gewinn für dich und sonst niemanden. Wir tragen das Prädikat *Bergsteigerdorf*. Das ist das Gegenteil eines zubetonierten Alpentals. Sanfter Tourismus und Ökologie. Leben im Einklang mit der Natur. Sternmoos musste sich nicht einmal bemühen, diesen Status zu erreichen.« Louisa atmete tief durch. Sie war dabei, sich in Rage zu reden.

»Hippiegeschwätz! Wem ist denn geholfen, wenn wir uns nicht weiterentwickeln?«

»Ich würde sagen: uns allen!« Louisa stützte ihre Hände auf dem Tresen ab, beugte sich vor und funkelte Hubert herausfordernd an.

»Du bist in den Siebzigern stehen geblieben.« Hubert ver-

zog verächtlich den Mund. »Ich habe dir eine Chance gegeben. Wollen wir doch mal sehen, was der Gemeinderat zu
meinem Projekt zu sagen hat.«

Louisa legte den Kopf schief und fixierte Hubert einen
Moment. »Vielleicht bin ich dir auch einfach schon ein paar
Jahre voraus. Bring dein Ansinnen im Gemeinderat vor. Ich
kann dir jetzt schon sagen, wie die Entscheidung ausfallen
wird. Und solange ich nicht verkaufe, ist es völlig egal, wovon du träumst.«

Hubert beugte sich ebenfalls vor. »Du glaubst, bloß weil
deine Nichte im Gemeinderat sitzt, hast du einen Einfluss
auf die Entscheidung. Du hattest deine Chance, Lou. Wenn
du Pech hast, zwingen wir dich zu verkaufen.«

Louisa wusste, wie man ein kaltes Lächeln aufsetzte.
»Drohst du mir, Hubert Valentin? Verschwinde von meinem
Hof. Sofort!«

»Ich habe es im Guten versucht.« Grußlos drehte sich der
Hotelier um und verließ den Mühlenladen.

Seine unausgesprochene Drohung blieb zurück – und
brachte Louisas Blut zum Kochen. Wütend hieb sie mit der
Faust auf den Verkaufstresen. Toby zuckte auf seiner Decke
zusammen und vergrub mit einem kläglichen Fiepen seinen
Kopf unter seinen Pfoten.

Das Handy in ihrer Tasche vibrierte erneut. Sie zog es heraus und las die nächste Nachricht, die von Brandl stammte.
»Ja, verdammt, ich geh mit dir aus«, fauchte sie und tippte
gleichzeitig die Worte. Wütend drückte sie auf Senden, obwohl in ihrem Hinterkopf eine Alarmglocke schrillte, die sie
daran erinnerte, dass sie im Augenblick viel zu aufgewühlt
war, um rationale Entscheidungen zu treffen. War es heute
das Tagesziel der Männer, sie in den Wahnsinn zu treiben?

Louisa atmete tief durch und starrte auf das Handy, auf dem gerade eine neue Nachricht einging. *Danke. Ich freue mich auf heute Abend.* »Mist«, fluchte sie. »Mist, Mist, Mist!« Brandl hatte sie im falschen Moment erwischt. Sie hatte seine Nachricht wütend und impulsiv beantwortet – und jetzt saß sie in der Falle. Hatte sie, Michael Brandner betreffend, nicht schon mal eine impulsive Entscheidung getroffen, die sie im Anschluss fast ein halbes Jahrhundert lang bereut hatte?

November 1978

Hand in Hand liefen Louisa und Brandl durch die Leopold-straße und betrachteten die Gemälde, die die Straßenkünstler trotz der Kälte ausstellten. Als der schüchterne Student vor über einem Monat von seinen Kumpels in die Wildkatze *geschleppt worden war, in der sie hinter dem Tresen stand, hätte sie sich nicht träumen lassen, dass sie sich Hals über Kopf in ihn verlieben würde. Inzwischen füllte er ihr gesamtes Leben. Sie hatte ihrem Dasein in den Bergen vor ein paar Jahren den Rücken gekehrt und war durch die ganze Welt gereist, hatte überall gejobbt, Freunde gefunden und Erfahrungen gesammelt. Nur um dann ausgerechnet in München ihr Herz zu verlieren. Das Schicksal saß mit Sicherheit in irgendeiner Ecke und kam aus dem Lachen gar nicht mehr heraus.*

Sie kauften sich zwei Pizzastücke an einer der Stehbuden und liefen langsam weiter. »Ich habe vergessen, wie schön es ist, bei Tageslicht draußen zu sein«, sagte Brandl mit vollem Mund und seufzte.

»Ich hoffe, es wird nicht zur Gewohnheit«, tadelte Louisa ihn und versuchte sich an einem strengen Blick, der ihn zum Lachen brachte. Auch das war neu. Sie war das, was man gemeinhin als Hippie bezeichnete. Ein Freigeist. Ihren Job als Barkeeperin in der Wildkatze nahm sie natürlich ernst, aber den Alltag der Studenten? Wen interessierte es schon, ob jemand zur Vorlesung ging. Ihr war es egal gewesen, bis sie Brandl kennengelernt hatte. Er war so diszipliniert und fleißig...

»Das ist erst das zweite Mal, dass ich schwänze«, verteidigte er sich. Das erste Mal war am Anfang des ersten Semesters gewesen, hatte er ihr erzählt. Damals war er auf einer Frischlingsparty so abgestürzt, dass es am nächsten Morgen unmöglich gewesen war aufzustehen. »Ludwig schreibt für mich mit, und ich habe sogar schon ein bisschen vorgearbeitet«, sagte Brandl weiter. »Ich musste einfach mal Zeit mit dir verbringen. Nur du und ich.« Er blinzelte in die milchige Novembersonne. »Nicht in der Nacht, wenn du im Dunkeln ins Bett kriechst.« Er zog sie an sich, und Louisa balancierte ihre Pizza aus seiner Reichweite, um sie nicht auf seinen Parka zu schmieren, während sie sich küssten.

»Nehmt euch ein Zimmer«, brummte jemand und verpasste Brandl im Vorbeigehen einen Stoß in den Rücken.

Louisa lachte an seinen Lippen. »Vielleicht sollten wir nach Hause gehen?«, murmelte sie. »Du und ich, und das Tageslicht, in dem du mich ausziehen kannst.«

Brandl zog sie noch enger an sich und küsste sie noch leidenschaftlicher. »Das klingt nach einer verdammt sinnvollen Art, die geschwänzte Vorlesungszeit zu verbringen.« Er griff nach Louisas Hand und zog sie in Richtung der Wohnung, in der er mit seinen Freunden Ludwig und Johann lebte. Und in der seit Kurzem auch sie wohnte.

»Lass mich wenigstens meine Pizza essen«, protestierte sie, auch wenn die Vorfreude auf die körperliche Nähe ein aufgeregtes Prickeln über ihre Haut sandte.

»Die machen wir nachher noch mal warm.« Schnelle, lageangepasste Argumentation. Aus Michael Brandner würde ein ganz fantastischer Anwalt werden.

*

Michael strich mit den Fingerspitzen über Louisas Schlüsselbein. Die Bräune, die sie aus Asien, der letzten Station ihrer Weltreise, mitgebracht hatte, war inzwischen fast vollständig verschwunden. Ihm war das egal. Dieser Kontrast zwischen blasser Haut und dem leuchtend hennarot gefärbten Haar war mindestens genauso anziehend wie die Erinnerungen an die Sonne in Indien. Er wickelte sich eine der langen, seidigen Strähnen um den Finger.

Louisa stieß einen tiefen, zufriedenen Seufzer aus und presste ihre Lippen in seine Halsbeuge. Was seine Sehnsucht nach ihr erneut anfachte, wie ein niemals endender Kreislauf.

In einem Taumel aus Lust waren sie in sein Zimmer gestolpert, hatten sich mit gierigen, fahrigen Bewegungen gegenseitig die Kleider vom Leib gerissen, als hätten sie keine Sekunde länger warten können, die Haut des anderen zu spüren. Aber dann, als Louisa unter ihm lag, nackt und bereit, war alle Wildheit in Michael Zärtlichkeit gewichen. Sie hatten es genossen, allein zu sein. Den Körper des anderen im Tageslicht zu erforschen, und schließlich hatten sie sich träge und langsam geliebt.

»Ich ändere meine Meinung«, murmelte Louisa an seinem Hals. Ihre Lippen glitten über seine Haut. »Es war eine fantastische Idee von dir, heute blauzumachen.«

Michael drehte den Kopf, und ihre Lippen fanden sich zu einem langen, tiefen Kuss. Er rahmte Louisas Gesicht mit den Händen ein, sah tief in ihre blau-grünen Augen. »Ich liebe dich«, sprach er die Worte aus, die sich nicht mehr zurückhalten ließen. Seine Stimme klang rau vor Emotionen. »Du kannst dir gar nicht vorstellen, wie sehr.«

Louisas Gesicht erstrahlte. Ihre Hand glitt über seinen Brustkorb, legte sich auf sein wild schlagendes Herz. Dann küsste sie ihn genau dort hin, presste ihre Lippen auf seine Haut, auf das Klopfen darunter. »So sehr, wie ich dich liebe.« Sie drehte sich so, dass er unter ihr lag. Ihre Hände streichelten seinen Körper. Ihre duftenden Haare hüllten Michael ein. Das hier war der glücklichste Moment seines Lebens.

Abgesehen von einem Wermutstropfen, der sich nicht ganz aus seinen Gedanken vertreiben ließ. Er dachte an den Brief, der noch immer ungelesen in der Tasche seines Parkas steckte. Es war der vierte in Folge, den er nicht beantwortet hatte. Mit jedem Tag, den er länger schwieg, wurde es schwieriger, die richtigen Worte zu finden. Er musste antworten. Nein, eigentlich musste er die Situation persönlich klären. Es war das Mindeste, seiner Verlobten in die Augen zu sehen, wenn er ihr erzählte, dass er sich… ja, was? Hals über Kopf in eine andere verliebt hatte? Nur wenige Wochen, nachdem er ihr am Ende des Sommers einen Antrag gemacht hatte?

Aber wie erklärte man so etwas überhaupt? Er hatte seine Verlobte damals wirklich für die Richtige gehalten. Sie hatten die gleichen Träume gehabt, die gleichen Werte gelebt. Bis Louisa mit der Macht eines Wirbelsturms in sein Leben gefegt war. Michael und seine Verlobte hatten nie miteinander geschlafen. Sie wollte sich das für die Hochzeitsnacht aufheben, und er hatte das für eine gute Idee gehalten. Er konnte problem-

los warten, bis es so weit war. Natürlich hatte er sie geliebt – liebte sie noch. Ihre sanfte, fürsorgliche Art. Michael konnte sich auch jetzt noch vorstellen, wie sie voller Liebe die Kinder großzog, die sie einmal haben würde. Nur konnte er sich nicht mehr als den Vater dieser Kinder sehen oder als ihren Ehemann. Dabei war es genau das gewesen, was ihn zu ihr hingezogen hatte. Das Wissen, dass er mit ihr alt werden konnte. Dass er mit ihr eine verlässliche Partnerin an seiner Seite hatte. Genau wie er es von seinen Eltern, die ihm immer moralisches Vorbild gewesen waren, kannte.

Bei Louisa hingegen war nichts sicher. Michael wusste nicht, ob sie vielleicht in drei Wochen entschied, in ein weiteres Land reisen zu wollen, das sie noch nicht gesehen hatte. Vielleicht würde sie Freiheit brauchen, und ihr würde die WG, in der er mit seinen beiden besten Freunden lebte, zu eng werden. Doch jetzt hatte Louisa gesagt, dass sie ihn liebte. So sehr wie er sie. Er konnte nicht mehr zurück. Er musste seine Verlobung lösen. So schnell wie möglich.

»Erde an Brandl.«

»Hmm?« Er blinzelte.

Louisa strich ihm eine Locke aus der Stirn. »Wo bist du mit deinen Gedanken?«

»Hier. Hier bei dir.« Und genau hier würde er von nun an auch bleiben. Er drehte sich mit Louisa in seinen Armen, sodass sie wieder unter ihm lag. Die Finger mit ihren verschränkt, schob er die Hände neben ihren Kopf. »Ich bin ganz bei dir«, wiederholte er noch einmal. »Ich liebe dich, Lou.«

Louisa schrieb Brandl eine Nachricht und bat ihn, sich in Salzburg zu treffen. Den Link zu einem kleinen Bistro, das normalerweise nicht von Touristen überschwemmt wurde, schickte sie hinterher. Dann legte sie ihr Handy auf den Tresen und blickte auf den See hinaus. Vor all den Jahren hatte Brandl sich als Lügner und Betrüger entpuppt. Und was tat sie jetzt? Genau das Gleiche. Sie verheimlichte ihrer Schwester, dass Michael Brandner schon seit Wochen im Tal war und einen Oldtimer bei Jakob restaurieren ließ. Es grenzte fast an ein Wunder, dass noch keine ihrer Nichten ihren Eltern etwas davon erzählt hatte.

Louisa würde sich mit Brandl treffen. Aber sie würde es auf keinen Fall in Berchtesgaden tun. Rena traf sich donnerstagabends immer mit den Damen ihrer Sportgruppe in der Stadt. Das Letzte, was Louisa wollte, war, ihr mit Brandl an ihrer Seite über den Weg zu laufen. Sie hasste das Versteckspiel, und sie würde ihrer Schwester erzählen, dass er wieder aufgetaucht war. Sobald sie wusste, wie. Rena hasste Michael Brandner. Sie würde Louisa weder verzeihen, dass sie sie belogen hatte, noch dass sie sich überhaupt mit dem Feind Nr. 1 verabredete.

*

Rosa war unruhig. Seit David am Vortag in ihrer Wohnung gewesen war. An ihrem Küchentisch gesessen hatte. Seit sie … etwas … gefühlt hatte bei seiner Berührung. Etwas, das sie nicht wirklich einordnen konnte, das sich aber irgendwie – falsch – anfühlte.

Also hatte sie beschlossen, ein Schwesternmeeting einzuberufen. Sie hatte sich mit einem Kaffee auf die Loggia vor ihrer Küche gesetzt und sah ihrer Tante nach, die in den Lieferwagen gestiegen war und vom Hof fuhr. Sie hatte nur erzählt, dass sie verabredet war. Aber nicht mit wem. Oder wohin sie fuhr. Louisa war ihr keine Rechenschaft schuldig, aber normalerweise war sie viel offener. Wobei, seit dieser Brandl in Sternmoos aufgetaucht war, hatte sich das Verhalten ihrer Tante um hundertachtzig Grad gedreht. Es gab Geheimnisse, wo früher keine gewesen waren. Mitunter war Louisa regelrecht gereizt. Also hatte Rosa beschlossen, über die juristische Hilfe des Mannes dankbar zu sein und ihre Tante ansonsten mit dem Thema Brandl nicht weiter zu löchern. Louisa hatte ihr ganz deutlich zu verstehen gegeben, dass Gespräche über diesen Mann tabu waren.

Rosa zückte ihr Handy und fragte in die Gruppe, die sie mit ihren Schwestern hatte, ob sie Lust auf einen Abend auf dem Mühlendachboden hatten.

Antonia antwortete sofort mit einem *Daumen hoch*. Darunter schickte sie das Emoji einer schwangeren Frau. *Vorhin anstrengende Zwillingsgeburt* schrieb sie. *Hunger wie ein Wolf*. Und noch ein Emoji.

Das Emoji ist ein Hund, konnte sich Hannah nicht verkneifen und entschied sich für den Smiley, der die Augen verdrehte. *Ich komme auch*, ergänzte sie. *Jakob wurde zu einem Bergwachteinsatz gerufen.*

Ich mache was zu essen, schlug Rosa vor und legte das Handy auf den Tisch. Dann ging sie in die Küche und öffnete den Kühlschrank. Sie überflog den Inhalt und überlegte, was sie für ihre Schwestern kochen konnte. Ihre Wahl fiel auf Schinken-Käse-Muffins.

Eineinhalb Stunden später trug Rosa das noch warme Gebäck in die Mühle. Toby wich ihr nicht von der Seite und hielt schnuppernd seine Nase in die Luft. Rosa stellte den Korb mit dem Essen und ein paar kalten Bieren auf den Dielen des Dachbodens ab und schaltete die Lichterketten ein. Für einen Moment betrachtete sie den Feenlichterhimmel über sich. Dann schob sie die drei Sitzsäcke zusammen und ließ sich auf ihren fallen. Sie öffnete ein Bier und erlaubte Toby, sich neben ihr auf das Polster zu kuscheln, um auf ihre Schwestern zu warten. Er legte seinen Kopf auf ihren Oberschenkel und schlug mit dem Schwanz gegen den Sessel. Das Zeichen, dass er für ein paar Streicheleinheiten bereit war.

Rosa hörte die beiden hintereinander auf den Hof fahren. Die Motoren wurden abgestellt und die Autotüren zugeschlagen. Antonia sagte etwas, was Rosa vom Dachboden aus nicht verstehen konnte, was Hannah aber dazu brachte, laut und fröhlich zu lachen. Kurz darauf polterten die Schritte ihrer Schwestern die Treppe hinauf. Toby sprang von Rosas Schoß, um sie schwanzwedelnd an der Bodenluke zu begrüßen.

»Verdammt, riecht das gut!« Antonia fächelte sich Luft zu und atmete genüsslich durch die Nase ein. »Danke für die Einladung, Martha Steward.« Sie umarmte Rosa und nahm das Bier entgegen, das sie ihr reichte.

Hannah folgte ihr und ließ sich in einen Sitzsack fallen, nachdem sie Rosa auf die Wange geküsst hatte. Sie streckte alle viere von sich und blieb einen Moment in ihrem Sitz hängen, ehe sie sich wieder aufrichtete und nach dem Bier griff, das Antonia an sie weiterreichte. »Ich bin vielleicht erledigt«, seufzte sie. »Dieser Bürojob ist echt anstrengend.« Seit Hannah in diesem Sommer nach Berchtesgaden zurückgekehrt war, hatte sie begonnen, für die Dependance ihrer Agentur in Salzburg zu arbeiten. Auf diese Weise konnte sie das Reisen ein wenig einschränken und mehr Zeit mit ihrer Familie und vor allem ihrer großen Liebe, Jakob, verbringen.

»Du bereust den Schritt doch nicht etwa?«, fragte Rosa vorsichtig. Sie war so froh, dass ihre kleine Schwester endlich zurück war. Es würde ihr das Herz zerreißen, wenn sie schon wieder die Flucht antrat.

»Auf keinen Fall.« Hannah trank einen Schluck Bier. »Ich bleibe hier.«

»Gott sei Dank«, murmelte Rosa. Sie nahm den Deckel vom Transportbehälter, legte einen Muffin auf eine Serviette und hielt ihn Antonia hin. »Bevor du verhungerst, Wölfchen.«

»Hmm.« Ihre Schwester biss ein großes Stück ab und verdrehte kauend die Augen. »O Gott! Kohlenhydrate! Das schmeckt himmlisch«, nuschelte sie mit vollem Mund.

»Gern geschehen.« Rosa versorgte Hannah und nahm sich dann selbst einen Muffin. »Schön, dass es so spontan geklappt hat.«

Antonia angelte sich bereits den zweiten Muffin. Da ihre Kohlenhydratspeicher wieder ein wenig aufgefüllt waren, schien auch ihr Gehirn wieder auf Hochtouren zu laufen. »Die Einladung war nicht ganz grundlos, oder?«

»Nicht ganz.« Rosa drehte ihre Bierflasche in den Händen und begann dann, systematisch das Etikett abzuknibbeln. »Ich frage mich, ob ich einen Fehler gemacht habe.«

»Bei den Muffins? Auf keinen Fall«, sagte Hannah. »Die sind perfekt.« Sie wedelte mit ihrer Flasche zwischen ihren Schwestern hin und her. »Ich wollte euch sowieso noch fragen, ob ihr was zu Jakobs Party morgen beisteuern könntet. Die Muffins wären genau das, was ich mir vorgestellt habe.«

Antonia verdrehte die Augen. »Ich glaube kaum, dass unsere Backfee sich darum Sorgen gemacht hat, dass irgendetwas, was sie in den Ofen schiebt, nicht gelingen könnte. Von welchem Fehler reden wir hier also? Kaltenbach?«

Rosa nickte. Sie trank einen Schluck Bier. »Ich habe ihm Zugang zu meinem Leben gewährt. Und ich bin mir nicht sicher, ob das eine gute Idee war.«

»War es nicht.« Hannahs Antwort kam wie aus der Pistole geschossen.

»Hey!« Antonia warf ihrer kleinen Schwester einen Seitenblick zu.

»Was denn?« Hannah biss noch einmal von ihrem Muffin ab. »Ich finde, diesem Typen ist nicht zu trauen. Er hat dich einmal reingelegt. Er wird es vielleicht wieder tun. Ich will nur, dass du vorsichtig bist.«

»Es war kein Fehler.« Antonia beugte sich vor und legte Rosa beruhigend die Hand aufs Knie.

»Selbst wenn er versucht, einen zweiten Bestseller auf deine Kosten zu schreiben?« Hannah verzog das Gesicht.

»Ich bin eine Idiotin, oder?«

»Nein!«, riefen ihre Schwestern im Chor.

»Nein«, wiederholte Hannah noch mal etwas leiser. »Das war etwas undiplomatisch. Du bist, wer du bist, Rosa. Und alle können sich glücklich schätzen, dich zu haben.«

»Aber genau das ist es doch. Diese Dinge hat er geschrieben. Diesen Teil von mir hat er durch den Dreck gezogen. Aber er hat mir versprochen, dass es keine Fortsetzung geben wird.« Hannah atmete tief durch. »Und ich will ... ich will ihm ... glauben«, würgte sie hervor. »Aus irgendeinem Grund, den ich nicht verstehe.« Sie dachte daran, wie ihre Haut gekribbelt hatte, als ihre Hände sich berührt hatten. Hannah mit ihrer großen Liebe Jakob, und Antonia, die viel lockerer als sie mit Männern umging, würden wahrscheinlich gar nicht verstehen, warum sie diese Berührung so verwirrte.

»Bleib einfach du selbst, Schwesterchen.« Antonia rutschte

von ihrem Sitz und umarmte Rosa. »Egal, was er plant. Jetzt kann er dich hautnah erleben. Ich bin mir sicher, dass das helfen wird, seine Meinung über dich zu ändern.«

Rosa löste sich aus der Umarmung ihrer Schwester. Sie streichelte Toby, der sich zwischen sie gedrängelt hatte, weil er beim Kuscheln nicht zu kurz kommen wollte. »Danke«, sagte sie leise. »Hoffen wir einfach, dass er es nicht gegen mich verwendet.«

»Wir werden ihn im Auge behalten«, versprach Hannah. »Er hat ja keine Ahnung, mit wem er sich da eingelassen hat.«

»Wenn wir ihn schon im Blick behalten und ihm auf den Zahn fühlen wollen, warum dann nicht gleich richtig?« Antonia schnappte sich den letzten Muffin. »Will noch jemand ein Stück davon haben?« Als Hannah und Rosa den Kopf schüttelten, biss sie davon ab. »Du könntest ihn auf Jakobs Party morgen Abend einladen«, schlug sie ihrer jüngsten Schwester vor.

»Was?«, fragte Rosa alarmiert.

»Spinnst du?«, wollte Hannah im gleichen Moment wissen.

»Zwei Fliegen mit einer Klappe, finde ich.« Antonia lehnte sich gemütlich in ihrem Sitzsack zurück. »Er kann Rosa in ihrem natürlichen Umfeld, zusammen mit ihren Freunden, erleben, und wir können ihm ein bisschen auf den Zahn fühlen. Ihn ein bisschen spüren lassen, dass er hier in der Unterzahl ist und unter Beobachtung steht.«

»Du hast die Kleinigkeit vergessen, dass das nicht meine Party ist, sondern Jakobs«, erinnerte Hannah sie. »Wir können David nicht einfach einladen.«

Das brachte sogar Rosa zum Lachen. »Süße, jeder weiß, dass Jakob diese Party nur schmeißt, weil du das willst. Ich bin mir nur nicht sicher, ob das eine gute Idee ist, David dazu einzuladen. Schließlich hängt er mir schon tagsüber die ganze Zeit auf der Pelle.« Und löst mit seinen Berührungen komische Reaktionen bei mir aus, fügte sie in Gedanken hinzu.

Antonia winkte ab. »Frag Jakob einfach, ob er David einlädt. Und du übersiehst ihn einfach, Rosa, und überlässt uns die Arbeit.«

»Okay. Aber ihr garantiert mir, dass ihr David nicht zu sehr piesackt. Oder er sich am Ende des Tages auf dem Grund des Sternsees wiederfindet. Mit Beton an den Füßen«, bat Rosa ihre Schwestern. Als Mafiabräute würden die beiden sich durchaus eignen.

»Schwesternehrenwort!« Antonia hob ihr Bier in die Mitte.

»Schwesternehrenwort!«, schloss sich auch Hannah an und richtete sich auf. Sie stießen mit Rosa an, um das Versprechen zu besiegeln.

»Da wäre noch eine Sache, die ich euch erzählen möchte«, sprach Rosa das zweite Thema an, das ihr auf der Seele lag. »Hubert Valentin will die Lichtung kaufen und einen Hotelbunker draufbauen.«

*

Sanne Lindner trat an das Hotelzimmerfenster, das auf den Sternsee hinausging, und strich über ihren Bauch. Ihr Sohn träumte offenbar schon wieder davon, später einmal in der Fußballnationalmannschaft zu spielen, gemessen an den Tritten, die er ihr verpasste. »Hältst du es wirklich für eine gute Idee, einfach so hier aufzukreuzen?«, fragte sie ihren Mann über die Schulter. »Wir hätten David wenigstens anrufen sollen.«

»Ach was.« Wastl legte ihr von hinten die Hände um die Taille und verschränkte seine Finger auf ihrem Bauch mit ihnen. »Wow, das kleine Fräulein kickt ganz schön um sich«, stellte er fest. Er küsste sie auf den Nacken, und Sanne legte ihren Kopf an sein Schlüsselbein. »Ich habe keine Ahnung, was er hier treibt«, konzentrierte er sich wieder auf Sannes Bedenken. »Manchmal muss man David vor sich selbst beschützen. Ich habe keine Ahnung, was er im Schilde führt. Aber wenn wir verhindern können, dass er noch einmal so ein Buch wie das über diese schöne Müllerin schreibt, dann werden wir das auch verhindern. Es hat ihm vielleicht Geld gebracht, aber er ist nicht glücklicher als vorher. Wahrscheinlich ist es sogar schlimmer, weil er jetzt zusätzlich Gewissensbisse dieser Rosa Falkenberg gegenüber hat.«

»Zu Recht«, warf Sanne ein. Sie war genau wie ihr Mann kein Fan davon, wie David diese Frau durch den Kakao gezogen hatte.

»Absolut, mein Herz«, stimmte Wastl ihr zu. »Abgesehen davon hast du einen Babymoon verdient, und dafür bietet sich dieses Wochenende einfach an. Dass wir ihn zufällig im gleichen Hotel wie David verbringen, wer hätte das schon ahnen können?«

Sanne lachte. »Gut, dass du Lehrer geworden bist und nicht Geheimagent. So wirklich gut bist du nicht im konspirativen Vorgehen.« Sie seufzte leise. »Ich meine ja nur: Wir hätten David einfach Bescheid geben sollen, dass wir persönlich nach Berchtesgaden kommen, statt ihm ein Paket mit seinen Klamotten zu schicken.«

»Er wird es beim Frühstück herausfinden«, flüsterte Wastl neben ihrem Ohr und zog sie vorsichtig rückwärts. »Und jetzt möchte ich, dass sich die Mutter der zukünftigen berühm-

ten Schauspielerin Fanny Lindner ein wenig hinlegt und aus-
ruht.«

»Paul Lindner«, widersprach Sanne ganz automatisch.

»Fanny.«

Sie hätten sich wirklich sagen lassen sollen, welches Ge-
schlecht das Baby haben würde. »Junge«, sagte Sanne, weil
sie sich da einfach sicher war. Auch ohne Ultraschall.

»Mädchen«, konnte sich Wastl nicht verkneifen.

12

David hatte in der Nacht bis halb drei vor seinem Laptop gesessen. Die Gedanken, die er in Worte fasste, die Episoden,
Gefühle, bedurften einer gründlichen Überarbeitung. Bevor
er seinem Agenten auch nur eine Leseprobe und ein Exposé
schicken konnte, war noch viel Arbeit vonnöten. Trotzdem
hatte er sich nur mit Mühe von seinem Laptop trennen können. Wenn er nicht zu Rosa müsste, würde er wahrscheinlich
jetzt noch an dem kleinen Schreibtisch in seinem Zimmer sitzen und in die Tasten hauen.

Doch Rosa erwartete heute eine Ladung Roggen, mit der
eines ihrer Getreidesilos befüllt werden sollte. Das wollte sich
David nicht entgehen lassen. Also hatte er die Vernunft siegen
lassen, ein paar Stunden geschlafen und sich dann zum Frühstück geschleppt. Als wäre es für sein müdes Gehirn nicht
schon anstrengend genug, sich zwischen Müsli und Rührei zu
entscheiden, hatte die Juniorchefin – wie er die kleine Leni
insgeheim nannte – beschlossen, ihm gemeinsam mit ihrem
Hund Bub Gesellschaft zu leisten. Sie war auf den Stuhl ihm
gegenüber geklettert und fuchtelte mit ihrem Zauberstab vor
seiner Nase herum, während er versuchte, die Frühstückspost
zu lesen. Der Hund – Bub – lag friedlich unter dem Tisch und
döste vor sich hin. Wenigstens trug er heute keinen pinkfarbenen Glitzerrucksack oder ein Krönchen, wie David es in den

vergangenen Tagen auch schon gesehen hatte. Leni hatte ihm neulich erklärt, dass Bub ein Austen Shepper war. Im ersten Moment hatte David nicht verstanden, was sie damit sagen wollte, doch dann hatten die braunen Flecken im Fell und die strahlend blauen Augen des Hundes ihn darauf gebracht, dass sie die Rasse Australian Shepherd meinte. Offenbar handelte es sich bei Bub um das faulste Tier seiner Gattung, so träge, wie er sich in jede Ecke fallen ließ, in der sich in Ruhe ein Nickerchen halten ließ. Andererseits: Nach einem Frühstück in Lenis Gesellschaft hatte David hin und wieder auch das Bedürfnis, eine Pause mit geschlossenen Augen – und in absoluter Stille – einzulegen.

»Die Frau da hat ein Baby im Bauch«, stellte das Mädchen fest. »Ich war auch mal im Bauch meiner Mama«, fügte sie altklug hinzu.

»Hmm.« David griff nach seiner Kaffeetasse, ohne von der Frühstückspost aufzusehen. »Musst du nicht irgendwo sein? Im Kindergarten, oder so?«

»Aber der Kindergarten hat doch ...«, begann die Kleine, doch Davids Aufmerksamkeit wurde von einer Stimme in Anspruch genommen, die er sehr gut kannte.

»Wir setzen uns einfach zu dem Herrn da hinten und zu seiner hübschen Begleiterin.«

»Wastl?« David stand auf und starrte seinen besten Freund an. Und dessen Frau, die ungelenk hinter ihm her watschelte. Die Hand schützend auf ihren Bauch gelegt, strahlte sie mit der Sonne, die durch die Fenster fiel, um die Wette. »Sanne! Was für eine Überraschung.« Er umarmte seinen besten Freund mit einer typischen Männerumarmung und klopfte ihm kräftig auf den Rücken, bevor er sich dessen Frau zuwandte und sie vorsichtig in die Arme nahm. »Du siehst wundervoll aus«, sagte er und küsste sie auf die Wange. Er spürte Sannes Bauch an seinem Oberkörper und den kräftigen Tritt, den das Baby ihr, und damit auch ihm, verpasste. »Hey. Das kleine Fanny-Paul hat mich getreten.«

»Seine Art, seinem Patenonkel Hallo zu sagen.«

David und Wastl hatten ihre Kindheit und ihre Jugend wie Brüder verbracht. Das hatte sich auch nicht geändert, als sie studiert hatten und Wastl danach begonnen hatte, Naturwissenschaften und Sport an einem Gymnasium zu unterrichten, während Davids Karriere auf Eis lag. Nichts hatte zwischen ihnen gestanden. Nie. Und dann war vor fünf Jahren Sanne aufgetaucht, um an Wastls Schule Deutsch und Englisch zu unterrichten. Seinen Freund hatte es erwischt, als sie das erste Mal das Lehrerzimmer betreten hatte. Damals hatte sich David Sorgen gemacht, dass er Wastl an die Frau verlieren könnte, in die sich sein Freund so sehr verliebt hatte. Unbegründet, wie sich schnell herausstellte. Sanne hatte ihn als den Bruder betrachtet, der er für Wastl war – und damit als Teil ihrer neuen, kleinen Familie.

Während David seinen Gedanken nachhing, hatte Wastl zusammen mit der Kellnerin die Tische so umrangiert, dass er und Sanne mit David frühstücken konnten. »Ich hätte gern Kaffee«, bat er die Kellnerin. »Und für meine Frau einen Kräutertee.«

Sanne verdrehte die Augen. »Ich nehme einen Milchkaffee«, korrigierte sie die Bestellung. »Hör auf, mich zu bevormunden. Die Hebamme hat gesagt, ein Kaffee am Tag ist überhaupt kein Problem.«

David betrachtete die beiden und runzelte die Stirn. »Ärger im Paradies?«, fragte er und rückte Sanne den Stuhl neben sich zurecht.

Sie winkte ab. »Wenn Paul ...«

»Fanny«, ließ sich Wastl vernehmen.

»Paul«, sagte Sanne mit Nachdruck, »wenn Paul nicht bald auf die Welt kommt, treibt dieser Mann mich in den Wahnsinn mit seiner Überfürsorge. Ansonsten ist alles ganz wunderbar. Dem Baby geht es super. Und mir auch.«

»Und wer ist deine hübsche Freundin?«, fragte Wastl und ließ sich neben Leni fallen, die die Ankunft der beiden mit großen Augen, aber erstaunlich wenigen Worten verfolgt hatte.

»Ich bin Leni«, stellte sie sich gleich selbst vor. »Und das ist Bub.« Sie wies mit dem Zeigefinger auf den Hund, der noch immer zu ihren Füßen lag und als einzig erkennbare Reaktion einmal mit dem Schwanz auf den Boden schlug. »Wir haben bei meinem Opa übernachtet, weil mein Papa bei der Bergwacht ist und mal wieder einen dämlichen Idioten von Touristen retten musste, der gedacht hat, dass er alles hinkriegt«, sagte sie mit konzentriert gerunzelter Stirn.

David biss sich auf die Innenseite seiner Wange, um nicht laut zu lachen. Diese Worte waren sicher nicht für kleine neunmalkluge Mädchen gedacht gewesen, als sie ausgesprochen worden waren.

»Tatsächlich?« Wastl führte sein Verhör fort, während Sanne versuchte, eine bequeme Sitzhaltung zu finden. »Bei dir ist ja ganz schön was los. Und dann hast du noch Zeit, mit David zu frühstücken?«

»Ja.« Der Blick des kleinen Mädchens wurde ein wenig traurig, und sie senkte für einen Moment den Fächer langer dunkler Wimpern über ihre Augen. »Er hat keinen Freund«, erklärte sie. »Jeden Morgen sitzt er allein beim Frühstück. Also leiste ich ihm Gesellschaft.«

»Das ist ganz schön großzügig von dir.« Wastl nickte der Kellnerin zu, die ihm und Sanne den Kaffee brachte. Dann beugte er sich verschwörerisch zu Leni hinunter. »Du musst nur aufpassen«, sagte er, »dass du nicht in seinem nächsten Buch landest.«

»Wastl!«, schimpfte Sanne.

»Echt?«, fragte Leni im nächsten Moment und sah David mit großen Augen an. »Schreibst du Geschichten? Ich möchte gern in eine Geschichte! Am liebsten mag ich *die Feenschule*. Weil ich auch eine Fee bin.« Sie fuchtelte mit ihrem glitzernden Zauberstab herum. »Du kannst mir ja auch mal vorlesen«, sprang sie zum nächsten Thema über, das in ihrer Welt vermutlich mit dem Schreiben einer Geschichte einherging. »Ich frage meinen Papa, dann darfst du bestimmt mal zu uns kommen ...«

Leni plapperte ununterbrochen weiter. David stützte die Ellenbogen auf den Tisch und legte den Kopf in die Hände. »Warum seid ihr noch mal hier?«, fragte er zwischen seinen Fingern hindurch.

»Das ist unser Babymoon«, erklärte Wastl.

»Euer ... was?« David hob den Blick wieder.

Sanne trat ihrem Mann unter dem Tisch gegen das Schienbein. »Eigentlich wollte Wastl nach dir sehen und sichergehen, dass mit dir alles in Ordnung ist. Wir haben uns Sorgen gemacht. Ich meine, du bist hier ganz allein und hast, außer Leni«, sie zwinkerte dem Mädchen zu, »keine Freunde. Wir haben Klamotten für dich dabei und bleiben das Wochenende. Sonntagabend bist du uns wieder los.«

David wies mit seinem Löffel zwischen seinen Freunden hin und her. »Ihr traut mir nicht«, sagte er. »Ihr habt Angst, dass ich es verbocke.«

»Ist ja nicht von der Hand zu weisen«, murmelte Wastl.

»Na schön. Bleibt hier. Seht euch in Sternmoos um und genießt euren Babymoon, was auch immer das ist.«

»Eine letzte kleine Auszeit der werdenden Eltern vor der Geburt«, erklärte Wastl ihm.

David war sich noch nicht ganz sicher, ob es ihm guttun würde, wenn Sanne und Wastl ihn von seinen Gedanken an Rosa ablenkten. Er wollte herausfinden, was da zwischen ihnen war. Und das würde nicht funktionieren, solange ihm seine hyperneugierigen Freunde über die Schulter schauten.

»Ich muss nachher in die Mühle, wir bekommen nämlich eine Fuhre Roggen. Anschließend hole ich endlich Gundula aus der Werkstatt.«

»Ich bin dabei!« Wastl rieb sich voller Vorfreude die Hände. David blickte zu Sanne.

»Sieh mich nicht so fragend an.« Sie hob abwehrend die Hände. »Ich werde das Wellnessangebot des Hotels nutzen. Vielleicht lasse ich mir die Füße massieren. Oder ich male mit Leni ein paar Bilder aus.«

»Ich leihe dir gern mein Ausmalheft und die Glitzerstifte«, bot Leni großzügig an.

»Super, dass sich alle so gut verstehen«, murmelte David. »Wirklich. Ganz super.«

*

Jakob Mandel war hundemüde. Am Abend war die Bergwacht alarmiert worden, weil ein Wanderer, der die Reiteralm in Angriff genommen hatte, nicht in sein Hotel zurückgekehrt war. Sie hatten den Mann, der lieber im Talkessel hätte bleiben sollen, oberhalb der Traunsteiner Hütte gefunden. Mit einem verstauchten Knöchel und ziemlich unterkühlt. Bis sie ihn vom Berg herunterbugsiert hatten, war die Nacht fast vorüber gewesen. Deshalb hatte Jakob beschlossen, heute nur das Nötigste in der Werkstatt zu machen und sich dann noch ein Nickerchen zu gönnen, bevor er mit den Vorbereitungen für die Party begann, von der er nicht einmal wusste, warum er sie gab.

So war das wahrscheinlich, wenn man mit einer Frau zusammenzog. Plötzlich tat man Dinge, die man für völlig unnötig erachtet hatte. Eine *End of Summer-Party*, wie Hannah es nannte, gehörte für ihn auf jeden Fall dazu. Bisher hatte Jakob höchstens mal seine Kumpels eingeladen, den Grill angeschmissen und mit ihnen X-Box gezockt oder gepokert.

Andererseits machte ihm eine Party nach Hannahs Vorstellungen gar nicht so viel aus, wie er im ersten Moment gedacht hatte. Es machte Hannah glücklich, ihre Freunde in die Wohnung einzuladen, in der sie jetzt gemeinsam lebten, und ihre Beziehung zu feiern. Und wenn es Hannah glücklich machte, dann war auch er happy. Vermutlich bräuchte er all das Zeugs nicht, das sie für notwendig erachtete, aber am Ende ging es darum, seiner Traumfrau den Arm um die Schultern zu legen und einen Abend mit seinen Kumpels zu verbringen.

Jakob lehnte sich gegen das ausrangierte Ölfass, das im *Alten Milchwagen* als Kaffeebar diente, und goss sich noch einmal nach. Er trank einen großen Schluck und hoffte, dass das Koffein schnell seine Wirkung entfaltete. Die Karosserie des VW-Käfers im hinteren Teil der Werkstatt versiegelte sich nicht von selbst. Und die To-do-Liste, die Hannah ihm geschickt hatte, schien kein Ende zu nehmen.

Er trank gerade seinen letzten Schluck Kaffee, als David Kaltenbach auf den Hof geschlendert kam. An seiner Seite ein Mann mit dunkelblonden, zerstrubbelten Haaren, den Jakob nicht kannte. Das war auch noch so eine Sache, die er nicht ganz verstand. Hannah hatte ihn gebeten, den Schriftsteller zu seiner Party einzuladen. Der Typ hatte Rosa vorgeführt. Genau wie Hannah und Antonia. Die Mühle und das ganze Dorf. Und plötzlich brannten die Schwestern drauf, ihn in ihren Kreis aufzunehmen. Das gehörte zu den Dingen, die er besser nicht hinterfragte. Wenn es seine Freundin und ihre Schwestern glücklich machte, würde er ihn einladen.

»Hallo«, grüßte er und gab David und seinem Begleiter die Hand. »Tut mir leid, dass das so lange gedauert hat, aber dein Wagen ist fast wie neu. Die Schlüssel stecken, und die Rechnung kannst du dir bei meiner Mutter im Büro abholen.« Er räusperte sich. »Wenn du grad da bist, ich schmeiß heute Abend eine kleine Party. Komm doch vorbei, wenn du Lust hast.« So, er hatte es gesagt. Auftrag ausgeführt.

David runzelte die Stirn. »Was für eine Party?«, fragte er skeptisch.

Jakob zuckte mit den Schultern. »Freunde, Kollegen, ein paar Kunden. Nichts Wildes. Ich wohne über der Werkstatt.« Er wies mit dem Kinn in Richtung Treppe zum Obergeschoss.

»Rosa wird auch da sein, nehme ich an«, sagte David.

»Ja, klar.« Jakob konnte sich vorstellen, was in dem Mann vorging, der ihm gegenüberstand. Das Ganze hatte einen merkwürdigen Beigeschmack.

»Und sie weiß, dass du mich einlädst?«, fragte David noch einmal nach.

»Jepp. War ihre Idee, dich zu fragen. Du kennst ja hier niemanden und so.« Schwaches Argument vermutlich. Jakob schob die Hände in die Taschen seines Arbeitsoveralls und lehnte sich gegen das offen stehende Garagentor.

»Danke für die Einladung«, sagte David mit einem Blick auf seinen Begleiter. »Aber Freunde von mir sind überraschend übers Wochenende zu Besuch gekommen.«

»Kein Problem. Bring sie einfach mit.« Jakob vermutete zumindest, dass das die Antwort war, die Hannah von ihm erwartete.

»Nein, das kann ich nicht …«, begann David.

»Cool«, sagte der Wuschelkopf neben ihm im gleichen Moment. »Ich bin Wastl. Meine Frau und ich kommen gerne.«

David legte den Kopf in den Nacken und atmete langsam aus. Jakob kannte das Gefühl. Er wusste, wann er überrumpelt wurde. Nur, dass er es im Gegensatz zu dem Schriftsteller genoss, wenn seiner Freundin eine verrückte Idee durch den Kopf schoss. Denn dann konnte er sich entweder darauf einlassen oder seinen Spaß daran haben, sie von ihren Gedanken abzulenken. Mit seinen Händen, den Lippen …

»Also gut. Kurz können wir vorbeischauen«, gab David nach.

»Na dann.« Jakob stieß sich vom Tor ab. »Bis heute Abend.« Er hatte seine Aufgabe erfüllt. Jetzt musste er machen, dass er wegkam, bevor David es sich noch einmal anders überlegte.

*

Rosa hatte sich für Jeans und eine weiße Trachtenbluse mit einem spitzengesäumten Carmen-Ausschnitt entschieden. Wie sie Jakob kannte, würde sich der größte Teil der Party auf seiner Dachterrasse abspielen, die einen atemberaubenden Blick über den See bot. Von dort aus konnte man Louisas Lichtung sehen, auf die Hubert Valentin so scharf war. Man konnte den Blick den Hochkalter hinaufgleiten lassen. Vorbei an den Mischwäldern, die auf halber Höhe in Nadelwald übergingen, bis hinauf zum nackten Stein des Berges, an dem hier und da ein paar Schneereste aus dem vergangenen Winter hingen.

Sobald die Sonne hinter dem Bergrücken der Reiteralm verschwand und sich die Dämmerung über das Tal senkte, würde es kühl werden, um nicht zu sagen: kalt. Also hatte Rosa sich für ein dazu passendes Outfit entschieden. Sie flocht ihre Haare zu einem seitlichen Zopf und legte ein Choker-Halsband aus taubenblauer Spitze um, an dem ein kleines silbernes Edelweiß baumelte. Ihr Janker hatte die gleiche Farbe wie das Schmuckstück und rundete das Outfit gemeinsam mit den schlichten Stiefeletten ab.

Rosa redete sich selbst ein, dass sie sich keine besondere Mühe mit ihrer Erscheinung gegeben hatte. Sie ging zu einem Abend bei Freunden. Um zu beweisen, dass sie sich nicht aufbrezelte, weil David auch da sein würde, legte sie statt eines vollständigen Make-ups nur ein wenig Wimperntusche auf. Sie musste weder sich noch David etwas beweisen. Nein, sie wollte einfach einen schönen Abend genießen. Feiern. David gegenüber fühlte sich perfekte Kleidung allerdings ein wenig an wie eine Rüstung. Wie ein Panzer, hinter den er nicht blicken konnte. Er würde sie wieder mustern wie ein Insekt auf dem Seziertisch. So entspannt sie am Anfang mit seinen bohrenden Blicken umgegangen war, so brachten sie diese inzwischen immer ein wenig aus der Fassung. Seit sich ihre Hände über ihrem Esstisch berührt hatten und ihr das Kribbeln, dass seine Fingerspitzen auf ihrer Haut hinterlassen hatten, bis in den Magen gefahren war. Seit diesem Moment fragte sie sich, ob David sie wirklich nur beobachtete, weil er auf ihr Leben neugierig war, oder ob er sich vielleicht ein wenig mehr für sie interessierte, als gut für sie beide war. Sie war sich jedenfalls sicher, dass er die Energie auch gespürt hatte, die zwischen ihnen pulsierte.

Rosa seufzte leise und warf sich einen letzten Blick im Flurspiegel zu. Sie musste aufhören, sich diese Gedanken zu machen – sie ging einfach nur auf eine Party, würde mit ihren Freunden anstoßen, ein bisschen tanzen und sich einen schönen Abend machen. Ganz egal, ob David Kaltenbach irgendwo in der Ecke stehen und alles beobachten würde. Entschlossen verließ sie ihre Wohnung.

Den kurzen Weg zu Jakob ging sie zu Fuß. Das Herbstlaub raschelte unter ihren Füßen. Die Buchen und der Bergahorn hatten in den letzten Tagen begonnen, farbenfrohe Akzente zwischen das satte Grün der Tannen zu setzen. Rosa konzentrierte sich während ihres kurzen Spaziergangs bewusst auf ihre Umgebung und blendete David aus ihren Gedanken aus.

Die Tür zu Jakobs Wohnung stand offen, und *Feiern im Regen* von den Toten Hosen schallte ihr entgegen. Sie stieg die Treppen hinauf und umarmte ihre Schwester und Jakob, die im Eingangsbereich standen. Sie überreichte ihnen die Schinken-Käse-Muffins, um die Hannah sie gebeten hatte, und nahm das Damengedeck entgegen, das Anna an die anwesenden Frauen verteilte – eine Tradition, die sie schon in ihren Teenagerjahren gepflegt hatten, um dem Herrengedeck – ein Bier und ein Enzian – der Jungs etwas entgegenzusetzen. Rosa hatte diese Kombination schon ewig nicht mehr getrunken, fand die Idee aber super. Sie holte die Jugend und Unbeschwertheit zurück und erinnerte sie daran, sich den Abend nicht mit zu viel Nachdenken zu verderben. Den Sekt in der einen und einen Waffelbecher Eierlikör in der anderen Hand trat sie auf die Terrasse. David entdeckte sie nirgends. Gut. Rosa atmete tief durch und entspannte sich ein wenig. Jakob hatte ihn auf Hannahs Bitte hin eingeladen. Das hieß aber noch lange nicht, dass er sich wirklich die Mühe machen würde, aufzutauchen.

*

David warf einen letzten Blick in den Spiegel. Seine Haare waren länger als noch vor ein paar Wochen, was ihn an sich nicht störte. Zusammen mit seinen Bartstoppeln sah er allerdings ein bisschen zu sehr nach dem Klischee des einsiedlerischen Schriftstellers aus. Er hätte sich rasieren sollen. Doch dafür war es jetzt zu spät, Sanne und Wastl warteten bereits in der Lobby auf ihn.

Er schlüpfte in seine Lederjacke und zog die Zimmertür hinter sich zu. Und er war verdammt froh, endlich wieder seine eigenen Klamotten zu tragen. Wie eine Party in Sternmoos aussehen würde, wusste er nicht, aber er ging davon aus, dass ein Longsleeve und Jeans in Ordnung waren. Wastl war nicht viel anders als er gekleidet, stellte er fest, als sich die Aufzugtüren im Erdgeschoss öffneten. Sanne trug etwas, das aussah wie ein bunt bedrucktes Zelt, und war trotz allem eine der schönsten Frauen, die David jemals gesehen hatte. Wastl und er nahmen sie in die Mitte und spazierten zu Jakobs Werkstatt.

Sie hatten fast die halbe Strecke zurückgelegt, als Davids Handy klingelte. Er zog es aus der Tasche und blickte auf die angezeigte Nummer, die ihm nichts sagte. Welche Nummern begannen mit +43? »Kaltenbach«, meldete er sich.

»Herr Kaltenbach, Magdalena Aschauer von Aschauer-

Bücher, Salzburg. Wir haben mitbekommen, dass Sie sich zurzeit in der Gegend aufhalten, und wollten anfragen, ob wir Sie zu einer Lesung am nächsten Freitag in unsere Buchhandlung einladen dürfen?«

»Nächsten Freitag?« David war stehen geblieben, während die Frau gesprochen hatte. Wastl und Sanne drehten sich nach ihm um und sahen ihn erwartungsvoll an. »Ich ... ähm ... kann ich Sie zurückrufen?«

»Selbstverständlich. Sie erreichen mich unter der Nummer, die Ihnen angezeigt wird. Das Ganze ist ein wenig kurzfristig, aber ich freue mich auf Ihren Rückruf. Bis bald.«

»Auf Wiederhören«, antwortete er. Es klickte in der Leitung, und David ließ das Handy langsam sinken. »Das war eine Buchhandlung aus Salzburg. Sie wollen mich für eine Lesung engagieren«, erzählte er seinen Freunden.

»Wunderbar.« Wastl kam zu ihm zurück und schlug ihm auf die Schulter. »Jetzt kannst du Rosa beweisen, dass du es ernst gemeint hast und sie dir wirklich vertrauen kann.« Er hob die Arme und fuchtelte vor Davids Gesicht herum. »Es liegt in deinen Händen. Und jetzt komm, ich höre ein Bier meinen Namen rufen.«

Bei Jakob Mandel war bereits einiges los, als sie den Hof erreichten. Er begrüßte sie an der Wohnungstür, und David stellte ihm Sanne vor.

»Schön, dich kennenzulernen.« Jakob strahlte sie an. »Rechts findet ihr Essen und Getränke. Im Kühlschrank ist Bier. Das Bad ist links. Kommt rein und habt Spaß.«

Sie traten in das überfüllte Wohnzimmer, und Davids Blick glitt sofort suchend durch den Raum, aber er konnte Rosa auf den ersten Blick nicht entdecken. »Ich besorge uns was zu trinken. Sanne?«

»Apfelschorle! Für Apfelschorle könnte ich echt töten.«

David grinste. Früher hatte sie Apfelschorle gehasst. Die Schwangerschaft stellte echt verrückte Sachen mit seiner Freundin an. »Bin gleich wieder da.« Dass Wastl, genau wie er, ein Bier wollte, war klar. Er schlug den Weg zur Küche ein und holte die Getränke.

Als er ins Wohnzimmer zurückkehrte, hatten sich seine Freunde bereits unter die Leute gemischt. Wastl hätte eigentlich allein aufgrund der Fächer Mathe und Physik, die er neben Sport unterrichtete, ein Nerd sein müssen. Stattdessen liebten ihn seine Schüler, genau wie deren Eltern, fremde Leute und Hunde. Bub hatte sich zu seinen Füßen auf den Rücken geschmissen und ließ sich den Bauch kraulen, während er sich mit Jakob und Peer aus der Werkstatt unterhielt.

David war da völlig anders. Er war mehr der stille Beobachter. Small Talk war jedenfalls nicht seine Stärke. Er drückte seinem Freund das Bier in die Hand und machte sich auf die Suche nach Sanne. Er entdeckte sie auf der riesigen Dachterrasse, die zur Wohnung gehörte. Von hier aus blickte man auf den Sternsee. An den Pfosten des Geländers waren Fackeln befestigt worden, die einen warmen Schimmer verbreiteten. Feuerkörbe, die in mehreren Sitzecken verteilt waren, hielten die kühle Abendluft ab. Während der wenigen Momente, die David gebraucht hatte, um die Getränke zu organisieren, war Sanne mitten in der Höhle der Löwen gelandet – oder besser gesagt: der Löwinnen –, bei Rosa und ihren Schwestern Hannah und Antonia. Er kannte die beiden Frauen bisher nur von Fotos. Größer als Rosa, mit deutlich helleren Haaren und blau-grünen Augen. Sie flankierten ihre mittlere Schwester, und alle drei hielten, genau wie Sanne und die kleine Leni, einen Waffelbecher in der

Hand, aus dem man normalerweise Eierlikör trank. Sie stießen an, kippten den Inhalt hinunter und aßen die Becher auf.

»Du siehst wundervoll aus«, hörte David Hannah zu Sanne sagen. »Es heißt ja immer, schwangere Frauen würden so strahlen. Aber bei dir trifft das so richtig zu.«

Sanne verdrehte die Augen und lachte. »Noch fünf Wochen. Ich habe echt Schiss, dass es jeden Moment losgeht. Allein der Gedanke, dass die Fruchtblase platzen könnte. Jetzt. Hier. Einfach so. Gott!«

»Mach dir keine Sorgen.« Antonia warf einen Blick auf Sannes Körpermitte. »Dein Bauch hat sich noch nicht gesenkt. Das wird noch ein bisschen dauern.« Sie grinste. »Und vor der geplatzten Fruchtblase haben alle Angst. Ich hatte mal eine Schwangere, der das mitten im Supermarkt passiert ist. Ihr war das so peinlich, dass sie ein großes Gurkenglas aus dem Regal genommen und runtergeworfen hat.«

Die Frauen lachten, während sich Leni, die nicht verstand, wovon die Großen sprachen, umsah und ihn entdeckte. »David!«, rief sie und winkte ihm wild mit ihrem allgegenwärtigen Zauberstab. Ihr glitzernder, leuchtend blauer Lidschatten hätte einer Drag Queen alle Ehre gemacht. Sie überbrückte die drei Schritte, die sie trennten, und umarmte sein Bein.

»Hallo Fee«, grüßte er sie, wie er es sich in der letzten Woche angewöhnt hatte.

»Ihr kennt euch?« Antonia Falkenberg zog die Augenbrauen nach oben und sah ihn abwartend an.

David hoffte, dass die Kleine nicht wieder mit ihrer Story à la »der arme David hat keinen Freund außer mir« aufwartete. »Die Juniorchefin und ich, wir haben im *Seeblick* ein paarmal zusammen gefrühstückt«, kam er ihr zuvor.

»Ich hatte einen Kindereierlikör«, erzählte Leni ihm.

»Tatsächlich? Das klingt spannend. Du hattest hoffentlich das Gleiche«, sagte er an Sanne gewandt und reichte ihr die Apfelschorle.

»Orangensaft für Leni und mich«, antwortete sie und legte ihm den Arm um die Hüfte. »Hast du Rosas Schwestern schon kennengelernt?«

»Nein.« Bis jetzt hatte er sie ja nur auf Bildern gesehen und einmal aus der Ferne auf dem Mühlenhof, als sie Rosa besucht hatten. Vorgestellt worden waren sie sich aber bisher nicht.

Er streckte den beiden Frauen die Hand entgegen. »Schön, euch kennenzulernen«, sagte er höflich.

»Das werden wir noch sehen«, murmelte Hannah und fing sich von Rosa einen Ellenbogenstoß in die Rippen ein. Immerhin reichte sie ihm die Hand.

»Willkommen in Sternmoos.« Antonia schüttelte ihm ebenfalls die Hand. Ihr Händedruck fiel ein bisschen härter aus, als er es von einer Frau gewohnt war. Als Hebamme war es vermutlich manchmal nötig, ordentlich zuzugreifen. David war sich aber sicher, dass sie nicht versucht hatte, Sannes Finger zu zerquetschen. Er sah Antonia in die Augen. Der Händedruck war eine Herausforderung. Und ein Statement.

David wandte sich wieder Sanne zu. »Möchtest du dich setzen?«, fragte er.

»Nein.« Sie verdrehte die Augen, lächelte ihn aber an. »Ich bin schwanger, nicht krank.«

»Na gut.« David zögerte. Dann küsste er sie auf die Wange. »Ich schau mal, was Wastl treibt.« Er nickte Rosa und ihren Schwestern zu und ließ sich durch die Leute wieder in Richtung Wohnzimmer treiben.

13

Rosa ließ immer wieder den Blick schweifen. Das hatte nichts mit David zu tun. Sie hatte einfach Spaß daran zu sehen, wie die anderen sich amüsierten. Es war reiner Zufall, dass David immer wieder in das Zentrum ihrer Aufmerksamkeit rückte. Er lachte mit Jakob und seinen Kollegen, trank Enzian mit den Jungs von der Bergwacht und hörte Leni sehr aufmerksam bei einer ihrer fantasievollen Schilderungen zu. Außer mit dem kleinen Mädchen schien er sich nicht hundertprozentig wohlzufühlen. Selbst wenn ihm niemand das Gefühl gab, nicht willkommen zu sein, so schien er doch die Blicke zu spüren, die auf ihm ruhten, ihm folgten.

Am angenehmsten war ihm offenbar die Gesellschaft seiner Freunde. Wastl und Sanne waren ein nettes Paar, Rosa hatte die beiden auf Anhieb gemocht. Wer Freunde wie die Lindners hatte, konnte doch kein schlechter Mensch sein, oder?

Je länger sie über David nachdachte, desto weniger verstand sie, wer er wirklich war. Vielleicht lag das aber auch an den vielen Damengedecken, zu denen Anna sie genötigt hatte. Antonia kam schon wieder mit neuen Gläsern auf sie zu. »Ich kann nicht mehr«, stöhnte Rosa.

»Ach komm, einer noch!« Antonia reichte ihr ein Sektglas und einen weiteren Waffelbecher Eierlikör und stieß mit ihr an. Sie kippten die Drinks. »Na los, jetzt wird getanzt!«

Antonia zog sie mit sich zu der Gruppe, die zu *Unstoppable* von Sia auf der improvisierten Tanzfläche herumhüpften und laut mitsangen. Rosa hob ihr Sektglas, um es aus der Reichweite der Tanzenden zu bringen, und begann, sich lachend im Rhythmus der Musik zu bewegen.

*

Die Party hatte sich auf die Terrasse verlagert. Davids Blick glitt immer wieder in Rosas Richtung, die ausgelassen mit ihren Schwestern und Freundinnen tanzte. Wieder eine neue Erkenntnis: Es machte verdammt viel Spaß, Rosa Falkenberg beim Tanzen zuzusehen. Ihre Bewegungen. Wie sie in einer Mischung aus Singen und Lachen den Kopf in den Nacken warf. Die engen Jeans und halbhohen Stiefel … David musste sich zwingen, den Blick abzuwenden. Er trank sein Bier aus und sah zu Wastl hinüber. Sein Freund winkte ihm mit einer ebenfalls fast leeren Flasche. David nickte. Wastl schien sich, genau wie Sanne, köstlich zu amüsieren.

David machte sich im Wohnzimmer auf die Suche nach einem neuen Bier. Die meisten Leute waren nett zu ihm gewesen, wenn auch in ihren Augen immer wieder Neugier aufblitzte. Nur ein paarmal hatte er böse Bemerkungen gehört. Geflüstert. Hinter seinem Rücken. Er stellte die leere Flasche in den Kasten und blickte zur Couch hinüber. Dort lag, alle viere von sich gestreckt, Leni. Sie schlief so tief und fest, als gäbe es den Lärm der Party um sie herum gar nicht. Mit der linken Hand umklammerte sie ihren Zauberstab, die andere hatte sie in Bubs Fell vergraben, der den Kopf auf die Couch neben ihrem Bein gelegt hatte. Neben ihm auf dem Boden lag Laus ausgestreckt, Bubs Bruder und Jakobs Hund, wie David heute herausgefunden hatte. Der blaue Lidschatten hatte sich über Lenis halbes Gesicht verteilt, und auch die Hunde waren davon nicht verschont geblieben. David ging zu ihr hinüber. Er nahm die Decke, die über der Couchlehne hing, und deckte die Kleine zu.

Als er sich wieder umdrehte, lehnte Rosa am Küchentresen. Neben ihr ein fast leeres Glas Sekt. »Man entdeckt immer wieder neue Facetten an dir.« Sie legte den Kopf schief und betrachtete ihn. »Ein Kinder- und Hundefreund.«

»Leni und ich sind Kumpels«, sagte er schlicht und ging zu ihr hinüber. »Ist eine tolle Party«, versuchte er das Thema zu wechseln.

»Ja.« Rosa gähnte. »Für mich ist die Party vorbei. Ich mach mich auf den Heimweg.«

Trotz der Leute, die auf der Terrasse tranken und feierten, fühlte sich der Moment mit Rosa allein im Wohnzimmer seltsam intim an. Plötzlich wünschte er sich, sie würde noch nicht gehen, aber sie drehte sich schon zur Tür um. »Gute Nacht. Und viel Spaß noch.«

»Dir auch.« Er sah ihr dabei zu, wie sie die Tür aufzog. »Warte«, sagte er, ohne darüber nachgedacht zu haben.

Rosa drehte sich nach ihm um, sah ihn abwartend an.

»Ich …« David fuhr sich durch die Haare. »Ich … begleite dich nach Hause«, schlug er vor.

Rosa lachte. »Das ist wirklich nett, aber ich wohne nur ein paar Hundert Meter die Straße runter, wie du weißt. Das Stück kann ich problemlos allein laufen.«

»Ja, stimmt.« Die Lesungsanfrage aus Salzburg fiel ihm wieder ein. »Aber ich muss noch was mit dir besprechen. Warte kurz.« David hob die Hand und drehte sich zur Terrasse um. »Ich muss nur Wastl Bescheid geben.« Er gab seinem Freund von der Terrassentür aus ein Zeichen, dass er kurz wegmusste, und folgte ihr die Treppe hinunter.

»Was willst du mit mir besprechen?«, fragte sie, als sie den Hof hinter sich gelassen hatten. Sie gingen so dicht nebeneinander, dass sie sich immer wieder berührten.

David dachte nicht nach. Er griff nach ihrer Hand und hakte sie unter. Damit brachte er sie für einen Moment aus dem Takt. Er spürte, dass sich Rosa nicht sicher war, was sie von dieser Geste halten sollte. Doch dann entspannte sie sich an seiner Seite, und David atmete langsam aus. Es fühlte sich gut an, so mit ihr an seiner Seite durch die Nacht zu laufen.

»Die Sache ist die«, kam er auf ihre Frage zurück. »Ich habe vorhin einen Anruf aus Salzburg bekommen. Sie möchten nächste Woche eine Lesung veranstalten.«

»Aus dem verdammten Buch?« Rosa nuschelte ein klein wenig. Sie lehnte ihren Kopf gegen seinen Oberarm.

Davids Herzschlag beschleunigte sich. So nah waren sie sich noch nie gewesen. Dafür konnte es nur einen Grund geben. »Hast du ein Damengedeck zu viel gehabt?«, fragte er.

»Wahrscheinlich.« Rosa seufzte. »Lenk nicht ab. Du wolltest über das Buch reden. Warum erzählst du mir von der Lesung?« Ihr Kopf lag immer noch an seiner Schulter.

»Weil ich ehrlich zu dir sein wollte. Ich habe dir gesagt, dass du mir vertrauen kannst. Wenn du sagst, du willst nicht, dass ich das mache, dann lasse ich es bleiben.«

»Wow.« Rosa blieb stehen und sah zu ihm auf. »Du würdest das echt wegen mir absagen?«

David schluckte. Rosa sah ihn mit großen Augen unverwandt an. Er roch den Zitrusduft, der von ihren Haaren aufstieg. Hinter ihr tanzten zarte Nebelschleier über den See.

»Um ehrlich zu sein …« Warum flüsterte er? »Ich würde

gern aus dem Buch lesen und bei der Gelegenheit erzählen, wie du wirklich bist.«

»Wie bin ich denn?« Rosas Lider senkten sich, dann hob sie sie wieder und sah ihm direkt in die Augen – was sich anfühlte, als könne sie ihm bis in die Seele blicken.

»Du bist…« David stockte. Rosa und er waren sich viel zu nah. Er suchte nach Worten. »Stark. Und intelligent. Witzig.« Vorsichtig legte er die Hand an ihre Wange und strich mit dem Daumen die Konturen ihres Wangenknochens nach. »Du riechst unglaublich gut.« Die Mischung aus Alkohol und Sehnsucht, die durch seine Venen strömte, setzte seinen Verstand aus. Alles, was er noch fühlte, waren unbändiges Verlangen und der Wunsch, Rosa zu küssen. »Du bist wunderschön«, sprach er den letzten klaren Gedanken aus, den er zu fassen bekam.

Rosas Lippen verzogen sich zu einem zarten Lächeln. »Trotz der Dirndl?«, flüsterte sie.

Nur wenige Zentimeter trennte sie noch. Davids Herzschlag ließ das Blut in seinen Venen zu einem heißen Rauschen ansteigen. »Trotz der Dirndl. Oder vielleicht gerade deswegen.« Er senkte seine Lippen noch ein paar Millimeter weiter, und Rosa wich nicht zurück. »Kann sein, dass ich gleich etwas Dummes tue«, flüsterte er an ihren Lippen. Rosa erwiderte nichts, sah ihn nur stumm an. Sie wollte den Kuss, der zwischen ihnen flirrte, genauso wie er. Ihr Blick spülte den letzten Rest Widerstand in ihm fort. Davids Lippen glitten in einer hauchzarten Berührung über ihre. Weich und warm war alles, was er denken konnte. Viel besser, als er es sich jemals hätte vorstellen können. In den letzten Tagen hatte es immer wieder Momente der Schwäche gegeben. Augenblicke, in denen sich David genau das vorgestellt hatte. In denen er nichts so sehr gewollt hatte, wie sie zu küssen. Seit ihrer unabsichtlichen Berührung in ihrer Küche waren seine Gedanken immer wieder in diese Richtung abgerutscht. Doch zu viel zu wollen, war in Bezug auf Rosa gefährlich.

Er wollte sich zurückziehen, doch in diesem Moment kam ihm Rosa entgegen. Sie presste ihre Lippen auf seine und gab einen Laut von sich, der wie ein leises, sehnsüchtiges Seufzen klang und seine Vernunft scheitern ließ. Er stürzte sich Hals über Kopf in den Kuss. Rosas Lippen öffneten sich unter seinen. Eine Einladung, der er nicht widerstehen konnte. Er schmeckte sie und einen Hauch Eierlikör. Roch die Zitrone.

Der Nachtwind fegte Herbstlaub an ihnen vorbei. David nahm das Rascheln der Blätter am Rande seines Bewusstseins wahr. Er hatte Rosa in seine Arme gezogen und ließ seine Hände unter ihrer Jacke an ihrem schmalen Rücken hinaufgleiten. Der Stoff ihrer Bluse fühlte sich kühl an unter seinen Händen, doch Rosas Haut darunter glühte. David löste sich von ihren Lippen und zog eine Spur winziger Küsse bis zu diesem Punkt unter ihrem Ohr, wo sie noch besser roch. Seine Liebkosungen ließen sie erschauern.

»Weißt du«, sagte sie plötzlich leise. So leise, dass David es über sein laut klopfendes Herz fast nicht gehört hätte. »Das alles hat mich verletzt.«

»Was?« David löste seine Lippen von Rosas Haut und lehnte sich so weit zurück, dass er ihr in die Augen sehen konnte.

»Das Buch«, flüsterte sie und lehnte ihre Stirn gegen seine. »Es hat mich verletzt. Genau wie Julian. Alle denken, ich bin sauer und wütend. Und das bin ich auch. Aber vor allem hat mich alles einfach verletzt.«

»Wow!« So viel zum Thema kalte Dusche. David trat einen Schritt zurück. Besser konnte man einen leidenschaftlichen Moment nicht zerstören.

Als er sich von Rosa löste, schlug sie die Augen auf, und er sah den Alkohol in ihrem Blick. »Ich weiß nicht, wo das gerade herkam.« Sie flüsterte noch immer.

David legte seine Hand wieder an ihre Wange. Er schaffte es noch nicht, sich ganz von ihr zu lösen. Mit dem Daumen streichelte er über ihre weiche Haut. »Es war gut, dass du es gesagt hast. Ehrlichkeit – schon vergessen? Jetzt weiß ich, was in dir vorgeht.« Und dass sie betrunken genug war, um diesen Kuss zu einem verdammten Fehler werden zu lassen – der er auch im nüchternen Zustand schon gewesen wäre. »Ich bring dich nach Hause.« Er wandte sich in Richtung Mühle.

»Nein.« Rosa legte eine Hand auf seinen Arm und trat dann einen Schritt zurück, sodass seine Finger den Kontakt zu ihrer Haut verloren. Er ließ die Hand, die ihr Gesicht gestreichelt hatte, sinken. »Ich brauche einen Moment für mich. Gute Nacht.« Sie wandte sich ab und ging ohne ein weiteres Wort davon. Dabei drehte sie sich nicht einmal nach ihm um. Und als wollte die Natur ein dramatisches Schauspiel aus ihrem Abgang inszenieren, blies der Wind ein paar Nebelschwaden vom See über den Uferweg und ließen Rosa zu einer schemenhaften Silhouette verschwimmen.

*

Kann sein, dass ich gleich etwas Dummes tue, hatte David gesagt. Und was hatte Rosa getan? Das Dümmste überhaupt! Falsch! Die *zwei* dümmsten Dinge überhaupt! »Dumm, dumm,

dumm«, murmelte sie im Rhythmus ihrer Schritte vor sich hin. David hatte sie geküsst. Als wäre das nicht schon völlig falsch, hatte sie wie aus dem Nichts ihren Schutzschild heruntergelassen und ihm erzählt, dass sein Buch sie verletzt hatte. Genau wie Julian. Das hatte den aus den Fugen geratenen Moment wieder gerade gerückt. Wenigstens das. Denn nichts kühlte die Leidenschaft eines Mannes besser als die Erinnerung daran, dass die Frau, die er gerade küsste, sich gerade erst von seinem Bruder getrennt hatte.

Aber dieser Kuss… Rosa bemühte sich, in gemessenen Schritten auf die Mühle zuzugehen. David sollte nicht denken, dass sie auf der Flucht war. Genauso wenig wie er denken sollte, dass sie dem Moment eine Bedeutung beimessen würde, indem sie sich nach ihm umdrehte.

Erst als sie den Hof erreicht hatte, blickte sie sich um, konnte David aber nicht mehr sehen. Wahrscheinlich war er auf die Party zurückgegangen. Was dachte er jetzt von ihr? Sie wollte nicht einmal daran denken, was er mit dem, was sie gesagt und getan hatte, anfangen konnte. Sie wollte ihm vertrauen. Aber was, wenn er doch nicht mit offenen Karten spielte? Wenn er nur versucht hatte, sie aus der Reserve zu locken?

»O Gott!« Rosa lehnte sich mit dem Rücken gegen die Haustür. Sie starrte in den Himmel. Die sternenklare Kälte ließ kleine Wölkchen vor ihrem Gesicht entstehen. Sie zog ihr Handy aus der Jeanstasche und klickte ihre Schwesterngruppe an. *Ich habe David geküsst*, tippte sie. Einen Moment schwebte ihr Daumen über dem Senden-Button, dann löschte sie den Text. Denn eigentlich stimmte es nicht – David hatte sie geküsst.

Rosa ließ das Handy sinken und starrte weiter in die Nacht

hinaus. Sie würde mit niemandem sprechen, entschied sie. Nicht, bevor sie sich darüber im Klaren war, was dieser Moment am See zu bedeuten gehabt hatte. Vielleicht sollte sie das Ganze einfach auf Annas Damengedecke schieben. Die Mischung aus Sekt und Eierlikör war ihr schon als Teenagerin nicht besonders gut bekommen.

*

David war am Ufer stehen geblieben, bis Rosa in der Dunkelheit verschwunden war. Er hätte ins Hotel zurückgehen sollen. Stattdessen fegte er die Laubschicht von einer der Bänke am See und setzte sich.

Er konnte die Musik von Jakobs Party hören, das gut gelaunte Lachen der Gäste. Wie hatte er nur so dumm sein können? Rosa und er hatten eine gemeinsame Ebene gefunden. Er hatte daran gearbeitet, ihr Vertrauen zu gewinnen, und das Gefühl gehabt, dass sie sich in die richtige Richtung bewegt hatten.

David stützte die Ellenbogen auf die Knie und legte den Kopf in die Hände. Er hatte nie darüber nachgedacht, wohin seine Bemühungen führen würden. Abgesehen von Rosas Absolution, die er sich wünschte. Was wollte er von Rosa? Freundschaft? Ja, das war es wahrscheinlich. Er hatte sie besser kennenlernen wollen. Aber was er jetzt über sie wusste … wie sie schmeckte. Wie weich ihre Haut war. Wie sich ihr Körper an seinen geschmiegt hatte. Und ihr Duft, der bei dieser körperlichen Nähe noch viel berauschender gewesen war. Dieser Moment – der Kuss konnte höchstens Sekunden gedauert haben – hatte seine Welt aus den Angeln gehoben. Er beherrschte seine Gedanken und weckte den Wunsch in ihm, sie wieder in den Armen zu halten und zu küssen. Was nicht passieren würde.

Mit einem frustrierten Seufzen lehnte er sich zurück und fuhr sich durch die Haare. So was schaffte auch nur er: Die Beziehung seines Bruders zerstören, indem er ein Buch schrieb, das nicht nur Julians Affären und seinen Egoismus aufdeckte, sondern zusätzlich Rosas Leben verriss – nur um dann von genau dieser Frau und ihrem Leben fasziniert zu sein und ganz scharf darauf zu sein, sie wieder zu küssen.

David wusste nicht, wie lange er auf der Bank gesessen hatte, als er hinter sich Schritte im Laub rascheln hörte.

»David?«

Er machte sich nicht die Mühe, sich nach Wastl und Sanne umzudrehen. Sie würden ihn ja sowieso nicht in Ruhe lassen.

»Was ist los?« Wastl ließ sich neben ihm auf die Bank fallen, während Sanne hinter ihnen stehen blieb und sich mit beiden Händen auf die Lehne stützte.

»Nichts«, bediente sich David der Universalantwort.

»Jetzt spuck es schon aus, damit wir nach Hause können.«

»Niemand hat gesagt, dass ihr nicht nach Hause könnt.« David unterdrückte das genervte Seufzen, das in seiner Kehle aufstieg. »Ich will nicht drüber reden, okay?«

Sanne legte Wastl und ihm von hinten eine Hand auf die Schulter. »Bleibt ihr zwei doch einfach noch ein bisschen hier sitzen. Ich gehe schon mal ins Hotel.« Sie drückte Davids Schulter sanft. »Dann könnt ihr in Ruhe reden.«

»Nein.« David und Wastl sprangen gleichzeitig auf. »Das kommt gar nicht infrage«, entschied Sannes Mann.

»Es sind nur ein paar Hundert Meter bis zum Hotel. Das

249

schaffe ich gerade noch allein«, widersprach Sanne. Sie hatte wieder den ›Ich bin nicht krank‹-Unterton in der Stimme.

David fand es schlimm genug, dass er Rosa einfach hatte gehen lassen. So weit würde es noch kommen, dass seine hochschwangere Freundin allein durch die Nacht stolperte. »Wo Wastl recht hat …«

Sie flankierten Sanne wie auf dem Hinweg, nur dass sie die Strecke zum Hotel diesmal schweigend zurücklegten. In der Lobby verabschiedete David sich von seinen Freunden. Er trat in den Aufzug, der zum Glück bereits wartete, und drückte den Knopf für den zweiten Stock. Gerade war er der Inquisition entkommen, aber er machte sich keine Hoffnung, dass die Schonfrist lange währen würde.

David hatte seine Zimmertür kaum hinter sich zugemacht, als es klopfte. Er öffnete die Tür und ging dann zum Fenster hinüber. Im Spiegelbild der Scheibe tauchte Wastls Gesicht hinter ihm auf.

»Was ist passiert?«, wollte sein Freund noch einmal wissen. Er warf einen Blick in Richtung Minibar, entschied sich dann aber statt eines Bieres für eine Flasche Wasser und fläzte sich auf Davids Bett. David kannte Wastl genauso gut wie er ihn. Er würde keine Ruhe geben, bis er eine Antwort hatte, mit der er zufrieden war. »Die Party war toll«, fasste er den Abend noch einmal zusammen. »Dann bist du abgehauen. Ich dachte, du bist mit Rosa weg.«

»Bin ich auch«, sagte David und starrte weiter auf das dunkle Viereck des Fensters, aus dem ihm nur sein eigenes, müdes Gesicht entgegenblickte. »Ich wollte ihr das von der Lesung erzählen.«

»Und?«, fragte Wastl mit der für ihn typischen Ungeduld. »Hast du?«

»Ja.« David stützte die Hände auf die Fensterbank und ließ den Kopf hängen.

»Sie hat es also nicht gut aufgenommen«, interpretierte Wastl seine Reaktion. »Sie traut dir noch immer nicht über den Weg.«

David schüttelte den Kopf und warf seinem Freund einen Seitenblick zu. »Ich weiß ehrlich gesagt gar nicht, wie sie das mit der Lesung findet. Bevor wir das klären konnten, habe ich sie…« Er atmete tief ein und wieder aus. »Ich habe sie geküsst.«

Wastl richtete sich auf Davids Bett auf. Er kratzte sich am Kopf und sah ihn schweigend an.

»Sag was!« Sein Freund konnte doch nicht so stumm dasitzen und ihn anstarren.

»Wow?«, probierte sich Wastl an einer Reaktion.

David richtete sich auf und schob die Hände in die Gesäßtaschen seiner Jeans. »Das ist alles, was dir dazu einfällt?«

»Was soll ich denn bitteschön dazu sagen?« Wastl stellte die Wasserflasche zur Seite und stand auf. Er begann, in dem kleinen Zimmer auf und ab zu laufen. »Du wolltest also mal wissen, wie die Kleine von deinem Bruder so ist?« Er wich einen Schritt zurück, als David zu ihm herumwirbelte.

»Hast du sie noch alle?«, fuhr er ihn an.

»Nein.« Wastl grinste. »Ich wollte nur, dass dir klar wird, warum du das gemacht hast.«

»Wenn ich das nur wüsste.« David seufzte. Er lehnte sich neben dem Fenster gegen die Wand.

Wastl zuckte mit den Schultern. »Du hast dir die Antwort gerade selbst gegeben. Auch wenn du dich weigerst, es auszusprechen. Für jemanden, der sein Geld mit Worten verdient, kannst du dich manchmal verdammt schlecht aus-

251

drücken.« Jetzt entschied er sich doch für ein Bier aus der Minibar und ließ sich wieder auf das Bett fallen. »Du hast Rosa geküsst, weil sie eine tolle Frau ist.« Mit der Flasche in der Hand hob er seinen Arm zu einer allumfassenden Geste. »Sie ist intelligent, schön und humorvoll«, begann er, ihre Vorzüge aufzuzählen. »Warum sollte man so eine Frau als junger, ungebundener Mann nicht attraktiv finden? Es irritiert dich ein bisschen, weil sie nicht ist wie diese Josefine in deinem Buch. Und weil du an den Typ Frau wie Linda gewöhnt bist«, sprach er Davids Ex-Freundin an. Wastl war offenbar bereit zu einem Rundumschlag. »Rosa ist nicht emotionsfrei und glatt wie Teflon. Rosa ist echt. Bis jetzt hast du dich an den Typ beschichtet und abperlend gehalten, was sich für dich als praktisch und ungefährlich erwiesen hat. Keine Dramen. Keine unschönen Szenen. Aber soll ich dir was sagen? Ich habe Rosa heute Abend kennengelernt. Ich bin verdammt froh, dass du endlich Interesse an einer echten Frau hast.«

David ließ sich neben Wastl fallen und nahm ihm die Flasche ab und trank einen Schluck. »Willst du das Problem nicht sehen?«, fragte er und beantwortete sich die Frage selbst. »Ich habe Rosa in einem Buch auseinandergenommen, und sie ist die Ex-Freundin meines Bruders. Sie zu küssen führt nirgends hin.«

Wastl schwieg einen Moment. »Ich finde, dass du ganz schön viel Aufhebens um die ganze Sache machst. Von welcher Art von Kuss reden wir hier eigentlich?«

»Was meinst du?«, fragte David.

Wastl holte sich sein Bier zurück. »Du weißt schon: Willst du sie noch mal küssen?«

David lehnte den Kopf gegen die Wand. »Ich will sie noch

mal küssen«, sagte er leise. »Ich will überhaupt nicht mehr damit aufhören, sie zu küssen.«

Wastl lachte und schlug ihm kameradschaftlich auf die Schulter. Dann schüttelte er ungläubig den Kopf. »Ich habe noch nie erlebt, dass du so auf eine Frau reagiert hast. Es gibt vielleicht ein paar Hürden. Die sind nicht gerade niedrig, aber die Alpen sind sie auch nicht gerade. Zieh los, Mann. Beweise ihr, dass du ihrer wert bist. Überzeuge sie von dir. Ihr werdet sehen, wohin das führt.«

*

Brandls BMW rollte auf dem Mühlenhof aus. Er schaltete den Motor ab. Mit dem Verschwinden der Armaturenbeleuchtung hüllte er Louisa und sich in Dunkelheit. »Danke für diesen wunderschönen Abend«, sagte er und löste seinen Sicherheitsgurt.

»Ich habe zu danken.« Louisa hoffte, dass ihr Lächeln in der Dunkelheit echt wirkte. Sie hatte die Stunden mit Brandl genossen. Den zweiten Abend hintereinander. Die alte Vertrautheit war so schnell zurückgekehrt, genauso wie das Gefühl, mit ihm über alles reden zu können, einem intelligenten, humorvollen Mann gegenüberzusitzen. Es war ein Leichtes, sich in seiner Aufmerksamkeit zu sonnen. Sie hatten gestern wie heute geredet, geredet, geredet. Die Vergangenheit hatten sie ausgeklammert, so als ob sie zu einer stillen Übereinkunft gekommen wären, dass das zarte Band zwischen ihnen auf diese Weise sofort zerreißen würde. Aber es gab auch in der Gegenwart genug, worüber sie sprechen konnten. Louisa hatte ihm von Huberts Hotelprojekt erzählt und von dem Druck, den er auf sie auszuüben versuchte. Er hatte von seinem Mercedes SL geschwärmt, der in Jakobs Werkstatt langsam seine alte Schönheit zurückgewann.

Licht flutete den Wagen, als Brandl die Fahrertür öffnete und um die Motorhaube herumkam. Louisa schnallte sich ab und nahm die Hand, die er anbot, um ihr aus dem Wagen zu helfen. Ganz der Gentleman, der er schon immer gewesen war. Doch er ließ sie nicht los, als sie die Tür hinter sich zugeworfen hatte und das Licht wieder von der Nacht geschluckt wurde. Stattdessen führte er ihre Hand an seine Lippen und hauchte einen Kuss auf ihre Fingerknöchel, der eigentlich nicht in der Lage sein sollte, einer über sechzig Jahre alten Frau ein Kribbeln über den ganzen Körper zu jagen.

Vorsichtig blickte sie sich um. Rosas Fenster waren dunkel. Aus Richtung der *Alten Molkerei* konnte sie leise das Lachen und die Musik hören. Jakobs Party schien noch in vollem Gange zu sein.

»Danke, dass ich dich abholen und nach Hause bringen durfte.« Brandl sah sie von der Seite an, und Louisa schluckte. Sie hatte Ja gesagt, als er um ein richtiges Date gebeten hatte, und sich furchtbar schlecht dabei gefühlt. Aber eines hatte der Abend klargemacht: Sie musste ihrer Schwester so schnell wie möglich davon erzählen, dass Brandl in Berchtesgaden war. Die Gedanken an Renas Reaktion auf diese Neuigkeiten schob sie zur Seite. Sie folgte Brandl, der ihre Hand nicht losgelassen hatte, zu ihrer Tür.

Vor dem Haus drehte er sich zu ihr um und lächelte sie an. Die Finger seiner freien Hand strichen ihr eine Haarsträhne hinter das Ohr. »Ich würde dich unglaublich gern küssen«, flüsterte er, und Louisa wurde bewusst, wie nahe sie sich waren.

Sie lachte nervös. »Du fragst? Wie höflich.« Früher hätte

er das nicht getan. Der Gedanke hing unausgesprochen zwischen ihnen.

»Du hast dich verändert, Lou. Ich kann nicht mehr so gut in deinem Gesicht lesen, wie ich es schon mal konnte.« Seine Hand blieb an ihrer Wange liegen. Er sah sie unverwandt an und machte den Moment zu etwas Aufregendem, Besonderem. »Ich möchte gern wieder in deine Augen blicken und sofort wissen, was du denkst. Vielleicht gelingt mir das irgendwann. Aber jetzt, im Moment, würde ich dich gern küssen.«

Louisas Herz begann zu rasen. »Ich wusste gar nicht, dass du so viel redest.« Und verdammt, seine Worte kochten sie weich! »Ja«, flüsterte sie und drehte den Kopf, sodass sie ihre Lippen in die offene Handfläche pressen konnte, die noch immer an ihrer Wange lag. Dann ließ sie sich in seine Arme ziehen – und in den Kuss fallen. Eine Welle neuer, süßer Emotionen, vermischt mit verloren geglaubten, schmerzhaften Erinnerungen, riss sie mit sich.

Als Brandl sich von ihr löste, war sein Blick so dunkel und intensiv, dass Louisa sich am liebsten sofort wieder in seine Arme geworfen hätte.

Ein kleines Lächeln hob seinen rechten Mundwinkel. Es schien fast, als könnte er ihre Gedanken jetzt doch wieder erraten. »Gute Nacht, Lou.« Er glitt mit den Lippen über ihre Wange. Dann drehte er sich um und ging zu seinem Wagen.

Louisa lehnte sich mit weichen Knien gegen die Tür und fühlte sich nicht viel anders als ein Teenager mit Schmetterlingen im Bauch.

14

Rena genoss einen seltenen freien Samstag. Nora hatte den Laden im Griff, und ein Großteil der vorbestellten Grabgestecke für Allerheiligen war bereits erledigt. Ihre einzige Aufgabe für diesen Morgen bestand darin, die Materialien, die sie für das Weihnachtsgeschäft geordert hatte, bei der Post in Berchtesgaden abzuholen. Sie parkte ihren Lieferwagen am Franziskanerplatz und lud die Pakete ein. Dann schlenderte sie durch die Stadt, was sie viel zu selten tat. Sie entdeckte einen neuen Deko-Laden und gönnte sich zwei hübsche Couch-Kissen. Beim Stadtbummel grüßte sie ein paar Leute, die sie kannte, und blieb hier und da für ein bisschen Small Talk stehen. Als sie den Weihnachtsschützenplatz erreichte, entschied sie, ihren freien Vormittag noch ein bisschen auszudehnen und einen Milchkaffee im *Forstners* zu trinken.

Wenn sie im Sommer Zeit hatte, konnte Rena stundenlang an einem der kleinen Bistrotische vor dem Café sitzen und den Touristen beim Bestaunen der Stadt zusehen. Doch dafür war es inzwischen zu kalt, auch wenn die Sonne von einem wolkenblauen Himmel schien. Sie zog die Tür des *Forstners* auf und trat einen Schritt zur Seite, als ihr von innen eine Frau entgegenkam. »Frau Irlinger«, grüßte sie die ältere Dame.

»Grüß Gott, Frau Falkenberg.« Renas Gegenüber lächelte sie an. »Wie geht es Ihnen, meine Liebe?«

Rena zog die Tür noch ein Stück weiter auf, um Frau Irlinger durchzulassen. »Sehr gut, vielen Dank«, erwiderte sie. »Und Ihnen offensichtlich auch.«

»Glauben Sie mir, ich liebe es, an einem Samstagmorgen mit einem Kaffee an einem der Fensterplätze zu sitzen und dem Treiben da draußen zuzusehen«, verriet Frau Irlinger.

Rena erwiderte das Lächeln ihres Gegenübers. »Genau das ist mein Plan für die nächste Stunde.«

»Das machen Sie vollkommen richtig.« Frau Irlinger legte Rena in einer freundschaftlichen Geste die kleine, faltige Hand auf den Unterarm. »Ich habe neulich erst zu meiner Schwiegertochter gesagt: Wir müssen dringend zu Ihnen rausfahren und eines von Ihren wunderschönen Grabgestecken kaufen.«

»Machen Sie das. Wir freuen uns auf Ihren Besuch. Bis dahin einen schönen Tag.«

»Ihnen auch.« Frau Irlinger verließ das Café.

Rena wartete, bis sie an ihr vorbei auf den Platz hinaustrat, ehe sie einen Schritt über die Schwelle machte und die Tür hinter sich zuzog. Genüsslich inhalierte sie das Aroma frisch gemahlener Bohnen und den süßen Duft der Kuchen, die in der Luft hingen. Sie ließ ihren Blick auf der Suche nach einem Platz durch den Raum schweifen. Am liebsten hätte sie, genau wie Frau Irlinger, einen Platz am Fenster – mit Beobachterpauschale.

Renas Blick huschte an einem Zeitung lesenden Mann vorbei, an einer Mutter, die ihren Säugling im Arm hielt, und der Kellnerin ... der Mann mit der Zeitung – er wirkte irgendwie vertraut, auch wenn er den Kopf gesenkt hielt. Ihr Blick glitt zu ihm zurück. Genau diesen Moment wählte er, den Berchtesgadener Anzeiger sinken zu lassen und aufzusehen. Klare blaue Augen blickten ihr aus einem Gesicht entgegen, das so vertraut war. Und doch so fremd. Aus einem Gesicht, das sie über vierzig Jahre nicht gesehen hatte. Das fast ein halbes Jahrhundert älter war als in ihrer Erinnerung. Und doch erkannte Rena den Mann auf Anhieb. Was hauptsächlich an diesen blauen Augen lag.

Sein Blick hielt sie regelrecht gefangen, während er sich halb von seinem Stuhl erhob. »Rena?«, fragte er leise.

Hinter ihr öffnete jemand die Tür. Rena hörte das helle Klingeln des Glöckchens, spürte den kühlen Luftzug in ihrem Rücken – und die Erstarrung, die sie bei seinem Anblick getroffen hatte, löste sich. Rena drehte sich auf dem Absatz um und drängelte sich an dem Paar vorbei, das das Café gerade betreten wollte. Sie rannte. Und rennen war nichts, was Rena jemals freiwillig tat. Aber wenn man flüchten wollte, blieb einem keine Wahl.

Erst als sie sich auf den Fahrersitz ihres Wagens fallen ließ, wurde ihr bewusst, wie sehr ihr Herz raste und wie schnell ihr Atem ging. Rena war sich sicher, dass das nicht nur an ihren schnellen Schritten lag, sondern an ihm. Michl. Sie erinnerte sich so gut an ihn. Als wäre es gestern gewesen.

August 1978

Die letzten beiden Tage, die Michl in Schönau verbringen würde, waren angebrochen. Es wurde für ihn Zeit, an die Uni zurückzukehren. Renas Magen zog sich bei dem Gedanken zusammen, dass er in München sein würde und sie hier, im Berchtesgadener Land. Sie presste die flache Hand auf ihren Bauch, als könne sie die Übelkeit, die in ihr aufstieg, auf diese Weise unterdrücken. Sie würde ihn nicht mehr jeden Tag sehen können, mit ihm spazieren gehen oder auf einer frisch gemähten Wiese in der Sonne liegen.

Auf dem Hof steckte ihre Familie gerade mitten in der Ernte. Und doch hatte Rena es geschafft, sich den Tag auf Michls Bitte hin freizunehmen. Sie hatte ihren Vater angefleht, bis er nachgegeben hatte. Michl hatte eine Überraschung für sie, und er war verdammt gut darin, Geheimnisse für sich zu behalten. Also hatte sie sich an diesem Morgen sorgfältig zurechtgemacht und ihr schönstes Dirndl angezogen, dessen dunkelblauer Stoff über und über mit kleinen Rosenknospen verziert war und eine Schürze aus Spitze hatte. Dann hatte sie sich an ihr Fenster gesetzt und nach Michl Ausschau gehalten.

Er kam mit einem alten Motorrad, das aus dem Auspuff eine blaue Rauchwolke hinter sich herzog. Es gehörte einem der Hausmeister aus dem Hotel, in dem Michl den Sommer über gearbeitet hatte. Ein paarmal hatte er es sich schon ausgeliehen, um einen Ausflug mit Rena zu machen.

Rena rannte die Treppe hinunter und aus dem Haus.

Michl winkte ihr grinsend zu. »Hüpf rauf«, brüllte er über das Dröhnen des Motors hinweg und küsste sie auf die Wange.

Rena stellte sich auf die Fußstütze und zog ihren Rock ein Stück nach oben, um das Bein über das Motorrad schwingen zu können. Diesmal brauchte sie ein wenig akrobatisches Geschick, da Michl einen sperrigen Picknickkorb auf den Gepäckträger geschnallt hatte. Sobald sie saß und ihre Arme um Michls Mitte geschlungen hatte, gab er Gas und brauste durch das Tal. Vorbei an gelben Stoppelfeldern unter einer heiß brennenden Sonne und einem strahlend blauen Himmel.

Rena schmiegte sich an Michls Rücken und legte die Wange

an seine Schulter. Sie ließ die Landschaft an sich vorbeiziehen. Wenn sie jemand gefragt hätte, hätte sie diesen Moment als den schönsten ihres Lebens bezeichnet. Ehe ihr bewusst wurde, wohin Michl fuhr, bremste er am Anleger für die Touristenboote ab, die Jahr für Jahr Unmengen von Sommergästen über den Königssee schipperten. Sie stiegen von der Maschine, Michl nahm den Picknickkorb und griff nach ihrer Hand. Die Finger ineinander verschlungen, schlenderten sie zu den Booten.

Rena war noch nie mit einem dieser Touristendinger gefahren. Die wenigen Male, die sie bis jetzt auf dem Königssee gewesen war, hatte sie mit den Bauern auf den Schiffen verbracht, mit denen die Rinder zum Almauf- oder -abtrieb ans andere Ufer gebracht wurden. Sie gingen an Bord der Ramsau, *die um diese Tageszeit nur von einer kleinen Gruppe Feriengäste besetzt war. Es war schön, still durch die rauen Schluchten des Fjordes zu gleiten.*

An der Saletalm verließen sie das Boot. Michl griff wieder nach Renas Hand. Ihre Mitfahrer stürmten los, um die Umgebung zu erkunden oder sich auf eine der anspruchsvollen Wandertouren zu begeben. Sie waren die Letzten, und als die anderen in der hügeligen Landschaft verschwanden, fühlte es sich ein wenig so an, als wären Michl und sie allein auf der Welt. Sie folgten dem Pfad bis zum Obersee. Glatt und blaugrün lag er vor ihnen. Die Berge im Hintergrund spiegelten sich in seiner Oberfläche, genau wie die Spitztannen, die bis an den Rand des Wassers wuchsen.

Auf einem großen, flachen Stein stellte Michl den Picknickkorb ab und holte eine Decke heraus. Er breitete sie aus und bat Rena mit geheimnisvoller Miene Platz zu nehmen, während er die mitgebrachten Leckereien auspackte. Das Picknick sah verdächtig danach aus, als stamme es aus der Küche des Hotels, in dem Michl arbeitete. »Wo hast du das alles aufgetrieben?«, fragte Rena mit Blick auf das duftende Brot, die Hähnchenschenkel und kleinen Pasteten, die er auf der Decke verteilte.

Michl zwinkerte ihr zu. »Isolde«, bestätigte er ihre Vermutung, indem er den Namen der Küchenchefin sagte. »Ich habe ihr erzählt, dass ich einen ganz besonderen Ausflug plane. Sie hat darauf bestanden, den Korb für uns zu packen.«

Ein ganz besonderer Ausflug. Michls Worte ließen Rena schlucken. Weil es der letzte Tag war, den sie zusammen verbringen würden? Weil das ihr Abschied war?

»Sieh mich nicht so an.« Michl hatte ihre Gedanken offenbar gelesen und strich ihr sanft über den Arm. Dann zuckte er mit den Schultern. »Was soll's«, sagte er und lächelte sie an. »Ich hatte das für später geplant, aber wenn ich es mir genau überlege: je eher, desto besser. Es ist ein ganz besonderer Ausflug, weil ich dich etwas fragen möchte.« Er griff nach Renas Hand.

»Was hast du vor?« Klang sie wirklich so atemlos, wie sie sich in ihren eigenen Ohren anhörte? Ihr Herzschlag beschleunigte sich.

»Rena.« Er sah sie ernst an. Dann rutschte er von dem Stein und ging vor ihr auf die Knie. »Wir kennen uns noch nicht so lange wie andere Paare, aber ich habe das Gefühl, du bist meine Seelenverwandte. Das zwischen uns ist etwas Besonderes. Die nächsten Jahre werden nicht einfach werden. Ich mit dem Studium in München und du mit der Arbeit hier. Aber du bist die Frau, mit der ich mein Leben verbringen möchte. Mit der ich eine Familie gründen und Kinder haben will. Mit der ich mir eine gemeinsame Zukunft aufbauen möchte. Ich liebe dich.« Michl blickte sie noch eindringlicher an, und Rena wurde schwindelig, weil sie den Atem anhielt in Erwartung dessen, was gleich passieren würde. »Willst du meine Frau werden?« Er zog einen Ring aus seiner Hosentasche. Ein schmaler Goldreif mit einem winzigen Stein.

Rena wusste, wie sparsam er mit seinem Geld umgehen musste, um über das Studienjahr zu kommen. Und doch hatte er… Sie konnte die Tränen nicht mehr zurückhalten, als die Welt um sie herum in einem Wirbel aus Glück und Liebe versank. Für einen Moment presste sie die Hand auf ihr wild schlagendes Herz, ehe sie sie um Michls Hals schlang. »Ja«, flüsterte sie an seinen Lippen und küsste ihn.

Befreit und glücklich lachte Michl auf und zog sie noch näher an sich.

»Ich liebe dich so sehr, Michl. So sehr.« Wieder küsste sie ihn. »Es macht mir nichts aus, auf dich zu warten. Die Zeit wird schneller vergehen, als wir uns das jetzt vorstellen.«

Michl richtete sich auf, lehnte sich mit dem Rücken gegen den von der Sonne aufgeheizten Stein und zog Rena wieder an sich. »Wir werden uns die meiste Zeit nur schreiben können. Zumindest bis Weihnachten. Spätestens dann werden wir uns wiedersehen. Entweder komme ich nach Berchtesgaden und feiere das Fest mit euch oder wir fahren nach Augsburg, und ich stelle dich meinen Eltern vor.« Er schwieg einen Augenblick und sah ihr tief in die Augen. Seine Fingerspitzen strichen sanft an ihrem Arm auf und ab. »Wenn ich es mir recht überlege, ist das die bessere Variante. Ich will, dass du meine Mutter und meinen Vater kennenlernst. Und jetzt«, flüsterte er nach einem weiteren, zarten Kuss, »will ich dir endlich diesen Ring anstecken.«

Renas Hand zitterte, als er ihr den schmalen Goldreif über den Finger schob. Er saß wie angegossen, und als sie die Hand hob, um ihn zu bewundern, fing sich ein Sonnenstrahl in dem kleinen Diamanten und ließ ihn funkeln. Rena hätte nie ge-

glaubt, dass sie so viel Glück empfinden konnte. Michls Heiratsantrag überwältigte sie und machte sie sprachlos. Sie passten so gut zusammen, sie ergänzten sich perfekt. Rena hatte nicht gelogen: Es machte ihr nichts aus, auf das Ende von Michls Studium zu warten. Das gab ihr viel Zeit, eine große Bauernhochzeit zu planen. Sie genoss jede Sekunde dieses Tages. Ihren Gedanken, dass die Fahrt mit dem Motorrad der schönste Moment ihres Lebens war, revidierte sie allerdings wieder. Denn nichts, absolut nichts auf dieser Welt, konnte mit dem Augenblick konkurrieren, in dem der Mann ihrer Träume vor ihr gekniet und sie um ihre Hand gebeten hatte.

Rena schob die Erinnerungen an Michls Heiratsantrag mit aller Kraft zur Seite. Ihr wurde bewusst, dass sie in ihrem Lieferwagen saß und blind durch die Windschutzscheibe gestarrt hatte. Sie wischte die Träne weg, die sich einen Weg aus ihrem Augenwinkel gesucht hatte und über ihre Wange rann. Ihre Hand zitterte, als sie den Motor startete.

Was hatte Michl hier zu suchen? Vielleicht hätte sie ihn das einfach fragen sollen? Obwohl, nein. Rena schob auch diesen Gedanken zur Seite. Sie wollte nicht wissen, was er hier trieb. Langsam und konzentriert bog sie auf die Maximilianstraße ein und fuhr in Richtung Sternmoos.

Bevor ihr bewusst wurde, was sie tat, rumpelte ihr Lieferwagen über die Schotterstraße, die zur *Alten Mühle* führte.

*

Rosa hatte schlecht geschlafen. Sie hatte Davids Kuss in ihren Gedanken wieder und wieder durchlebt. Hatte den Moment ohne Unterlass analysiert. Nicht, dass das zu einem Ergebnis geführt hätte. Im Morgengrauen entschied sie sich aufzustehen. Mit einer Tasse Kaffee hatte sie sich an den Küchentisch gesetzt und der Sonne dabei zugeschaut, wie sie sich über die Bergkämme schob und die mit Reif überzogenen Wiesen zum Glitzern brachte wie ein Feld aus Diamanten.

Schließlich griff sie nach ihrem Handy und bat ihre Schwestern in ihrer WhatsApp-Gruppe, sich mit ihr auf einen Kaffee im Mühlenladen zu treffen. So feuchtfröhlich wie Jakobs Party gelaufen war, würden Hannah und Antonia allerdings mit Sicherheit nicht vor dem späten Vormittag auf dem Hof auftauchen. Rosa stellte ihre Tasse in die Spülmaschine und ging ins Bad, um sich für den Tag fertig zu machen. Ob David in der Mühle auftauchen würde? Ob der Kuss ihn genauso aus der Bahn geworfen hatte wie sie? Vielleicht beschloss er jetzt, aus dem Talkessel zu verschwinden. Das wäre gut, oder?

Rosa horchte in sich hinein, während sie vor ihrem Kleiderschrank stand und überlegte, nach welchem Dirndl ihr heute der Sinn stand. Ihre Abneigung gegen David hatte sich auf geheimnisvolle Weise in Luft aufgelöst. Hatte das bereits vor diesem Abend begonnen, oder lag es daran, wie nahe sie sich gekommen waren? Rosa wusste es nicht. Sie beschloss, im Moment nicht weiter darüber nachzudenken. Es wäre gut, wenn David seine Sachen packen und verschwinden würde, beantwortete sie sich ihre Frage im Stillen selbst. Natürlich wäre das die beste Lösung. Es würde alles einfacher machen. Trotzdem musste sie mit ihren Schwestern reden und ihnen von diesem … Zwischenfall war wohl das beste Wort dafür … erzählen. Denn sie war zum einen keine Geheimniskrämerin. Zum anderen würden Antonia und Hannah am besten wissen, wie sie mit dieser ganzen Situation umgehen sollte.

Der Vormittag raste nur so dahin. Die Mühlenkunden gaben sich die Klinke in die Hand. Zu Rosas Erleichterung schien niemand, der den Laden betrat, auf ein bisschen Tratsch über die schöne Müllerin aus zu sein. Gemeinsam mit Louisa beriet sie ihre Besucher, half, die richtigen Produkte für ihre Kunden zu finden, und empfahl Rezepte für die Mehle, für die die Leute sich entschieden.

Rosas Schwestern erschienen tatsächlich erst kurz vor Mittag – die Augenlider auf Halbmast. Antonia hatte Hannah auf dem Weg zur Mühle abgeholt.

Hannah presste ihre Handflächen gegen die Stirn. »Kaffee«, krächzte sie. »Ich hatte mir nach dieser Nacht in Hamburg im letzten Sommer geschworen, nie wieder Alkohol zu trinken.«

»Na ja, so viel wie in Hamburg war es gestern Nacht nicht«, widersprach Rosa.

»Stimmt auch wieder«, murmelte Hannah und ließ ihre Hände sinken.

»Kaffee! Bitte, Lou!«, wiederholte Antonia Hannahs Bitte. »Für eine Tasse Kaffee kannst du meine Seele haben.« Sie nahm ihre Sonnenbrille ab, stöhnte, als die Helligkeit in ihren Augen stach, und schob sie wieder auf die Nase.

Louisa drehte sich zur Kaffeemaschine hinter dem Tresen um und begann, drei Latte Macchiato zuzubereiten.

Rosa wischte ihre plötzlich ein wenig klammen Finger an der Schürze ihres Dirndls ab. Ihr Puls hatte sich beschleunigt. Sie würde mit ihren Schwestern den Kaffee trinken, den sie so dringend brauchten, um in die Gänge zu kommen und sie dann in ihre Wohnung lotsen. Wenn sie Glück hatte, sogar auf den Dachboden der Mühle. Hannah hatte ihnen vor ein paar Monaten unter dem alten Gebälk erzählt, dass sie wieder mit Jakob zusammengekommen war. Dort oben gingen Geständnisse irgendwie leichter über die Lippen. Der Ansturm auf den Laden ließ langsam ein wenig nach, und Louisa würde sicher eine Weile allein klarkommen.

Die Türglocke erklang, während Antonia sich auf einen der Stühle hinter dem Verkaufstresen fallen ließ und Hannah sich abstützte und aussah, als wolle sie ihren Oberkörper im nächsten Moment einfach neben der Kasse auf die Theke legen. Louisa schüttelte den Kopf über ihre Nichten, drehte sich mit einem Lächeln im Gesicht nach dem neuen Kunden um und grüßte mit einem »Glück zu!« Kaum hatte sie die Worte ausgesprochen, entglitten ihr die Gesichtszüge, als sähe sie einen Geist.

Rosa folgte mit den Augen ihrem Blick, drehte sich ebenfalls zu dem Neuankömmling um und nahm aus den Augenwinkeln wahr, dass auch ihre Schwestern die plötzlich veränderte Atmosphäre spürten und dasselbe taten. »Mama?«

Rena stand im Türrahmen, das Gesicht so blass, dass es beinahe durchscheinend wirkte. Ihre Augen waren riesig, und sie wirkte, als stünde sie unter Schock.

»Mama?«, fragte nun auch Antonia und erhob sich langsam von ihrem Platz. Rosa hörte aus diesem einen Wort etwas heraus, das sie von ihrer großen Schwester sonst nicht kannte: Angst. Allein das jagte Rosa eine Gänsehaut über den Körper.

»Ist etwas mit Papa?«, stellte Hannah die nächste Frage, die Rosa durch den Kopf schoss.

Ihre Mutter ignorierte sie alle drei. Den Blick unverwandt auf Louisa gerichtet, kam sie ein paar Schritte in den Raum. »Michl ist hier«, sagte sie, und ihre Stimme klang leise und monoton.

Rosas Tante schloss die Augen und schluckte. Ihre Hände krampften sich um die Kante des Ladentisches. »Ja«, gab sie dann, ebenfalls sehr leise, zurück. »Ich weiß.«

»Michl? Wer ist Michl?« Antonia schob ihre Sonnenbrille auf den Kopf, kniff abermals die Augen gegen die Helligkeit zusammen und blickte zwischen ihrer Mutter und ihrer Tante hin und her. »Kann uns mal jemand erklären, was hier los ist?« Jetzt, wo klar war, dass ihrem Vater nichts zugestoßen war, schienen die Lebensgeister in Rosas Schwester zurückzukehren.

»Michl?« Hannah rieb sich die Schläfen. »Wie in Michael? Geht es um diesen Michael Brandner?«

»Brandl«, sagte Rosa im selben Moment. Jetzt begriff sie. Es gab nur einen Mann, der eine solche Reaktion bei Louisa hervorrufen konnte. Aber wieso tat er das Gleiche bei ihrer Mutter? »Wieso…?«

»Du wusstest es?«, unterbrach Rena Rosas Gedanken. Langsam drehte sie sich zu ihren Töchtern um. »Ihr alle!« Sie klang, als spräche sie eine nur schwer zu akzeptierende Wahrheit aus. Der Schock in ihren Augen wich blanker Fassungslosigkeit. »Ihr habt das gewusst.« Langsam, als sei sie sich nicht sicher, ob ihre Beine sie trugen, machte sie einen Schritt zurück. »O mein Gott! Seit wann ist er hier?«

»Wenn du wirklich Brandl meinst, dann seit ein paar Wochen«, sagte Antonia mit einer Stimme, die weiterhin die Ruhe und Stärke ausstrahlte, die Schwangere so an ihr schätzten. Vor allem, wenn sie im Kreißsaal lagen.

Rena sah Louisa einen langen Moment stumm an, dann verzog sie das Gesicht, als widere ihre Schwester sie an. »Natürlich.« Ihre Stimme war noch immer leise und tonlos. »Meine Kinder wussten es. Du hast es wieder getan, nicht wahr? Hast sie auf deine Seite gezogen und dazu gebracht, kein Sterbenswort zu sagen. Ist es mal wieder so weit gewesen? Hattest du das Bedürfnis, mir meine Kinder wegzunehmen? War es so? Habt ihr euch hinter meinem Rücken kaputtgelacht? Michl und du?«

»Wir haben nie über dich …«, begann Louisa.

»Wir wussten nicht, dass du Brandner auch kennst«, sagte Rosa im selben Moment. Sie hatte keine Ahnung, was gerade zwischen ihrer Mutter und ihrer Tante geschah. Worum es hier ging. Fast war es, als ob uralte Wunden aufgerissen worden waren, von denen sie und ihre Schwestern nichts gewusst hatten. Rosa hatte ihre Mutter noch nie so erlebt. Und nicht einmal Brandls Auftauchen hatte ihre Tante so getroffen wie Renas Vorhaltungen.

Ihre Worte schienen Louisa wie ein Magenschwinger zu treffen. Die Spannung wich aus dem Körper ihrer Tante und das letzte bisschen Farbe aus ihrem Gesicht. »Die Mädchen können nichts dafür.« Ihre Worte kamen in einem Flüstern über ihre Lippen, das fast nicht zu hören war. »Ich habe dir nur deshalb nichts von Brandl erzählt, weil ich nicht wusste, wie«, versuchte sie sich noch einmal zu erklären.

Rena hob abwehrend die Hände. »Spar dir das! Spar dir all deine manipulativen, verlogenen Geschichten!« Sie wirbelte herum und prallte gegen den Mann, der von ihnen allen unbemerkt den Laden betreten hatte. David. Er reagierte geistesgegenwärtig und griff nach den Oberarmen von Rosas Mutter, um zu verhindern, dass sie aus dem Gleichgewicht geriet und stürzte. Mit einer unwirschen Bewegung wand Rena sich aus seinem Griff und schob sich an ihm vorbei.

David sah ihr nach. Dann drehte er sich wieder um und sah Rosa, ihre Schwestern und ihre Tante neugierig an. Rosas

Blick traf auf seinen, und im nächsten Moment beherrschte der Kuss wieder ihre Gedanken. Die Erinnerungen an seine Umarmung, seinen Geschmack und Geruch kehrten zurück – und schafften es beinahe, das Drama, das sich gerade zwischen ihrer Mutter und ihrer Tante abspielte, auszublenden. Aber nur beinahe. Rosa zwang sich, den Blick nicht zu Davids Lippen wandern zu lassen, und unterdrückte das bedauernde Seufzen, das hier nichts verloren hatte.

Stattdessen blickte Rosa zu Louisa hinüber. Ihre Tante schloss die Augen und legte für einen Moment den Kopf in den Nacken. Wie eine Statue stand sie da. Steif und verschlossen.

David trat neben Rosa. »Ist bei euch alles okay?«, flüsterte er. Er wartete, bis sie ihn wieder ansah. »Ich wollte eigentlich nur kurz mit dir reden.« Über den Kuss – sagten seine Augen. Er sprach es nicht aus, aber sie konnte es in seinem Blick lesen.

Unpassender konnte ein Moment nicht sein. Besonders, da Louisa sich genau diesen Moment aussuchte, um plötzlich loszulaufen. Ehe eine der Schwestern sie aufhalten konnte, rannte sie Rena hinterher. Mit einem Moment Verzögerung setzte sich Antonia in Bewegung und folgte ihrer Tante.

»Hör mal.« Rosa legte ihre Hand auf Davids Unterarm und war fast im gleichen Moment dankbar dafür, dass er einen Hoodie trug und sie nicht seine bloße Haut unter ihren Fingern spürte. Es genügte völlig, dass seine Körperwärme durch die weiche Baumwolle drang. »Im Augenblick geht es wirklich nicht. Aber wir könnten deine Hilfe gebrauchen.« Für Befindlichkeiten war im Moment genauso wenig Zeit wie für Argwohn und die Angst, in einem weiteren Buch verwurstet zu werden. Inzwischen hatte sich auch Hannah aufgerappelt und lief aus dem Laden. »Kannst du mit einer Registrierkasse umgehen?«, fragte Rosa.

David nickte.

Rosa hätte gern nachgefragt, wo er das gelernt hatte, aber dazu blieb wirklich keine Zeit. »Gut. Die Preise stehen auf den Verpackungen. Wenn jemand etwas will, verkauf es ihm einfach, okay?« Sie wartete Davids Erwiderung nicht ab, sondern folgte den anderen aus dem Laden.

Louisa war Rena zwar gefolgt, hatte es aber nicht mehr geschafft, sie abzufangen, bevor Rosas Mutter in ihren Lieferwagen gesprungen und davongerauscht war. »Komm mit«, sagte sie und hakte sich bei ihrer Tante unter. »Ihr auch. Wir gehen zu Lou«, sagte sie zu ihren Schwestern. Die Wohnung ihrer Tante war der nächstgelegene Platz, an dem sie ungestört waren und Fragen stellen konnten. Und Fragen hatte Rosa jede Menge.

*

David blinzelte. Rosa hatte ihn gerade überrollt wie eine Dampfwalze. Kopfschüttelnd trat er hinter den Tresen. Er nahm eine Flasche Wasser aus dem Kasten unter der Theke, schraubte sie auf und trank einen großen Schluck. Nachdenklich lehnte er sich gegen die Theke. Rosa musste, genau wie ihre Tante, ziemlich verzweifelt sein, wenn sie ihn mit dem Mühlenladen alleinließ.

Er hatte hin und her überlegt. Heute war kein Tag, an dem er für – oder mit – Rosa arbeiten musste. Aber er hatte das Bedürfnis gehabt, sie zu sehen. Er wollte herausfinden, was der Kuss bedeutete. Hatte er etwas verändert zwischen ihnen? Würde Rosa ihm so begegnen wie vor dem gestrigen

Abend? War die Tatsache, dass er Julians Bruder war, von Bedeutung für Rosa? Das waren die Fragen, die ihn hierhergetrieben hatten.

Mit dieser Reaktion hatte er nicht gerechnet – sie war einfach davongerannt. Doch davor hatte sie ihre Hand auf seinen Arm gelegt. Er konnte das zarte Gewicht ihrer Finger noch immer spüren. Sie hatte aufgelöst gewirkt. Selbst als sein Buch ihr den Boden unter den Füßen weggerissen hatte, hatte er ihre Energie gespürt. Ihre Wut. Die Stärke, die sie aufrecht hielt. Aber er erkannte es, wenn Wolken über dem Paradies hingen. Und die Mühle schien im Moment geradezu in ihnen zu verschwinden.

David setzte sich auf den Hocker hinter dem Tresen, zog sein Handy aus der Hosentasche und öffnete die Diktierfunktion. Er würde warten. Entweder auf Kundschaft oder darauf, dass Rosa zurückkehrte. Vielleicht hatte sie ja dann Zeit, über das zu reden, was am Abend zwischen ihnen geschehen war. Bis dahin würde er einfach ein paar Gedanken zu seiner neuen Romanidee festhalten.

Es dauerte keine fünf Minuten, und er sah durch die offen stehende Tür einen BMW auf den Hof rollen. Ein Mann um die sechzig stieg aus und kam zielstrebig auf den Laden zu. David schloss die Diktier-App und legte das Handy zur Seite. Im nächsten Moment trat der Mann in den Raum und blieb überrascht stehen, als er David hinter dem Tresen sah.

»Hallo«, grüßte er den Mann höflich. »Kann ich Ihnen helfen?« Hoffentlich fragte er nicht nach irgendwelchen bestimmten Backmischungen oder Rezepten, von denen Rosa immer unzählige auf Lager zu haben schien, die sie auf Kommando herunterrasseln konnte.

»Wo ist Louisa?«, fragte der Mann nur. Nicht besonders

höflich. Obwohl, wenn man genauer hinsah, konnte man die Anspannung erkennen, die Davids Gegenüber umgab wie eine weitere dunkle, tiefhängende Wolke.

»Nicht hier.« Ganz egal, was den Mann hergetrieben hatte, David wusste nicht, was er von Louisa wollte. Und wenn er eins und eins zusammenzählte, war dieser Typ wahrscheinlich nicht ganz unschuldig an dem Tumult. Also würde er ihn erst einmal abchecken.

Der Ältere stieß den Atem aus und fuhr sich mit den Händen durch die Haare. »Ich habe zigmal versucht, sie anzurufen. Aber sie ist einfach nicht an ihr Handy gegangen.« Er drehte sich einmal im Kreis und sah David dann wieder an. »Rena war sicher hier. Wenn die beiden noch so sind wie früher … Ich muss einfach nur wissen, dass es ihr gut geht.«

15

Rosa schenkte ein Glas Wasser ein und brachte es Louisa, die sich auf die Couch hatte fallen lassen. Hannah saß links von ihr, ein Bein unter das andere gezogen. Antonia hatte sich bequemerweise direkt auf den Boden gesetzt. Im Schneidersitz vor ihrer Tante. So als wolle sie ihr notfalls den Fluchtweg abschneiden.

Rosa drückte Louisa das Glas in die Hand und nahm auf ihrer anderen Seite Platz.

»Ich habe Mama noch nie so aufgebracht gesehen. Und ich habe sie mit meinen Männergeschichten weiß Gott oft genug in den Wahnsinn getrieben«, murmelte Antonia.

»Frag mich mal«, pflichtete Hannah ihr bei. Ihr Weggang vor zehn Jahren hatte bei Rena für ziemliche Verstimmung gesorgt.

Trotzdem hatten Rosas Schwestern recht. »So wie heute haben wir Mama wirklich noch nie erlebt.« Sie verschränkte ihre Finger mit Louisas und drückte sie sanft. »Es ist wirklich an der Zeit, uns von dir und Brandl – und Mama und ihm – zu erzählen.«

Louisa legte den Kopf an die Sofalehne und schloss die Augen. »Das geht nur eure Mutter und mich etwas an.«

»Jetzt nicht mehr«, widersprach Hannah. »Mama hat uns beschuldigt, mit dir zu konspirieren. Irgendwie haben wir das ja auch. Obwohl wir das nicht unbedingt freiwillig gemacht haben – es lag eher daran, dass du einfach nicht mit uns geredet hast.«

Louisa fuhr mit dem Zeigefinger den Rand des Wasserglases nach, ohne die Augen zu öffnen. »Am liebsten würde ich all das zur Seite schieben und niemals wieder daran denken. Hätte ich Brandl doch nur nicht wiedergetroffen.« Louisa seufzte leise. »Ich hätte überhaupt kein Problem damit, diesen ganzen Mist für den Rest meines Lebens zu vergessen.«

»Ihr hattet eine Beziehung«, sagte Antonia. Keine Frage, eine Feststellung.

»Ja. Vor einer gefühlten Ewigkeit für ein paar Monate. In München.« Louisa stieß ein Lachen aus, das irgendwie ungläubig klang. »Ich dachte damals tatsächlich, er sei meine große Liebe.«

»Und Mama und er?«, fragte Rosa leise. Sie war sich sicher, dass das, was ihre Tante zu erzählen hatte, keine schöne Geschichte war und höchstwahrscheinlich kein Happy End hatte.

Louisa öffnete ihre Augen noch immer nicht. Sie atmete langsam aus. »Eure Mutter war zu dem Zeitpunkt, in dem ich mich in ihn verliebte, bereits mit ihm verlobt.«

Dezember 1978

Louisa lachte aus vollem Hals, als Johann bei dem Versuch, ihren selbst gebastelten Engel auf die Christbaumspitze zu setzen, das Gleichgewicht verlor. Der Stuhl, auf dem er stand, kippelte, als er seinen linken Fuß auf die Lehne stellte, um sich noch ein Stück weiter vorbeugen zu können. Er ruderte mit den Armen und stürzte auf das Sofa, wobei er die Geistesgegenwart besaß, den Engel schützend von sich wegzuhalten, sodass er nicht unter ihm zerdrückt wurde.

Louisas Kunstwerk war nicht einmal im Ansatz so hübsch wie das, was ihre Schwester Rena zustande gebracht hätte. Aber sie war trotzdem stolz auf ihre Bastelei. Sie hatte auf einem Weihnachtsbaum bestanden. Genau wie auf einer Gans, die sie am ersten Feiertag mit Rotkohl und Knödeln für Brandls – und jetzt auch ihre – WG-Mitbewohner zubereiten würde. Das Federvieh stammte vom Hof von Ludwigs Tante. Den Baum hatte Johanns Vater gesponsert. Was automatisch bedeutete, dass die Tanne viel zu ausladend war und ganz eindeutig eine Nummer zu groß für die Wohnung. Sie mussten wirklich kreativ sein, um genug Schmuck für all die Zweige zu finden.

Aber jetzt kugelte Louisa sich erst einmal vor Lachen auf dem Boden, als sich Johann theatralisch ans Herz griff. »Lass das lieber Brandl machen«, schlug sie kichernd vor. Er war fast einen Kopf größer als sein Freund und würde sich nicht so sehr in Gefahr begeben, wenn er den Engel anbrachte.

»Habe ich gerade meinen Namen gehört?« Brandl lehnte sich lässig in den Rahmen der Wohnzimmertür, und Louisas Herz setzte wie immer einen Schlag aus, als sie ihn betrachtete. Zwischen den Fingern seiner linken Hand baumelten drei Bierflaschen. Er wartete, bis Louisa sich wieder in eine sitzende Position aufgerichtet hatte, und reichte erst ihr und dann Johann ein Bier, ehe er ihnen mit der dritten Flasche zuprostete.

Louisa stellte ihr Bier zur Seite und beschäftigte sich wieder mit der Papiergirlande, die sie gerade zusammenklebte. »Kannst du den Engel auf die Spitze setzen, bevor sich Johann dabei umbringt?«, bat sie Brandl.

»Dafür habe ich Talent.« Er beugte sich zu Louisa hinunter,

stahl sich einen Kuss und nahm seinem Freund, der noch immer auf dem Sofa lümmelte, den Engel ab. Er war gerade auf den Stuhl geklettert, als es an der Tür klingelte.

»Ich geh schon«, sagte Louisa und rappelte sich auf. »Pass auf, dass Brandl den Engel gerade auf die Spitze setzt«, wies sie Johann im Hinausgehen an. »Und so, dass er in die Mitte des Raumes blickt«, ergänzte sie mit einem Blick über die Schulter.

»Frauen«, grummelte Johann hinter ihr. »Als ob es nicht völlig wurscht wäre, wohin dieses Ding kuckt.«

Sein gut gemeintes Geschimpfe ließ sie grinsen, als sie schwungvoll die Tür aufzog. »Guten…« Tag. Das Wort blieb ihr im Hals stecken, als sie ihre perfekt frisierte, perfekt gekleidete jüngere Schwester vor sich stehen sah. Die Wangen und die Nasenspitze von der Kälte gerötet. »Rena«, entfuhr es ihr. »Ist alles okay mit Mutter und Vater?«

Ihre Schwester hatte noch kein Wort gesagt. Sie starrte sie einfach nur an. Als wäre sie die unerwartete Erscheinung und nicht Rena.

*

Rena blinzelte. Ihr Gehirn arbeitete. Allerdings viel zu langsam. Louisa. Was machte ihre Schwester hier? Wieso öffnete sie die Tür zur Wohnung ihres… »Perfekt platziert«, hörte sie ihn aus dem Hintergrund.

Louisa blickte genauso verwirrt drein, wie Rena sich fühlte. Sie drehte den Kopf in die Richtung, aus der seine Stimme klang. »Das ist mit Sicherheit die spektakulärste Baumspitze in ganz Schwabing«, sagte er. Rena konnte ihn noch immer nicht sehen, aber sie erkannte seine Hand, die sich um die Körpermitte ihrer Schwester legte. Dann schob er seinen Kopf neben

Louisas, um zu sehen, wer geklingelt hatte. »Rena!« *Die Farbe wich aus seinem Gesicht.* »Was...?«

»Hallo Michl«, *sagte sie. So war es also, ihrem Verlobten gegenüberzustehen, nachdem sie sich drei Monate nicht gesehen hatten. Sie hatte es sich ausgemalt. Wieder und wieder. In ihren schlaflosen Nächten. In ihren Tagträumen. So wie jetzt war es in keiner ihrer Fantasien gewesen.*

»Michl?« *In Louisa kehrte Leben zurück. Sie trat einen Schritt zur Seite, und die Hand von Renas Verlobten glitt von ihrer Hüfte.* »Du kennst meine Schwester?« *Ihre Miene hellte sich plötzlich auf.* »O mein Gott! Was für eine Überraschung.« *Sie klatschte begeistert in die Hände – und wollte sie umarmen.*

Instinktiv trat Rena einen Schritt zurück und hob abwehrend die Hand.

»Deine Schwester?«, *hörte sie Michl im gleichen Moment ungläubig fragen.*

Ein Klopfen an Louisas Wohnungstür holte Rosas Tante aus ihren Erinnerungen und ließ sie stocken. Sie blinzelte, dann runzelte sie die Stirn, so als wäre sie gerade aus einem tiefen Traum erwacht. Mit einem leisen Seufzen rieb sie sich über das Gesicht.

Das Klopfen ließ nicht nach, also sprang Antonia auf und war in ein paar schnellen Schritten an der Tür. Sie riss sie auf, und Rosa sah über die Schulter ihrer Schwester hinweg Brandl draußen stehen. »Was wollen Sie denn hier?«, wollte Antonia in einem Tonfall wissen, der haarscharf an unhöflich vorbeischrammte.

»Tonia«, ermahnte Louisa sie. »Benimm dich und bitte Brandl herein.«

Er wartete nicht, bis Antonia zu ihrer guten Erziehung zurückfand. Er schob sich einfach an ihr vorbei und betrat die Wohnung. Hinter ihm erspähte Rosa David, der entschuldigend mit den Schultern zuckte. Sie hatten ihn einfach mit dem Mühlenladen allein gelassen. Dass auch noch Louisas ehemaliger Liebhaber auftauchen würde, daran hatte Rosa nicht eine Sekunde gedacht.

»Guten Tag«, sagte Brandl und nickte Rosa und ihren Schwestern zu.

Louisa erhob sich von der Couch und traf ihn in der Mitte des Raumes. »Brandl.« Sie drehte sich halb um und machte eine umfassende Geste, die sie alle einschloss. »Das sind meine Nichten Antonia, Rosa und Hannah.« Sie sah dem Mann einen Moment lang fest in die Augen, bevor sie leise weitersprach und das Thema wieder auf den Kern ihrer Probleme brachte. »Ich habe befürchtet, dass das irgendwann passieren würde. Und ich habe Renas Reaktion vorhergesehen.«

Brandl hob in einer hilflosen Geste die Hände. »Das alles ist fast ein halbes Jahrhundert her. Ich hätte nicht gedacht, dass sie mir das noch immer übel nimmt.«

Ernsthaft? Rosa starrte den älteren Mann an. Er sah eigentlich ziemlich intelligent aus, was sicher nicht nur an seiner dunkel gerahmten Brille lag. Und doch schien er eine der wichtigsten Regeln im Leben nicht zu kennen: Vom Verlobten mit der eigenen Schwester betrogen zu werden, würde wohl keine Frau jemals vergessen. Auch wenn ihre Mutter tatsächlich ziemlich dramatisch reagiert hatte. Andererseits – Louisa hatte ihnen noch nicht die ganze Geschichte erzählt. So wie es im Moment aussah, würde sie das jetzt wohl auch nicht mehr tun.

»Ich habe versucht, dich anzurufen. Aber du bist nicht

rangegangen und hast auch nicht auf meine Nachrichten reagiert«, fuhr Brandl fort.

»Nein, ich…« Louisa klopfte auf die Taschen ihrer Jeans und drehte sich dann suchend um, bis sie ihr Handy auf der Kücheninsel entdeckte. Sie griff danach und wischte über das Display. »Ich habe es hier liegen lassen, als ich heute Morgen in den Laden hinuntergegangen bin.«

Brandl fuhr sich mit den Händen durch sein volles graues Haar. »Wie geht es jetzt weiter?«, fragte er. »Soll ich mit Rena reden?«

»Auf keinen Fall!« Alle drehten sich zu Rosa um. »Es wäre besser, Mama sieht im Moment keinen von euch beiden«, verteidigte Rosa ihren impulsiven Ausbruch. Ihre Tante und der Mann, der sie vor all den Jahren verletzt hatte, sollten sich wirklich von ihrer Mutter fernhalten. Trotzdem musste jemand nach ihr sehen. Rosa stand ihr von allen drei Schwestern am nächsten, also würde das ihr Job werden. »Ich gehe zu ihr«, sagte sie in die Runde, »und werde versuchen, sie ein wenig zu beruhigen.« Und vielleicht den Rest der Geschichte in Erfahrung zu bringen. Sie sah, wie Antonias Schultern entspannt heruntersackten und Hannah vorsichtig ausatmete. Sie alle liebten ihre Mutter. Keine Frage. Aber manchmal war der Umgang mit ihr für ihre Schwestern wie Stepptanz auf einem Minenfeld.

Rosa umarmte ihre Tante. »Ich sehe nachher noch mal nach dir«, flüsterte sie. Dann nickte sie Brandl zu und verließ mit einem Winken in Richtung ihrer Schwestern die Wohnung.

David stand noch immer unschlüssig auf dem Treppenabsatz vor Louisas Wohnung. »Hey«, sagte er und löste sich mit der Schulter von der Wand, an die er sich gelehnt hatte.

Neben ihr fiel er in ihren Schritt und ging auf ihrer Seite auf den Hof hinunter. »Kann ich etwas für dich tun?«, fragte er.

Rosa blickte zu ihm hinüber. In seinen Augen stand ehrliches Mitgefühl. Sie schüttelte den Kopf. »Du hast uns schon sehr geholfen. Danke.«

»Ich könnte dich ins Dorf begleiten.« Er schob die Hände in die Taschen seiner Jeans. »Wir hätten dann ein wenig Zeit zu reden.«

Über den Kuss. Rosa blieb stehen und drehte sich zu ihm um. »Nein«, sagte sie. Fest. Entschlossen. Sie konnte sich im Moment nicht mit den Emotionen der vergangenen Nacht beschäftigen. Den Erinnerungen. Sie musste für ihre Familie da sein. »Lass uns das Ganze vergessen.«

»Was?« David zog die Augenbrauen nach oben. »Was meinst du damit: es vergessen? Man kann das nicht einfach …«

»Doch!«, unterbrach Rosa ihn, bevor er aussprach, was sie auf keinen Fall hören wollte. David wirkte aufgewühlt. Ohne darüber nachzudenken hob sie die Hände, um sie beruhigend auf seine Arme zu legen. Erst im letzten Moment wurde ihr bewusst, dass es ein Fehler wäre, ihm so nahe zu kommen. Einen Augenblick lang schwebten ihre Hände in der Luft, nur Zentimeter von David entfernt. Dann zog sie sie langsam zurück und schluckte. Sie musste es sagen. Damit David sie in Ruhe ließ. Das, was sie eigentlich mit ihren Schwestern hatte besprechen wollen, sah sie plötzlich glasklar vor sich. Der Kuss war ein Fehler gewesen. »Das gestern ist nicht passiert«, sagte sie.

»Rosa …« David legte den Zeigefinger unter ihr Kinn und hob es so weit an, dass er ihr in die Augen sehen konnte.

Ihre Haut kribbelte, wo seine Fingerspitze sie berührte.

Ihr wurde bewusst, dass sie ihm nicht in die Augen gesehen hatte, als sie ihren intimen Moment geleugnet hatte.

Sie schüttelte den Kopf und trat einen Schritt zurück. »Bitte«, flüsterte sie. »Ich möchte es einfach vergessen.« Ohne ein weiteres Wort drehte sie sich um und ging ohne einen Blick zurück zum Schuppen, um ihr Fahrrad zu holen. Als sie das Rad auf den Hof schob, war David verschwunden. Eigentlich müsste sie Erleichterung fühlen. Die würde sicher noch kommen. Jetzt würde sie erst einmal nach ihrer Mutter sehen.

Langsam wurde Rosa ziemlich gut darin, Probleme einfach zu verdrängen, dachte sie auf der Fahrt zu ihren Eltern. Sie schaffte es wunderbar, Davids Kuss zur Seite zu schieben. Genauso wie sie es viel zu gut fertigbrachte, nicht an Julians Verrat zu denken. Oder an das verdammte Buch, das all das ins Rollen gebracht hatte. Sie bog in den Seerosenweg ein und lehnte das Rad gegen den Zaun ihres Elternhauses. Der Kombi ihres Vaters stand vor der Garage neben dem Lieferwagen der Gärtnerei.

Rosa blickte am Haus empor, das sie schon immer mit dem Gefühl von Geborgenheit gleichgesetzt hatte. Ihre Familie war nach Hannahs Geburt hier eingezogen, als die Wohnung über der Gärtnerei zu klein geworden war. Wie es sich für eine Blumenhändlerin gehörte, zog bereits das Äußere die Blicke auf sich. Die Geranien, die im Sommer wie eine farbenfrohe Wolke über das Balkongeländer im ersten Stock hingen, waren den Farben des Herbstes gewichen: Reisig, Tannenzapfen und immer wieder die Farbtupfer von Erika und buntem Laub. Über die Jahre war das helle Zirbenholz nachgedunkelt und wies inzwischen einen gemütlichen, leicht verwitterten Charme auf – der perfekte Hintergrund für Renas kunstvolle Dekorationen.

Die hölzernen Blumenkästen an den Fenstern im Erdgeschoss waren genauso gestaltet, und die Pflanztröge neben der Haustür, die im Sommer üppig bepflanzt waren, hatten zwei riesigen Kürbissen Platz gemacht. Ergänzt wurde das Ensemble von dem aufgestapelten Holz, das sich bis unter die Fenster an der gesamten Hauswand entlangzog und den drei großen Laternen, in denen Rena dicke Votivkerzen anzündete, wenn sich der Abend über das Tal senkte.

Rosas Elternhaus wirkte bewohnt – und geliebt. Die makellose Fassade eines vermeintlich perfekten Lebens. Und doch verbargen sich dahinter Geheimnisse, über die fast ein halbes Jahrhundert niemand gesprochen hatte. Ein Geheimnis, das nur Rena, Louisa und Brandl gekannt hatten. All die Jahre hatten sie geschwiegen. Außer ihnen kannte wahrscheinlich nur Rosas Vater Josef die Details – oder wusste er am Ende auch nichts?

Rosa straffte die Schultern und ging auf das Haus zu. Es wurde Zeit, den Stier bei den Hörnern zu packen. Sie wollte sehen, ob es ihrer Mutter gut ging, aber genauso dringend wollte sie Antworten. Die Haustür war nicht verschlossen. Rosa schob sie auf und trat in den Flur. Ohne darüber nachzudenken, streifte sie ihre Schuhe ab und ging auf Strümpfen weiter in Richtung Küche, aus der sie Geräusche hörte. Auch wenn sie schon seit Jahren in einer eigenen Wohnung lebte, war das hier doch ihr Zuhause. Seit Ewigkeiten hatte sich hier nichts mehr geändert. Nicht einmal der heimelige Geruch des Hauses, der in der Luft hing.

Rosa fand ihre Eltern in der Küche. Ihre Mutter stand an der Arbeitsfläche, vor sich einen kleinen Haufen bereits in unregelmäßige Stücke zerteiltes Gemüse. Auf dem Schneidebrett lag eine Zwiebel, auf die sie mit wütenden Bewegungen einhackte.

Rosas Vater saß am Küchentisch und betrachtete seine Frau mit ratlosem Gesichtsausdruck.

»Mama?«, fragte Rosa leise.

Rena hob den Blick und blinzelte gegen die Tränen in ihren Augen an. »Die Zwiebel brennt«, erklärte sie, ehe Rosa fragen konnte.

»Okay.« Rosa wusste nicht, wie sie beginnen sollte. Aber vielleicht würde ihre Mutter ... Sie setzte sich zu ihrem Vater an den Tisch. Er warf Rosa einen Blick zu, der ganz deutlich sagte: Weißt du, was hier los ist? Er wusste also offenbar nichts von dem Mann, der das Leben ihrer Mutter und ihrer Tante durcheinandergewirbelt hatte. »Mama«, begann sie schließlich noch einmal, um dem unangenehmen Schweigen in der Küche ein Ende zu bereiten. »Willst du uns erzählen, was es mit diesem Michael Brandner auf sich hat?«

»Lou hat euch doch sicher längst von ihrer Version der Dinge überzeugt. Wie dumm ich war, zum Beispiel. Dabei hat sie sicher vergessen zu erwähnen, wie unverfroren sie sich verhalten hat, damals.«

»Nein, Mama«, sagte Rosa fest. »Lou hat überhaupt nichts erzählt. Schon gar nicht, dass du dumm gewesen seist. So etwas hat sie noch nie gesagt. Noch nie«, wiederholte sie noch einmal mit Nachdruck.

»Wer es glaubt«, murmelte Rena.

»Vielleicht ist das das Problem«, sagte Rosa, ohne auf den Kommentar ihrer Mutter einzugehen. »Das keine von euch auch nur irgendetwas erzählt hat – bis es zu spät war.«

»Hier geht es auch nicht ums Reden, sondern um Tatsachen. Lou hat sich schon immer genommen, was sie wollte. Angefangen bei euch.« Sie deutete mit dem Messer in der Hand auf Rosa. »Ständig hängt ihr bei ihr herum. Du lebst sogar auf dem Hof und arbeitest in der Mühle. Hannah ist bei ihr untergekrochen, als sie im Sommer nach Sternmoos zurückkam. Und bei Antonia tut meine Schwester so, als ob sie ihre ständigen Männergeschichten verstehen kann – und sogar gutheißen. Als ob... als ob...« Sie wedelte mit den Händen, und ein Stück Zwiebel löste sich vom Messer und flog quer durch den Raum. »Als ob sie eure Mutter wäre.«

»Die Mädchen wissen genau, dass du ihre Mutter bist«, mischte sich nun auch Josef ein. »Du weißt genau, wie sehr sie dich lieben. Worum geht es hier eigentlich?«, fragte er, nachdem Rena ihm einen mörderischen Blick zugeworfen hatte. Er verstand genauso wenig wie Rosa, was zwischen den Schwestern los war. Als ob eine alte, dürftig verheilte Wunde neu aufgebrochen war.

»Worum es hier geht?« Rena warf das Messer auf das Schneidebrett und wischte sich mit dem Unterarm ein paar Tränen von den Wangen, die ganz sicher nichts mit dem Zwiebelschneiden zu tun gehabt hatten. »Sie nimmt mir alles weg. Solange ich denken kann, tut sie das schon.«

»Lou?« In der Frage lag die gesamte Irritation, die sich in Josefs Gesicht spiegelte. Er verstand seine Frau kein bisschen. *Willkommen im Club*, dachte Rosa. Ihr ging es keinen Hauch besser.

»Ja, Lou!«, fauchte Rena ihren Mann an. »Die ach so perfekte Lou. Erst ist sie abgehauen. Die Welt sehen, sich selbst verwirklichen und irgend so ein Hippie-Hokus-Pokus. Mir hat sie damit jede Wahlmöglichkeit genommen. Ich musste auf dem Hof bleiben. Schließlich konnte ich nicht alles meinen Eltern überlassen und genauso sorglos auf und davon rennen. Und dann, kaum dass ich mein Glück gefunden habe, taucht sie plötzlich auf und nimmt es mir weg.«

»Du weißt genau, dass das nicht stimmt.« Louisa hatte das Haus betreten, ohne dass es einer von ihnen bemerkt hätte. Sie stand im Türrahmen zur Küche. Blass, aber mit einem entschlossenen Ausdruck im Gesicht. »Ich wusste nicht, dass du mit Brandl verlobt warst, als ich ihn kennengelernt habe. Ich hatte damals keine Ahnung, dass er überhaupt eine Freundin hatte. Schließlich war ich seine Freundin. Und in der Zeit, in der wir zusammen waren, ist mir nicht einmal im Ansatz aufgefallen, dass es noch eine andere Frau in seinem Leben geben könnte.«

»Du redest dir die Dinge immer zurecht, wie sie dir in den Kram passen!« Rena stützte die Hände auf dem Küchentresen ab und schüttelte den Kopf, als wäre sie Louisas Worten überdrüssig. Als hätte sie sie wieder und wieder gehört – und glaubte ihr kein Wort. »Er war meine große Liebe«, warf sie ihrer Schwester an den Kopf. »Mein Mann. Mein Leben. Du hast nicht mit der Wimper gezuckt, mir all das zu nehmen.«

Rosa zuckte zusammen und verzog das Gesicht. Die Worte ihrer Mutter waren wie Messerstiche für ihre Tante. Vielleicht hatte Rena recht damit, dass sich ihre Töchter schnell auf Louisas Seite schlugen. Aber Rosa glaubte dem, was ihre Tante gesagt hatte. Sie hatte Rena nicht absichtlich verletzt. Damals genauso wenig wie jetzt. Und noch jemand wurde von Renas Rundumschlag völlig ahnungslos getroffen: Josef. Rosa wurde erst jetzt so richtig bewusst, was ihre Mutter eben gesagt hatte: Brandl – oder Michl, wie sie ihn nannte – war ihre große Liebe gewesen. Ihr Leben. Was war dann der Mann, den sie schließlich geheiratet hatte? Der offenbar nichts davon gewusst hatte, dass es vor ihm bereits einen Verlobten gegeben hatte?

Rosas Vater sagte nichts, während sich Louisa und ihre Mutter mit Blicken maßen. Von den beiden unbemerkt erhob er sich. Sein Gesicht ausdruckslos, so wie Rosa es selten erlebt hatte. Josef war ein Mann voller Emotionen und Liebe, die sich immer in seinen Zügen spiegelten. Voller Anteilnahme, Mitgefühl und manchmal auch Nachsicht, wenn es um seine Frau und seine Töchter ging. Er liebte sie alle bedingungslos und ertrug es mit Fassung, in diesem Hühnerhaufen zu leben. Normalerweise platzte er vor Stolz auf sie alle. Seiner Ehefrau brachte er aber vermutlich gerade nicht besonders viel Sympathie entgegen. Er drehte sich zur offen stehenden Terrassentür um, durch die er, ohne etwas zu sagen, in den Garten verschwand.

Rosa war hin- und hergerissen. Sie wollte ihm folgen, aber genauso wenig wollte sie ihre Mutter und ihre Tante allein lassen. Entschlossen drehte sie sich zu den beiden um und stemmte die Hände in die Hüften. Irgendjemand würde ein Machtwort sprechen und ihnen die Köpfe zurechtrücken müssen. »Wir setzen uns jetzt an den Tisch und reden miteinander wie die Erwachsenen, die wir sind«, forderte sie Rena und Louisa auf.

»Ach ja?« Die Aufmerksamkeit ihrer Mutter richtete sich auf Rosa. »Du müsstest doch am besten wissen, wie es ist, wenn man belogen und betrogen wird. Das, was Julian dir angetan hat, ist genau das Gleiche, was die zwei damals mit mir gemacht haben. Hilft dir das zu verstehen, wie es mir damit geht?«

»Wow.« Rosa wich einen Schritt zurück. »Das war …« Sie schluckte. »Das war wirklich unter der Gürtellinie, Mama.

Bring Julian nicht in diesen Raum. Hier geht es um uns. Unsere Familie. Und Dinge, die so lange zurückliegen, dass sie eigentlich längst im Dunst der Vergangenheit verblasst sein müssten. Ich will wissen, warum das nicht so ist. Redet mit mir! Alle beide! Jetzt sofort.«

16

David lehnte mit der Schulter an der Wand neben seinem Hotelfenster und blickte auf den Marktplatz hinunter. Es war Sonntagnachmittag. Viel war nicht los auf dem gepflasterten Mittelpunkt des Dorfes. Der Herbst hatte das Tal inzwischen fest im Griff, und die Kälte, die der Wind von den Bergen herunterwehte, ließ bereits den Winter erahnen. Also hatten das Café und die Gastwirtschaft genau wie das Hotel, in dem er wohnte, die Tische und Stühle von den Außenterrassen geholt. Ein paar Wanderer waren auf dem Weg ins Gasthaus, und eine Gruppe Mountainbiker diskutierte mit Händen und Füßen offenbar darüber, ob sie dem Café einen Besuch abstatten oder bis Ramsau weiterfahren sollten. Zumindest stellte David sich das vor, während er ihnen zusah. Das Los des Autors – in seinem Kopf liefen immer Filme ab, immer malte er Bilder. Und manchmal entstanden daraus Geschichten.

Davids Blick glitt weiter, vorbei am Friseurladen, vor dem die Besitzerin gerade ein paar Kürbisse und Laternen zu einer saisonalen Dekoration drapierte. Daneben lag die Arztpraxis von Rosas Vater. Und als hätte er sie mit seinem Blick in diese Richtung herbeigewünscht, tauchte sie plötzlich auf. David blinzelte und trat näher ans Fenster. Nein, er bildete sich das nicht ein. Es war tatsächlich Rosa, die ihr Fahrrad an die Hauswand lehnte und wärmend in ihre Hände pustete, die in Handschuhen steckten. Sie trug Jeans und Stiefel, dazu eine leuchtend blaue Daunenjacke und eine Strickmütze, die eine Schattierung heller war.

Sie hatte die Hand bereits auf der Türklinke, als sie sich zum Hotel umwandte und zu Davids Fenster heraufblickte. So als wisse sie genau, dass er hier stand und sie beobachtete. Dann war der Moment vorbei, sie drehte sich um und zog die Mütze von ihrem Kopf, während sie die Tür zur Praxis aufschob und verschwand.

David starrte auf die Stelle, an der sie gerade eben noch gestanden hatte. Er schlug Zeit tot, wurde ihm klar. Seit er Rosa geküsst hatte, konnte er sich nicht mehr mit seinem Manuskript beschäftigen. Sie geisterte durch seine Gedanken und raubte ihm die Konzentration. Er hatte den Kuss nicht vergessen, aber Rosa hatte gesagt, dass der Kuss nicht passiert war. Sie hatte so getan, als könne sie das, was zwischen ihnen geschehen war, einfach zur Seite schieben. Als bedeutete es ihr wirklich nichts. Aber er glaubte ihr nicht. Er hatte sie gezwungen, ihm in die Augen zu sehen, und zumindest für einen Augenblick hatte dort die Wahrheit gestanden. Die Minuten am See hatten ihre Welt genauso erschüttert wie seine. Rosa hatte gelogen. Sie schaffte es keinen Deut besser als er, den Kuss aus ihren Gedanken zu verbannen.

Er war am Vortag zur Mühle gegangen, um mit Rosa zu sprechen – und mitten in ein Familiendrama geraten. Natürlich hatte sie keine Zeit für ihn erübrigen können, ganz gleich wie groß sein Bedürfnis gewesen war, sich mit ihr auszusprechen. Er kannte diese Trauerspiele viel zu gut aus seiner eigenen Vergangenheit und legte eigentlich auch großen Wert darauf, in so etwas nicht hineingezogen zu werden. Er hatte es daher für klüger erachtet, den Rückzug anzutreten.

Als er endlich wieder ins Hotel zurückkam, waren Wastl und Sanne schon abgereist. Sie hatten sich bereits nach dem Frühstück am Morgen bei ihm verabschiedet, aber er hatte gehofft, sie vielleicht noch im *Seeblick* anzutreffen. Allein auf seinem Zimmer hatte er sich an seinen Laptop gesetzt – und seitdem auf das leere Dokument vor sich gestarrt. Oder aus dem Fenster. Oder auf Frau Obermaier, die netterweise weiterhin von irgendeiner guten Fee vom Hotelpersonal am Leben erhalten wurde.

David würde am nächsten Tag wieder in die Mühle gehen, würde Rosa wieder über die Schulter schauen, auch wenn das inzwischen mehr damit zu tun hatte, dass er einfach Zeit mit ihr verbringen und in ihrer Nähe sein wollte. Nichts, was sein Bruder besonders witzig finden würde. Und nichts, was er sich wünschen sollte. Aber er tat es. Mehr als alles andere. In Rosas Nähe fühlte er sich so wohl. Ein sarkastischer Schwinger, den ihm das Schicksal da verpasst hatte. Ausgerechnet die Frau, deren Lebensweise er für belächelnswert gehalten hatte.

David rieb sich über das Gesicht und spürte die Bartstoppeln unter seinen Fingern. Er musste sich dringend rasieren, fiel ihm ein. Aber erst einmal würde er sich mit irgendetwas beschäftigen, das ihn von Rosa ablenkte. Er würde auf keinen Fall wie ein Stalker an seinem Hotelzimmerfenster herumstehen und darauf warten, dass Rosa die Praxis ihres Vaters wieder verließ. Entschlossen zog er seine Stiefel an und nahm seinen Parka vom Haken neben der Tür. Eine Wanderung war genau das Richtige, um den Kopf freizubekommen.

Die Luft war kalt und klar, als er aus dem Hotel trat. Sie zwickte an seinen Ohren, aber Wastl hatte keine Mütze für ihn eingepackt, also würde er die Kälte einfach in Kauf nehmen. Wenn er noch länger hierblieb, musste er sich um eine neue Kopfbedeckung kümmern, genau wie um Handschuhe und einen Schal. Aber heute würde es so gehen. Wenn er schnell genug lief, würde ihm warm werden. Mit zügigen Schritten machte er sich auf den Weg ins Klausbachtal.

Der Weg zur Hängebrücke, die sich über das Tal spannte, dauerte den Wegweisern nach zwei Stunden. David schaffte es in eineinhalb. Mit großen Schritten nahm er die letzte Steigung und blieb schwer atmend vor der Brücke stehen. Er hatte wirklich an Form verloren in der letzten Zeit. Wastl hatte schon recht, wenn er ihm damit auf die Nerven ging, endlich mal wieder joggen zu gehen. Diesen Rat zu befolgen nahm er sich zumindest fest vor, als er sich mit den Händen auf den Knien abstützte und wartete, bis sich sein Herzschlag wieder ein wenig beruhigte. Er blickte in die Schlucht unter sich und gab einen ungläubigen Laut von sich. »Das ist ja wohl ein Witz«, murmelte er. Wahrscheinlich hatte ihn seine Vorstellungskraft auf eine falsche Fährte gelockt, aber er hatte einen reißenden, schäumenden Gebirgsbach erwartet, der unter ihm ins Tal schoss. Stattdessen sah er nur trockenes hellgraues Geröll. Ein Flussbett ohne Fluss, aber mit Hängebrücke. So, als ob das Gewässer selbst versteinert wäre. David schüttelte über sich selbst den Kopf, konnte aber nicht widerstehen, sein Handy zu zücken und die Idee mit dem versteinerten Fluss in sein digitales Notizbuch zu tippen. Man konnte nie wissen, wann man diesen Gedanken einmal brauchen konnte. Weil er schon dabei war, knipste er noch ein Foto von der Brücke und schickte es Wastl. #Naturbursche schrieb er darunter, fügte ein Emoji dazu, das die Augen aufriss, und steckte das Handy wieder ein.

Er wollte gerade den Rückweg antreten, als er ein leises Winseln hörte. David blickte über die Schulter zurück. Hinter ihm war nichts. Wahrscheinlich hatte der Wind in den Baumwipfeln ihm einen Streich gespielt. Er drehte sich wieder um – und hörte es abermals. Diesmal klang es mehr wie ein Jaulen. Und erinnerte entfernt an einen Hund. David ging zurück zum Rand der Klippe und lief ein paar Meter talaufwärts. Blieb stehen. Lauschte. Da war nichts. Also versuchte er es in der anderen Richtung und ging ein paar Schritte bergab.

Er sah ihn in dem Moment, in dem er das Wimmern wieder hörte. »Wie bist du denn da hingekommen?« David ging in die Hocke und betrachtete das verwahrloste Fellbündel, das in seinem früheren Leben mal ein Hund gewesen war. Jetzt war es ein zitternder, klapperdürrer Haufen Knochen und verfilztes Fell. Die braunen Augen vor Panik aufgerissen balancierte das Tier auf einem Felsvorsprung, etwa einen Meter unter David, der eigentlich nicht mehr war als das breite Wurzelwerk einer krummen Latschenkiefer, die an der steilen Wand den Elementen trotzte.

David kroch noch ein Stück vorwärts, näher an die Kante – und der Hund kroch augenblicklich noch ein paar Zentimeter zurück. Die Kiefer knirschte. »Hey, hey. Ruhig Junge, ruhig.«

David wartete, bis das Zittern des Tieres ein wenig nachließ. Dann kroch er noch ein paar Zentimeter vor. Kleine Erdbrocken und Steinchen lösten sich von der Kante und rieselten in die Schlucht hinunter. Der Hund fiepte herzzerreißend und zeigte ihm dann die Zähne. Vor Angst, nahm David an. »Halt noch ein bisschen durch«, murmelte David. »Halt durch, halt durch.« Wie ein Mantra.

Mit einer langsamen Bewegung tastete David seine Parkataschen ab. Der Hund würde ihm auf keinen Fall trauen, aber er war sicher, dass der Hunger des Tieres größer war als seine Angst. Er hatte nichts mitgenommen auf seine Wanderung, aber in letzter Zeit hatte er sich angewöhnt, ein paar Leckerli dabeizuhaben, um Toby auf dem Mühlenhof eine kleine Freude zu machen. Er ertastete drei der kleinen Knochen. Das musste reichen, um den Kerl wieder auf festen Boden zu bekommen. David zog die Leckerli aus der Tasche und legte sie neben sich. Dann streckte er sich auf dem Bauch aus und schob sich mit dem Oberkörper über die Kante. Er nahm einen der kleinen Knochen und streckte ihn langsam in Richtung des Hundes. Das Tier knurrte mit eingezogenem Schwanz. »Du musst keine Angst haben. Nicht vor mir«, murmelte David. »Na komm schon. Hol ihn dir.«

Der Hund fixierte ihn noch einen Augenblick, dann richtete er seine Aufmerksamkeit auf das Leckerli. Für einen Moment zögerte er, aber der Hunger schien stärker zu sein als die Angst. Er kroch ein paar Zentimeter nach vorn und schnappte sich das Leckerli. Es schien fast, als inhaliere er den Happen. Sein ausgehungerter Magen würde wahrscheinlich nicht einmal merken, dass etwas in ihm ankam, aber David hatte sein Ziel erreicht. Der Hund hatte angebissen – im wahrsten Sinn des Wortes. Er leckte sich die Lefzen. Mit dem zweiten Leckerli brachte er das Fellbündel dazu, bis zur Felswand zu kriechen. Kaum hatte er sich den Knochen geschnappt, packte David ihn im Nacken. Der Hund jaulte panisch auf und versuchte, sich aus dem Griff zu winden. Er rutschte von dem schmalen Vorsprung und hing auf einmal, nur von David gehalten, in der Luft.

David biss die Zähne zusammen. Der Kerl war schwerer, als er aussah. Mit einem Ruck zog er ihn über die Kante und rollte sich herum. Der Hund schnappte nach ihm, dann begriff er, dass er wieder festen Boden unter den Füßen hatte und machte einen Satz zurück, kaum dass David ihn losließ.

»Genau, beiß die Hand, die dich füttert – und rettet«, brummte David. »Kumpels werden wir beide so nicht mehr.« Er warf dem Hund das letzte Leckerli zu und rappelte sich auf.

Ein paar Minuten lang starrten David und der Hund sich aus sicherem Abstand an. Ihm fiel auf, dass das Tier offenbar Verletzungen an beiden Vorderpfoten hatte. Hatte er sich bei der Rettungsaktion verletzt oder war er es vorher schon gewesen? An dem Felsvorsprung, von dem er ihn gerettet hatte, hatte David Kratzspuren gesehen. Vielleicht stammten die aufgeschürften Pfoten von seinem Versuch, wieder zurückzuklettern.

David merkte, dass seine Klamotten voller Erde waren und klopfte den Dreck ab. Der Hund zuckte bei diesen Bewegungen zusammen und duckte sich mit eingezogenem Schwanz.

»Mist«, fluchte David leise. Irgendjemand hatte dem armen Kerl echt zugesetzt. »Was fange ich bloß mit dir an?«, fragte er das Tier und schob seine Hände in die Gesäßtasche. Der Hund humpelte ein paar Schritte weg und blieb dann zögernd stehen. Er sah zwar aus wie ein echt wilder Kerl, aber wahrscheinlich war er einfach ausgesetzt worden. In seiner körperlichen Verfassung würde er wohl kaum an etwas zu Fressen herankommen. David war sich sicher, dass er das schon eine ganze Weile nicht mehr hinbekommen hatte. Er konnte ihn unmöglich verhungern lassen. »Uns beiden bleibt nichts anderes übrig«, erklärte er dem Hund. »Ich muss dich mitnehmen. Also versuch es uns beiden nicht so schwer zu machen, okay?« Er machte einen Schritt in die Richtung des Hundes, der, wie zu erwarten, einen wackligen Satz nach hinten sprang.

So würde es nicht funktionieren. »Ich will dir helfen«, redete David in monotonem Singsang weiter. Er hatte keine Ahnung, ob das funktionierte. Das Misstrauen verschwand nicht aus dem Blick des Tieres. Sein nächster Schritt würde den nächsten Rückzug bedeuten. Wenn David die Richtung vorgab, konnte er das Tier auf diese Weise bis Sternmoos vor sich hertreiben. Aber dann wären sie wahrscheinlich morgen Abend noch nicht zu Hause.

»Probieren wir es mal anders«, sagte er leise zu sich selbst. Er griff in seine Jackentasche, und der Hund spitzte die Ohren. »Ja, ich hab noch ein Leckerli für dich.« David zog seine leere Hand aus der Tasche und hielt sie dem Hund hin. »Na komm, feines Fressi«, lockte er ihn, und auch diesmal war die Macht des Hungers größer als die Furcht. Der Hund humpelte langsam näher und schnüffelte an Davids Hand. Einen Moment ließ er das Tier gewähren, wiegte es in Sicherheit. Dann packte er ihn abermals im Nacken und zog ihn an sich. Wie zuvor wehrte sich das Tier, jaulte und biss um sich. Aber David presste ihn fest gegen seinen Oberkörper. »Ist gut«, bemühte er ihn zu beruhigen. »Ich bin nicht dein Feind.« Er versuchte, gleichzeitig zu sprechen und den Atem anzuhalten. »In was hast du dich denn gewälzt?« Es musste etwas gewesen sein, das schon eine ganze Weile tot gewesen war, bevor der Hund es aufgestöbert hatte.

David erhob sich und begann den Abstieg ins Tal. Der Hund zappelte eine Weile, dann schien er zu begreifen, dass es aus Davids Umklammerung kein Entkommen gab. Schließlich ließ er sich schwer in Davids Griff sinken und ergab sich in sein Schicksal.

*

Rosas Leben stand Kopf. Als ihre Mutter ihre lang zurückliegende Beziehung mit Julians Betrug verglichen hatte, war das Gespräch, das sie mit Louisa und Rena hatte führen wollen, völlig aus dem Ruder gelaufen. Louisa hatte für Rosa Partei ergriffen und ihre Mutter angefaucht, Rosa nicht zusätzlich mit ihrem Ex-Freund zu quälen. Ein Wort hatte zum anderen geführt, und am Ende war Rena auf dem gleichen Weg verschwunden wie ihr Mann eine Viertelstunde zuvor – durch die Terrassentür in den Garten.

Heute Morgen hatte ihre Mutter Rosa angerufen und sich entschuldigt. Sie hatte keine gerade erst heilenden Wunden aufreißen wollen. Besonders, weil Julians Bruder die ganze Zeit um sie herum war und sie nicht vergessen ließ, was er ihr angetan hatte.

Rosa hatte ihrem Spiegelbild in der Fensterscheibe eine Grimasse geschnitten, während ihre Mutter sprach. Anders als alle glaubten, trauerte sie Julian und ihrer gescheiterten Beziehung nicht hinterher. Schon gar nicht, seit David sie geküsst hatte. Sie vermisste ihren Ex-Freund nicht, sie litt nicht an gebrochenem Herzen. Sicher, sie war verletzt. Noch immer sauer und wütend. Und sie hasste es, seiner Täuschung aufgesessen zu sein. Aber sie vermisste ihn nicht. Die Worte, die ihre Mutter Rosa in ihrer Küche an den Kopf geschleudert hatte, hatten sie im ersten Moment getroffen. Aber dann war ihr klar geworden, dass Julian niemals diese große Macht über ihre Gefühle gehabt hatte, die dieser Brandl noch heute über ihre Tante und ihre Mutter zu haben schien. Julian war nicht Rosas große Liebe gewesen. Sie hatte sich mit ihm gut gefühlt, seine Nähe genossen. Aber sie hatte nicht darüber nachgedacht, den Rest ihres Lebens mit ihm zu verbringen. Als Vater der Kinder, die sie irgendwo in ihrer Zukunft sah, hatte sie ihn sich nie vorstellen können. Vielleicht war sie einfach nur zu bequem gewesen, eine Beziehung zu beenden, die nirgendwohin geführt hatte. Möglicherweise war sie Antonia gar nicht so unähnlich und band sich nicht fest an einen Mann, bis sie den Richtigen fand. Nach dem Streit mit ihrer Mutter war ihr zumindest eines klar geworden: Julians Betrug hatte mehr an ihrem Stolz gekratzt als an ihrem Herzen.

Rosas Mutter schien die Szene am vergangenen Tag zutiefst zu bereuen. Abgesehen von dem Teil, der Louisa betraf. Einen leicht panischen Unterton in ihrer Stimme verursachte die Tatsache, dass Rosas Vater verschwunden war. Nach den Dingen, die Rena von sich gegeben hatte, war es kein Wunder, dass er erst einmal das Weite gesucht hatte. Trotzdem hatte sie ihrer Mutter versprochen, ihn suchen zu gehen und mit ihm zu reden. Wenn er nicht zu Hause war und in seinem Ohrensessel eine medizinische Fachzeitschrift las, gab es eigentlich nur einen Ort, an dem er sein konnte.

Sie fuhr mit dem Fahrrad zu seiner Praxis. An der Tür hielt sie für einen Moment inne und blickte über die Schulter zum Hotel hinüber. David war gegangen, nachdem sie ihn davon zu überzeugen versucht hatte, dass sein Kuss ihr nichts bedeutete. Seitdem hatte sie nichts von ihm gehört oder gesehen.

Sie schob die Tür auf und zog sich die Mütze vom Kopf. Im Wartezimmer brannte kein Licht, also ging Rosa nach hinten durch und klopfte an die Tür des Sprechzimmers. »Papa?«, rief sie. »Kann ich reinkommen?«

Sie hörte ihn etwas brummen, das sie nicht verstand, und öffnete vorsichtig die Tür. Ihr Vater saß auf der Untersuchungsliege. Sein Hemd war zerknittert. Neben ihm lag eine

Decke, und seine Schuhe standen auf dem Boden, was Rosas Annahme, er hatte hier übernachtet, bestätigte. Sie ließ sich auf seinen bequemen Sessel hinter dem Schreibtisch fallen. Er knarzte, als sie sich damit hin und her drehte. Das Refugium ihres Vaters strahlte den altmodischen Charme einer Landarztpraxis aus. Oder zumindest das, was Rosa sich darunter vorstellte. Die Wand neben ihr bestand aus dunklen Bücherregalen, in denen sich Nachschlagewerk an Nachschlagewerk reihte. Auf den dicken Wälzern lag nie Staub, aber Rosa war sich sicher, ihr Vater hatte schon seit einer Ewigkeit in keinem von ihnen geblättert. Er nutzte längst die Vorzüge der digitalen Welt, brachte es aber einfach nicht fertig, die alten Schmöker wegzuwerfen. Hinter dem Schreibtisch fanden sich die typischen Zecken- und Grippeschutzimpfungsposter. Das Familienfoto, das neben seinem Computerbildschirm auf dem Schreibtisch stand, hatte Hannah mit Selbstauslöser aufgenommen und zeigte die Familie – glücklich und strahlend – am Ufer des Sees. Über ihrem Vater auf der Behandlungsliege hingen seine gerahmten Diplome und Qualifizierungen, umgeben von unzähligen Dankeskarten seiner Patienten, Geburtsanzeigen und Fotos glücklich strahlender Menschen, denen er geholfen hatte.

Ihr müder Vater, der auf die Kante der Liege gerutscht war, um sich die Schuhe anzuziehen, wollte irgendwie nicht dazupassen. Die Fältchen, die die Jahre in seine Haut gegraben hatten, wirkten heute tiefer.

»Geht es dir gut, Papa?«, fragte Rosa leise.

»Natürlich tut es das.« Er schenkte ihr das beruhigende Lächeln, das es in ihren Kindertagen immer geschafft hatte, ihre Welt ins Lot zu rücken. Aber sie war kein kleines Mädchen mehr.

Sie verließ ihren Platz hinter dem Schreibtisch und setzte sich neben ihren Vater. Die Hand um seine Hüfte gelegt lehnte sie ihren Kopf an seine Schulter. »Weißt du, Papa, ich bin inzwischen eine erwachsene Frau. Du musst nicht mehr so tun, als sei alles in Ordnung. Die Dinge, die Mama gestern gesagt hat, haben dich verletzt.«

Josef seufzte. Er drehte den Kopf so weit, dass er sie auf das Haar küssen konnte. »Mein kluges, kleines Mädchen. Ich vergesse immer wieder, dass ihr inzwischen groß seid. Aber das ändert nichts daran, dass Eltern ihre Eheprobleme nicht vor euch ausbreiten dürfen.«

»Habt ihr das denn?« Rosa hob ihren Kopf ein Stück, um ihm in die Augen sehen zu können. »Eheprobleme?«

Josef gab einen frustrierten Laut von sich. »Bis gestern hätte ich mit Nein geantwortet. Da wusste ich allerdings auch noch nichts von einem anderen Mann. Einem, mit dem deine Mutter verlobt war und den sie noch immer als die Liebe ihres Lebens bezeichnet.« Er nahm Rosas Hand in seine. »Du willst wie eine Erwachsene darüber reden? Dann sag mir, was ich deiner Meinung nach davon halten soll.«

Rosa schluckte. Sie wollte ihre Worte mit Bedacht wählen, doch sie sprudelten einfach aus ihr heraus. »Mama liebt dich. Daran zweifle ich nicht eine Sekunde. Sie hat Dinge gesagt, die dich verletzt haben. Das liegt wahrscheinlich daran, dass sie die Begegnung mit Brandl nach all den Jahren ein bisschen aus der Bahn geworfen und ein paar unschöne Erinnerungen heraufbeschworen hat.«

»Vielleicht ist das der Grund. Vielleicht war dieser Mann ihre einzige große Liebe. Vielleicht ihre erste große Liebe. Ich habe nichts von ihm gewusst, aber ich vertraue deiner Mutter, und ich glaube an sie. An unsere Beziehung und an die Familie, die wir gemeinsam gegründet haben. Sie wird es mir erklären.«

»Dann gehst du wieder nach Hause?«

»Natürlich, mein Schatz. Ich glaube, Rena hat ein bisschen Freiraum gebraucht, um ihre Gedanken zu sortieren.« Er drückte ihre Hand. »Mach dir keine Sorgen um uns. Wir kriegen das schon hin. Ich erledige noch ein bisschen Papierkram, dann gehe ich nach Hause. Versprochen.«

»Gut. Dann lasse ich dich jetzt in Ruhe.« Rosa umarmte ihren Vater, atmete seinen unverwechselbaren Duft ein. Sein Aftershave und den Hauch Pfeifentabak. »Lass sie nicht zu lange warten«, bat sie ihn, bevor sie ging.

17

Ein Hund konnte verdammt schwer werden, wenn man ihn durchs halbe Gebirge schleppen musste, stellte David fest. Selbst wenn sie nur aus Haut und Knochen bestanden wie sein neuer müffelnder Freund. Er kam wesentlich langsamer voran als auf dem Hinweg. Seine Arme begannen vor Anstrengung zu zittern, und seine Oberschenkel brannten. Genau wie seine Waden. Irgendwann setzte er das Tier auf einer Bank ab und hob ihn dann quer über seine Schulter. Überraschenderweise schien das dem Hund zu gefallen, zumindest wehrte er sich nicht gegen den Feuerwehrgriff. So schleppte David ihn auch noch den Rest der Strecke bis ins Hotel.

Die Rezeptionistin starrte ihn schockiert an, als er durch die Lichtschranke trat und die Eingangstüren aufglitten. »Sie dürfen hier nicht ...«, begann sie.

»Ich weiß. Ist Xander hier? Ich warte draußen«, bot David an, als die junge Frau hinter dem Empfang zögerte.

»Also gut. Ich rufe ihn an.« Sie hob den Hörer ab und wartete, bis David sich umdrehte und das Hotel wieder verließ.

David kannte Xander nicht besonders gut. Er hatte ihn ein paarmal im Hotel gesehen und auf Jakobs Party am Freitag. Soweit er es beurteilen konnte, war Xander nicht besonders begeistert von seiner Anwesenheit im Tal. Aber seine Tochter war Davids größter – und in Sternmoos vermutlich auch einziger – Fan.

Und Xander hatte einen Hund. Den hatte Jakob zwar auch, aber bis zu dessen Werkstatt wollte er seinen Begleiter nicht mehr schleppen. Die Mühle kam genauso wenig infrage. Zum einen lag sie zu weit entfernt für einen weiteren Fußmarsch, zum anderen war Rosa wahrscheinlich im Moment mit ihrer Familie genug beschäftigt.

David setzte den Hund ab und ließ sich auf die Bank vor dem Hotel fallen. Das Tier brachte einen Meter Abstand zwischen David und sich, immer noch nicht sicher, ob es ihm trauen konnte. Klar, er hatte ihn ja auch nur durch das halbe Tal geschleppt.

Als er das Auseinandergleiten der Glastüren hörte, blickte David auf. Xander kam auf ihn zu und zog sich im Gehen seine Jacke über. »Du wolltest mich sprechen?«, fragte er und klang genauso reserviert, wie David es erwartet hatte. Rosas Fanclub in diesem Dorf war im Gegensatz zu seinem einfach riesig.

»Danke, dass du dir einen Moment Zeit genommen hast«, sagte David. »Ich brauche Hilfe.« Er streckte Xander die Hand hin, zog sie aber wieder zurück und schob sie in die Hosentasche, als ihm klar wurde, dass sie im Moment nicht viel besser roch als das Fellbündel neben ihm.

Xander warf dem Hund einen Blick zu und zog die Augenbrauen nach oben. Langsam ging er in die Knie, so als sei ihm völlig klar, wie scheu das Tier war. »Na hallo, wer bist du denn?« Keine Reaktion des Hundes. Kein Schwanzwedeln. Nur aufmerksames Starren aus den dunklen Augen. Xander blickte zu David auf. »Wo hast du ihn gefunden?«

David erzählte ihm von dem schmalen Felsvorsprung unter

der Hängebrücke. »Vielleicht ist er irgendwo ausgebüxt«, brachte er das Argument an, das er selbst nicht glaubte.

»Wäre theoretisch möglich. Aber so, wie er aussieht, wurde er eher ausgesetzt. Wir haben Bub und Laus letztes Jahr auch im Tal gefunden. Irgendein Arschloch hat sie einfach samt Käfig in den Bach geworfen. Wären fast abgesoffen, die kleinen Kerle.«

David schüttelte den Kopf. »Ich verstehe nicht, wie man so etwas machen kann.« Er blickte nach unten. Der Hund suchte sich genau diesen Augenblick aus, zu ihm aufzuschauen. Mit seelenvollen Augen, in denen sich eine Mischung aus Angst und dem Wunsch zu vertrauen zu spiegeln schienen. Vorsicht und Hoffnung. David schluckte und wandte den Blick wieder zu Xander. »Jedenfalls habe ich ihn mitgebracht. Jetzt muss ihm irgendwie geholfen werden. Ich glaube, er hat sich an den Pfoten verletzt.«

»Das Erste, was er dringend braucht, ist ein Bad«, sagte Xander. »Meine Eltern müssten noch so ein Hundeshampoo dahaben. Bub gehört nämlich nicht gerade zu den Hunden, die einer Schlammpfütze aus dem Weg gehen. Ich gehe rüber zu ihnen, und du steckst den Kerl dann hier unter die Dusche. Hunde sind im Hotel zwar nicht erlaubt, aber in diesem Fall können wir eine Ausnahme machen. Vorher geben wir ihm eine Handvoll Trockenfutter und ein bisschen Wasser. Aber nicht zu viel. Wir wollen schließlich nicht, dass er alles gleich wieder auskotzt. Und dann solltest du ihn zum Tierarzt bringen«, zählte Xander einen Punkt nach dem anderen auf, bis David der Kopf schwirrte. »Ich kenne den Doc in Berchtesgaden. Wenn du willst, rufe ich ihn an und bitte ihn, für euch zwei ausnahmsweise am Sonntag die Praxis aufzumachen.«

»Ja, das wäre super. Danke.« David wartete auf Xanders

nächsten Vorschlag – eine Idee, was im Anschluss mit dem Hund geschehen sollte. Aber sein Gegenüber war fertig mit seinem Vortrag. »Wo bringen wir ihn nach dem Besuch beim Tierarzt unter?«, fragte David schließlich.

»Du solltest ihn behalten«, schlug Xander das Unmögliche vor. »Du hast ihn gerettet, also ist das jetzt dein Hund.«

»Was? Nein, auf keinen Fall«, widersprach David. Er hatte die Worte heftig genug ausgesprochen, dass der Hund sich duckte und leise fiepte. Sofort bereute David seine deutliche Reaktion. »Ich kann keinen Hund haben«, fuhr er etwas gefasster fort. Warum traf ihn Xanders Idee so? Als er vor ein paar Tagen dem Mühlenhund Toby begegnet war, war ihm wieder eingefallen, dass er als kleiner Junge vergeblich davon geträumt hatte, einen eigenen Hund zu haben. Inzwischen war er jedoch zu dem Schluss gekommen, dass er keine Verantwortung für ein lebendes Wesen übernehmen sollte.

»Tja.« Xander betrachtete den Hund ebenfalls. »Sieht ganz danach aus, als hättest du ab jetzt einen.«

David drehte sich auf dem Absatz um und blickte auf den Marktplatz. »Ich kann mich doch überhaupt nicht um ihn kümmern«, widersprach er. »Kannst du ihn nicht nehmen? Du hast doch sowieso schon einen.«

»Nein, kann ich nicht. Leni würde behaupten, der Hund hat sich dich ausgesucht. Nicht, dass ich an dieses Vorsehungszeug oder Karma oder so was glaube. Jedenfalls nicht besonders fest.« Xander trat neben David und richtete den Blick wie er auf den Marktplatz. »An dieser Aussage könnte etwas dran sein«, fuhr er fort. »Und muss nicht jeder Autor einen Hund haben, mit dem er spazieren gehen kann, wenn er mal wieder eine Schreibblockade hat oder so was?«

»Nein, verdammt!« David fuhr sich nervös mit den Händen durch die Haare, was ihn in eine neuerliche Wolke des Hundegestanks hüllte. »Weil ein Autor sich nicht um einen Hund kümmern kann. Wenn ich einen Schreibflash habe und in mein Manuskript abtauche, pinkelt er wahrscheinlich in die Ecke, weil ich nicht merke, dass er raus muss. Ich würde schlicht vergessen, mit ihm Gassi zu gehen. Würde ihm nichts zu fressen und zu trinken geben. Die… die Pflanze, die ich im *Blatt und Blüte* neulich gekauft habe, steht in meinem Hotelzimmer und ist nur deshalb noch am Leben, weil irgendjemand von eurem Personal so nett ist, sie zu gießen. Andernfalls hätte ich sie längst umgebracht. Ich kann unmöglich die Verantwortung für ein anderes Lebewesen übernehmen.«

Xander warf David einen Seitenblick zu. »Weißt du«, sagte er nachdenklich. »Ich bin kein Fan deines Buches. Aber abgesehen davon… du solltest nicht weniger von dir halten, als du wert bist.«

*

Rosa und ihre Schwestern hatten einen neuen Anlauf für ein Treffen genommen und sich auf dem Dachboden der Mühle verabredet. Dieses Mal würde es hoffentlich keine bösen Überraschungen geben. Um die Zeit zu überbrücken, setzte Rosa aus Früchtetee, Saft und Gewürzen einen Topf alkoholfreien Punsch an. Die routinierten Handgriffe in ihrer Küche beruhigten sie – wie immer. Und als sie schließlich mit einer Thermoskanne und drei Steingutbechern, begleitet von Toby, die Treppe zum Dachboden hinaufstieg, warteten Hannah und Antonia bereits auf sie. Ihre jüngere Schwester hatte sich einmal mehr eine von Jakobs Fleecejacken übergeworfen, ihre offenen Haare wellten sich über dem Logo der Bergwacht. Antonia hatte sich in einen Wollponcho gewickelt. Ihre Haare waren den Sommer über ziemlich gewachsen, und die Spitzen ihres leicht schief sitzenden Pferdeschwanzes strichen über ihre Schultern.

Rosa begrüßte ihre Schwestern und schenkte den Punsch aus. Dann ließ sie sich vorsichtig auf ihren Sitzsack sinken und nippte an ihrem Becher. Sie sog den Duft nach Orangen ein und schmeckte die Vanille und den Zimt auf ihrer Zunge. Der Herbst war noch nicht vorüber, aber das Getränk war ein warmer Vorgeschmack auf den Winter, der kalt und dunkel vor ihnen lag. »Schön, dass ihr gekommen seid und wir über das reden können, was gestern passiert ist.«

»Wer hätte gedacht, dass unsere Mutter und unsere Tante so drauf sind?«, warf Antonia in den Raum. »Mama kann jedenfalls nichts mehr über meine Männerauswahl sagen. Ich schlage sie ab jetzt problemlos mit ihren eigenen Waffen.«

»Tonia!« Hannah warf ihrer Schwester einen strengen Blick zu.

»Was denn? Stimmt doch«, verteidigte sich Rosas ältere Schwester. »Wie war es mit Papa?«, lenkte sie das Thema auf den Grund des Treffens.

Rosa trank noch einen Schluck Punsch. »Ich glaube, um unsere Eltern müssen wir uns keine Sorgen machen. Aber Mama und Lou? Das ist im Moment wirklich schwierig.«

»Wenigstens wissen wir jetzt, warum es zwischen den beiden immer so eine Grundspannung gegeben hat, die niemand so wirklich greifen konnte.« Hannah balancierte ihre Tasse mit ausgestrecktem Arm und erlaubte Toby, auf ihren Schoß zu klettern. »Das hat schon seit Jahrzehnten unterschwellig mitgeschwungen.«

»Hat Lou euch erzählt, was damals wirklich passiert ist?«, fragte Rosa und schenkte Antonia, die ihr den Becher hinhielt, noch einmal nach.

»Es war eine Verkettung unglücklicher Umstände«, sagte Hannah.

»Abgesehen von Brandl«, warf Antonia ein. »Der hat sich benommen wie ein Arsch. Aber dafür haben ihm am Ende auch beide in den Allerwertesten getreten. Und zwar kräftig.«

»Lou war damals ein paar Jahre im Ausland unterwegs gewesen«, fuhr Hannah fort.

»Ihre Hippie-Selbstfindungs-Phase?«, fragte Rosa.

»Genau. Als sie zurückgekehrt war, hat sie in München Station gemacht und in einer Bar gejobbt. Brandl hatte in jenem Sommer einen Studentenjob in einem Hotel am Königssee. Er hat Mama kennengelernt, und die beiden haben sich ineinander verliebt. Am Ende der Ferien hat er ihr einen Heiratsantrag gemacht, und sie hat Ja gesagt.«

»Das wusste niemand«, murmelte Rosa. »Nicht einmal Papa hat sie später davon erzählt.«

»Ich glaube, der Mann, für den sie Brandl hielt, hat sie richtig glücklich gemacht.« Antonia runzelte nachdenklich die Stirn. »Für sie muss diese Beziehung wirklich etwas ganz Besonderes gewesen sein. Aber wie so etwas damals lief: Sie hatte nicht viel Geld, und er war Student. Also ist er nach München zurückgekehrt, und sie haben beschlossen, erst Weihnachten zusammen zu verbringen.«

»Und dann ist ihm Lou über den Weg gelaufen«, erzählte Hannah weiter. »Sie hat ihn einfach – umgehauen. Er hat sich unausweichlich und unaufhaltsam in sie verliebt.«

»Wie konnte er nicht erkennen, dass Rena und Lou Schwestern sind?« Rosa konnte sich noch nicht einmal vorstellen, dass es einen so großen Zufall gab und Brandl ausgerechnet ihre Mutter und ihre Tante kennenlernte und sich in beide verliebte. Wie konnte er nichts von ihrer Verwandtschaft gemerkt haben?

»Na ja, ähnlich haben sich die beiden damals genauso wenig gesehen wie heute. Ein Hippie mit hennarotem Haar und flippigen Klamotten und ein Mädchen vom Land mit korrekten Frisuren und noch korrekterer Kleidung. Brandl wusste, dass Rena eine Schwester hatte, aber er hatte nie ein Foto von Lou zu Gesicht bekommen. Und weil Lou wie ihr verstorbener Vater Anger hieß und Rena Stadler – wie der zweite Mann ihrer Mutter –, ist er gar nicht auf die Idee gekommen, dass sie sich kennen könnten geschweige denn verwandt sind.« Antonia lehnte sich in ihrem Sitzsack zurück und blickte in den Sternenhimmel aus kleinen LED-Lichtern hinauf. »Er war ein Feigling. Hat es nicht fertiggebracht, sich von Mama zu trennen und ihr reinen Wein einzuschenken. Lou hat er natürlich ebenfalls kein Sterbenswörtchen davon erzählt, dass er bereits verlobt war.«

»Er war mit der Gesamtsituation überfordert, würde man heutzutage dazu sagen«, überlegte Rosa laut und schob ein »das soll keine Entschuldigung für ihn sein« hinterher, als Antonia den Kopf so weit senkte, um ihr einen finsteren Blick zuzuwerfen. »Ich verteidige ihn nicht, okay?«

Ihre ältere Schwester nickte. »Mama war auch damals schon typisch Mama. Brandl hat ihre Briefe nicht mehr beantwortet, und von einem gemeinsamen Weihnachtsfest war plötzlich nicht mehr die Rede. Also hat sie ihre Pfennige zusammengekratzt und ist an den Feiertagen nach München gefahren. Aber als sie an seiner Tür geklingelt hat, hat ihre Schwester geöffnet.«

»Wie schrecklich.« Rosa konnte sich nicht einmal im Ansatz vorstellen, wie verletzt Rena und Lou sich gefühlt haben mussten.

»Es gab eine Riesenszene, und Brandl war von diesem Moment an Geschichte für die beiden. Zumindest bis jetzt.« Hannah schüttelte den Kopf. »Das Ganze ist völlig verrückt. Wie viele Zufälle kann es denn in einem Leben geben? Erst trifft er Mama hier und dann Lou in München, und jetzt taucht er zufällig genau da auf, wo die beiden leben. All die Jahre hat er nie nach einer von ihnen gesucht. Den Bauernhof in Schönau haben sie schon vor ewigen Zeiten verkauft. Klar, sie sind nur ein paar Dörfer weitergezogen, aber das konnte er ja nicht wissen.«

Rosa drehte ihre Tasse in den Händen. »Wenn ihr mich fragt, hat er noch immer was für Lou übrig«, sagte sie leise. »Wie er sie gestern angesehen hat, als er in ihrer Tür stand. Das war nicht zu übersehen.«

»Er bereut, was er Mama damals angetan hat. Und das war wirklich eine miese Tour. Aber Lou ist die Frau seines Lebens. Das sehe ich genau wie du, Rosa. Stellt sich nur die Frage, ob er ein Anrecht auf eine zweite Chance hat.«

»Hat man das? Wenn man es einmal so richtig versaut hat?« Rosa wurde plötzlich bewusst, dass sie mit dieser Frage nicht Lous und Brandls Situation verband. Sondern ihre eigene. Und Davids. »Das ist die Frage, nicht wahr?«

Einen Moment herrschte Stille auf dem Dachboden. Nur das leise Knarzen des alten Gebälks und Tobys Schnarchen waren zu hören. Dann richtete sich Antonia auf und beugte sich vor. »Willst du uns damit etwas Bestimmtes sagen?« Ihre Schwestern hatten schon immer gute Antennen für die Empfindungen der jeweils anderen gehabt.

»Du warst gestern schon so komisch«, schloss sich Hannah an. Sie ließ Rosa nicht aus den Augen, während sie den Hund auf ihrem Schoß weiter streichelte. »Wir sind gar nicht zum Reden gekommen, als du uns in die Mühle beordert hast.«

»Ich habe euch nicht *beordert*«, protestierte Rosa.

Hannah zuckte die Schultern. »Jedenfalls waren wir da, konnten aber nicht reden. Was ist los? Von welchem Vergeben reden wir? Ist auf der Party etwas vorgefallen, wovon wir nichts mitbekommen haben?«

»Du hast doch nicht etwa vor, Julian irgendetwas zu verzeihen? Wenn du das machst…« Antonia beendete den Satz nicht.

»Nein, natürlich nicht.« Rosa blickte auf ihre Hände, zwischen denen ihr noch immer halb voller Punschbecher schwebte. »David hat mich geküsst.« Ihre Schwestern sagten nichts, was Rosa schließlich dazu zwang, wieder aufzusehen.

Hannahs fassungsloser Gesichtsausdruck war ein Spiegelbild von Antonias. »Und?«, fragte ihre jüngere Schwester vorsichtig.

Rosa schluckte. »Ich habe ihn zurückgeküsst. Und dann bin ich abgehauen.«

»Wow.« Antonia löste ihren Zopfgummi und band ihre Haare neu zusammen. »Wenn es dich nicht von den Socken gehauen hätte, wäre das vermutlich kein Thema für ein Treffen gewesen, nehme ich an.«

»Es war einfach…« Rosa fehlten die Worte, um die Gefühle zu beschreiben, die Davids Nähe in ihr ausgelöst hatte. Sie stellte die Tasse ab und rieb sich über das Gesicht. »Ich kann nicht aufhören, daran zu denken«, sagte sie durch den Vorhang ihrer Finger. »Und ich will ihn wieder küssen.« Frust und Sehnsucht kämpften in ihrem Inneren miteinander. »Wie kann das sein? Wie kann ich so etwas empfinden, obwohl ich ihn hassen müsste? Er hat mich in der Öffentlichkeit vorgeführt. Fast hätte er meinen Ruf zerstört. Und trotzdem will ich ihm in die Arme springen und ihn ... Verdammt!«

Ein Glucksen zerbrach die Stille nach Rosas Fluch. Sie blickte zu Hannah, die sich auf die Unterlippe biss und versuchte, ihre Gesichtszüge neutral zu halten. Antonia hatte sich nicht so gut im Griff. Ein weiteres Kichern ließ sich nicht aufhalten, obwohl sie die Hand vor den Mund schlug. Im nächsten Moment ließ sie sich prustend nach hinten fallen, nur um sich dann zusammenzukrümmen und sich vor Lachen den Bauch zu halten. Hannah schloss sich ihr an und begann ebenfalls, haltlos zu lachen. Toby, der davon aufgeschreckt wurde, sah sich verwirrt um, sprang dann von ihrem Schoß und kam zu Rosa herüber.

»Ihr findet das witzig? Ehrlich jetzt?«, versuchte sie, zu ihren Schwestern durchzudringen. »Wirklich super, denn ich kann den lustigen Teil dieser Geschichte nicht sehen.«

Hannah beruhigte sich langsam wieder und atmete tief durch, während sich Antonia noch die Lachtränen aus den Augenwinkeln wischte. »Entschuldige.« Hannah hob beschwichtigend die Hände und wurde wieder ernst. »Das war wirklich ... wow. Rosa, Süße, wir lachen dich nicht aus. Es ist nur diese ganze Situation.«

»Die könnte komischer nicht sein.« Antonia schüttelte den Kopf. »Dein Leben lief immer so perfekt. In dem Chaos, in das wir ständig geraten ...«

»Hey, ich nicht mehr, seit ich Jakob zurückhabe!«, warf Hannah dazwischen.

Antonia verdrehte gut gelaunt die Augen. »Du hast genug Drama gehabt, dass es für uns beide reicht«, wies sie Hannah zurecht. »Aber du hast sonst immer alles im Griff, Rosa. Ich kann es nicht fassen, dass ein Mann dich so aus der Bahn wirft.«

»Und das soll gut sein?«

Antonia beugte sich vor und griff nach Rosas Händen. »Ich habe keine Ahnung. Es kommt selten vor, dass so etwas überhaupt passiert. Und dich erwischt das ausgerechnet mit David. Das ist wirklich verrückt! Aber wenn du so empfunden hast, darfst du das nicht zur Seite schieben. Finde heraus, was da zwischen euch ist. Genieße es.«

»Ich kann doch nicht … es ist ja nicht nur, dass er dieses Buch geschrieben hat. Er ist Julians Bruder!«

»Rosa.« Hannah hockte sich neben sie und legte ihr den Arm um die Schultern. »Vergiss all das. Ich weiß, ich habe gesagt, dass er eine wirklich qualvolle Folter verdient hat für das, was er dir angetan hat. Aber ich weiß auch, was Liebe ist. Dagegen kann man sich nicht wehren. Ganz abgesehen davon, dass sie wirklich seltsame Wege geht.«

»Von Liebe war doch überhaupt keine Rede«, widersprach Rosa. Die Richtung, die dieses Gespräch nahm, behagte ihr gar nicht.

»Noch nicht«, sagten ihre Schwestern gleichzeitig.

»Na toll. Ihr seid eine wirklich große Hilfe. Wer Schwestern hat …«

*

Als Xander mit Hundefutter und einem Fellpflegeshampoo von seinen Eltern zurückgekehrt war, hatte er entschuldigend das Gesicht verzogen. »Für heute Nacht ist das mit dem Hund okay, aber länger kann er nicht im Hotel blei-

312

ben.« Das Bedauern in seiner Stimme war nicht zu überhören gewesen. »Normalerweise habe ich kein Problem damit, mich mit meinem Vater anzulegen, aber in letzter Zeit haben wir ständig Auseinandersetzungen und geraten immer wieder aneinander. Und Bub ist der einzige Hund, den er im Hotel überhaupt duldet.«

David vermutete, dass es bei diesen Diskussionen um die Lichtung ging, den Teil des Mühlengrundstücks, auf dem Xanders Vater gern ein Hotel bauen wollte. Entweder wurde David den Hund also los – wie er es vorhatte – oder er musste sich ein neues Hotel suchen. Eine einfache Entscheidung. Eigentlich.

David blickte zu dem Hund hinüber, der an den Wänden des Wartezimmers herumschnüffelte. Er hatte nach ausreichend Theater das Halsband akzeptiert, das Xander ihm gemeinsam mit einer Leine leihweise überlassen hatte. David wollte nicht, dass der Hund vor der Praxis aus seinem Wagen sprang und über die Straße rannte, wo ihn ein anderes Auto erwischen könnte. Wenn man das Anlegen des Halsbandes als Kampf bezeichnen wollte, war der Versuch, ihn an die Leine zu legen, offener Krieg. Der Hund hatte sich gewunden, um die eigene Achse gedreht und nach dem Leder geschnappt. Aber David hatte es auf diese Weise geschafft, ihn in die Praxis zu bekommen.

Er lehnte den Kopf zurück und betrachtete das Poster der Poker spielenden Katzen an der gegenüberliegenden Wand. Vielleicht war es doch an der Zeit, seine Zelte im Berchtesgadener Land abzubrechen und nach München zurückzukehren. Er hatte erledigt, was er vorgehabt hatte, nämlich Rosa über die Schulter zuschauen und herauszufinden, wie sie wirklich tickte. Das war ihm gelungen. Ganz nebenbei hatte er die Idee zu einem neuen Buchprojekt gefunden und seine Schreibblockade überwunden. Doch allein beim Gedanken daran, in sein altes – sein wirkliches – Leben zurückzukehren, sträubte sich alles in ihm. Er wollte Sternmoos noch nicht verlassen. Und auch wenn der Hund in den letzten Stunden seine ganze Aufmerksamkeit beansprucht hatte, so war Rosa doch nicht aus seinen Gedanken verschwunden.

Der Tierarzt, der sie in die Praxis gelassen und dann gebeten hatte, kurz zu warten, öffnete die Tür seines Behandlungszimmers. »Ich bin so weit«, sagte er und wies mit einer einladenden Geste in den Raum.

Der Hund hob den Kopf und starrte den Tierarzt an. Im Blick nicht weniger Skepsis, als er David entgegenbrachte. Ein Zittern lief durch den dünnen Körper. »Komm mit«, forderte David ihn auf, was der Hund geflissentlich ignorierte. David blieb nichts anderes übrig, als auf die Taktik zurückzugreifen, die sich mittlerweile bewährt hatte: Bestechung. Er hatte den Leckerlivorrat in seiner Jackentasche wieder aufgefüllt und zog jetzt eines heraus. Der Kopf des Hundes fuhr zu ihm herum, und David hielt es ihm genau vor die Nase. »Na komm.« David setzte sich in Bewegung, und das Tier folgte ihm humpelnd, ohne das Leckerli auch nur eine Sekunde aus den Augen zu lassen.

Im Untersuchungsraum gab er ihm das Häppchen, hob ihn auf die Arme und setzte ihn – bei inzwischen nur noch leichter Gegenwehr – auf den Untersuchungstisch. Das Fell, das er dreimal gewaschen hatte (was dem Hund überraschenderweise von Waschgang zu Waschgang weniger ausgemacht hatte), bis das Wasser im Abfluss von schwarz zu klar gewechselt war, hatte eine goldbraune Farbe, die unter dem Licht der Untersuchungslampe über dem Tisch glänzte. Das rechte Vorderbein war weiß, das der anderen Pfoten dunkelbraun. Es sah ein bisschen so aus, als hätte der Hund morgens im Halbschlaf in die Sockenschublade gegriffen und einen falschen Strumpf erwischt. David vermutete etwas von einem Retriever in dem Hund. Das war aber nicht alles, denn so wie er aussah, trug er auch ein paar Gene irgendeiner Jagdhundrasse mit sich herum. Vielleicht hatte ja der Tierarzt eine Ahnung, was für eine Mischung er vor sich sitzen hatte. »Danke, dass Sie sich die Zeit genommen haben, sich den Hund anzusehen.« David legte seine Hand auf den Rücken des Tieres und spürte die ängstlich gespannten Muskeln unter seinen Fingern.

»Kein Problem«, sagte der Tierarzt. »Die Mistkerle, die Tiere aussetzen, sollte man ... Sie wissen schon.« Er imitierte mit Zeige- und Mittelfinger eine Schere, und David bemühte sich, nicht schmerzlich das Gesicht zu verziehen. »Haben Sie Hinweise darauf gefunden, wer ihn ausgesetzt hat?«

»Nein. Ich habe nichts Auffälliges bemerkt.« David schilderte dem Tierarzt noch einmal, wie er den Hund gefunden hatte.

»Ich gehe nicht davon aus, dass wir denjenigen finden, der dafür verantwortlich ist.«

»Vielleicht ist der Hund ja doch abgehauen, und jemand sucht nach ihm.«

Der Tierarzt machte David genauso wenig Hoffnung wie Xander zuvor. »Wenn jemand nach ihm suchen würde, wüsste ich davon. Ich kann mich bei meinen Kollegen in der Gegend und in den Tierheimen umhören. Aber ich glaube kaum, dass irgendwo ein Flyer mit seinem Foto hängt.« Er strich dem Hund behutsam über den Kopf. Wie nicht anders zu erwarten, wich das Tier ein Stück zurück. »Jetzt bist du in guten Händen«, sagte er zu dem Hund. »Haben Sie dem Hund schon einen Namen gegeben?«

»Wie soll ich ihm denn einen Namen geben? Ich weiß doch noch nicht einmal, ob das ein Weibchen oder Männchen ist«, brachte David das Logischste der Argumente vor, die er sich im Kopf zurechtgelegt hatte. Er würde auf keinen Fall so weit gehen, einen Namen für das Tier auszusuchen. Er hatte es nur aus der Felswand geklaubt und ins Tal getragen. »Ich werde ihn nicht behalten. Deshalb sollte ich ihm auch keinen Namen geben. Was, wenn die neuen Besitzer ihn anders nennen wollen?«

Der Tierarzt machte sich nicht die Mühe, darauf zu antworten. Er hob lediglich leicht den rechten Mundwinkel, und David hatte das Gefühl, dass er ihn insgeheim auslachte. Sollte er doch, genau wie Xander, denken, David wäre in der Lage, sich um einen Hund zu kümmern. Er wusste, dass das nicht passieren würde.

»Eines kann ich Ihnen schon einmal verraten«, sagte der Tierarzt nach einem fachmännischen Blick auf den Hund. »Es ist ein Rüde. Ungefähr ein halbes Jahr alt und bereits kastriert. Er wird auf jeden Fall noch ein bisschen wachsen, wenn ich mir die Pfoten so ansehe.« Er reichte David ein Formular auf einem Klemmbrett. »Füllen Sie einfach aus, was Sie ausfüllen können. Den Rest lassen Sie offen. Vielleicht findet sich später noch die eine oder andere Antwort.« Dann konzentrierte er sich wieder auf den Vierbeiner, während David versuchte, wenigstens ein paar der Fragen auf dem Klemmbrett zu beantworten.

David versuchte, den Kampf auszublenden, den der Hund und der Arzt führten, als dieser versuchte, das Tier auf die Waage zu setzen. Er bemühte sich, das gepeinigte Jaulen zu überhören, als ihm Blut abgenommen wurde. Die Untersuchung seiner Schlappohren ließ er über sich ergehen, aber bereits bei den Pfoten, besonders der verletzten, war er wieder auf Krawall gebürstet. »Na komm schon, Großer«, versuchte David es mit ein paar aufmunternden Worten. »Reiß dich ein bisschen zusammen. So schlimm ist es doch gar nicht.« Er erntete einen zutiefst enttäuschten Blick des Tieres, der ihn als Verräter abstempelte.

»Das Lederhorn an den Vorderballen ist komplett abgescheuert, und die Ballen sind entzündet. Wahrscheinlich hat er sie sich wundgescharrt«, teilte ihm der Tierarzt mit.

»Ich habe auf dem Felsvorsprung, auf dem ich ihn gefunden habe, Kratzspuren entdeckt. Wahrscheinlich hat er versucht, sich aus seiner Lage zu befreien.«

»Gut möglich.« Der Arzt untersuchte den Hund weiter. »Mit ein bisschen Pflege und Pfotenschutz bekommen Sie das im Handumdrehen hin. Sorgen Sie dafür, dass er seine Pfoten schont. Er braucht Socken oder Hundeschuhe. Halten Sie ihn an der Leine, damit er nicht davonrennt. Es braucht ein bisschen Zeit, aber das heilt wieder.«

David wollte nicht einmal darüber nachdenken, was das bedeutete.

Erst als der Tierarzt einen Schritt vom Untersuchungstisch zurücktrat, stellte sich David wieder neben den Hund und strich ihm beruhigend über den Rücken. »Ich glaube, wir haben es geschafft«, beruhigte er das Tier. Es gab einen kläglichen Laut von sich und schob seinen Kopf in den schmalen Spalt zwischen Davids Arm und seinem Oberkörper.

»Er vertraut Ihnen«, sagte der Tierarzt. »Das ist ein guter Anfang.«

Anfang von was?, dachte David. Es war allerdings tatsächlich erstaunlich, wie sicher sich der Hund bei ihm zu fühlen schien, wenn er daran dachte, wie es noch vor ein paar Stunden gewesen war. »Was fehlt ihm alles, abgesehen von den wunden Pfotenballen?«, fragte er, entschlossen, sich auf die Fakten zu konzentrieren.

»Gemessen an seiner Unterernährung geht es ihm erstaunlich gut. Er wiegt achtundzwanzig Kilo. Fünf bis sechs Kilo mehr würden ihm nicht schaden. Ich gebe Ihnen ein bisschen Aufbaufutter mit.«

David wollte protestieren, dass er das Futter nicht brauchte, weil er den Hund ja nicht behielt, aber der Arzt sprach bereits weiter.

»Seine Ohren sind okay. Aber Sie sollten darauf achten, da braut sich schnell mal eine Entzündung zusammen.« Er kramte in einem Schrank herum und stellte dann ein Tablettenröhrchen auf den Untersuchungstisch. »Ein Vitaminpräparat. Das sollten Sie ihm regelmäßig geben. Wenn wir das Laborergebnis der Blutuntersuchung haben, wissen wir, ob der Hund schon geimpft ist. Falls nicht, holen wir das nach. Außerdem sollten Sie eine Stuhlprobe vorbeibringen, damit wir sehen, ob er Würmer hat.« Er stellte ein weiteres Fläschchen auf den Tisch. »Das ist Metacam. Ein Schmerzmittel für die Pfoten, das Sie ihm einmal am Tag verabreichen.«

Davids Kopf begann zu schwirren, doch der Tierarzt wurde nicht müde, noch mehr Einzelheiten der Untersuchung aufzuzählen und ihm zu erklären, wie er den Hund in den nächsten Tagen pflegen musste. »Ich habe vier Zecken entfernt. Es kann aber gut sein, dass das noch nicht alle waren. So unkooperativ, wie sich Ihr kleiner Freund benimmt, will ich ihn nicht in noch mehr Stress versetzen. Sie sollten sein Fell auf jeden Fall noch mal genau absuchen. Das restliche Ungeziefer, das er mit Sicherheit ebenfalls mit sich herumgeschleppt hat, haben Sie mit dem Flohshampoo bereits erfolgreich vernichtet.«

Ja, wahrscheinlich, weil er den Hund dreimal gewaschen hatte und extrem großzügig mit dem Shampoo umgegangen war. Dann waren sie also wenigstens die Flöhe los. Das war doch schon mal was. Wie er eine Zecke entfernen sollte, falls er im Fell des Hundes eine fand, war David ein Rätsel. Er hörte dem Arzt aufmerksam zu, nahm Merkzettel und Hinweise entgegen und versprach, wegen der Kotprobe und der Ergebnisse der Blutuntersuchung noch einmal wiederzukommen. Wahrscheinlich würde sich der nächste Besitzer des Tieres darum kümmern. Oder das Tierheim, in das er den Hund bringen musste. Nach einer gefühlten Ewigkeit hob er den Hund vom Untersuchungstisch und schleppte ihn aus der Praxis. Dann holte er das Spezialfutter, das den mageren Kerl wieder aufpäppeln sollte.

»Eine Nacht«, erklärte er dem Hund, nachdem er alles im Kofferraum verstaut und ihn auf den Rücksitz gehoben hatte, wo er sich sofort zusammenrollte. »Eine Nacht«, wiederholte er. »Dann muss ich ein neues Zuhause für dich finden.« Er strich dem Hund über den Kopf und stellte fest, dass er nicht mehr vor ihm zurückzuckte. »Ich kann dich beim besten Willen nicht behalten«, murmelte er.

David hatte dem Hund eine Decke neben sein Bett gelegt. Heute durfte das Tier im Hotel bleiben, hatte Xander ihm zugesichert, als er ein paar Socken seiner Tochter gebracht hatte. Die waren zwar mit glitzernden Elfen bedruckt, aber passten dem Hund einigermaßen. David hatte ihm etwas von dem Superfutter gegeben und versucht, noch ein paar Seiten zu schreiben. Als ihm klar wurde, dass er nichts Sinnvolles mehr zustande bringen würde, drehte er eine Runde mit dem Hund und ließ ihn am Ufer des Klausbachs sein Geschäft verrichten. Dann löschte er das Licht und ging zu Bett. Irgendwann in der Nacht nahm er im Halbschlaf wahr, dass der Hund sich am Fußende des Bettes zusammenrollte. Ehe er ihn wieder hinunterscheuchen konnte, glitt er in den Traum zurück, in dem er Rosa am Seeufer küsste. Als er am Morgen aufwachte, fühlte er ein Gewicht auf seinem Körper. Blinzelnd öffnete er die Augen und schloss sie wieder. Als er sie abermals öffnete, hatte sich das Bild nicht verändert: Der Hund lag quer über das Bett ausgestreckt und hatte seinen Kopf besitzergreifend auf Davids Hüfte abgelegt.

18

Die Routine des Montagmorgens brachte ein wenig Ruhe in Rosas Gedanken, die das ganze Wochenende nicht stillgestanden hatten. Sie war die Ruhige, Überlegte. Doch die Geschehnisse, angefangen bei Davids Kuss über das Geheimnis, das ihre Mutter und ihre Tante seit fast einem halben Jahrhundert mit sich herumschleppten, bis hin zu der Nacht, die ihr Vater in seiner Praxis verbracht hatte, um seiner Frau aus dem Weg zu gehen, waren irgendwie zu viel gewesen. Sie hatte gehofft, dass wenigstens ihre Schwestern klare Worte finden würden, die sie davon abhielten, weiter über David nachzudenken. Aber nicht einmal das hatte funktioniert. Statt ihr den Kopf zu waschen hatten sie mit Worten wie Liebe um sich geworfen. Rosas Welt stand Kopf. Anders ließ es sich nicht beschreiben.

Sie warf einen Blick in den Flurspiegel und verließ ihre Wohnung.

Louisa stand bereits hinter dem Tresen des Mühlenladens, den Berchtesgadener Anzeiger aufgeschlagen vor sich. Sie schob eine Tasse Kaffee in Rosas Richtung. »Guten Morgen«, sagte sie leise.

»Morgen, Lou.« Rosa musterte ihre Tante. Seit dem Streit in der Küche ihrer Mutter hatte sie Louisa nicht mehr gesehen. Sie sah müde aus. Erschöpft. »Wie geht es dir?«

Louisa zuckte die Schultern. »Es war kein schönes Wochenende. Ich musste über vieles nachdenken.«

»Ich habe Mama und dich noch nie so streiten sehen. Das hat mich wirklich erschreckt.«

»Ach, Kleines.« Rosas Tante kam um den Tresen herum und schloss sie in die Arme. »Ich glaube, zwischen Rena und mir haben sich so viele Dinge über eine viel zu lange Zeit aufgestaut, die nie ausgesprochen worden sind. Du weißt, wie das ist. Irgendwann gibt es einen großen Knall, und dann lässt sich nichts mehr aufhalten, bis alles gesagt ist.«

Rosa legte den Kopf an die Schulter ihrer Tante. »Vertragt ihr euch wieder?«

Lou lachte leise, und Rosa begriff, dass sie wieder in ihre Rolle des Mittelkindes zurückgefallen war, das sich nach Harmonie sehnte und jede Auseinandersetzung schlichtete. »Jetzt brauchen wir erst einmal ein bisschen Zeit, um unsere Wunden zu lecken und über die Dinge nachzudenken, die wir uns an den Kopf geworfen haben.«

»Okay.« Rosa umarmte ihre Tante noch einmal fest. »Wenn du mit jemandem reden möchtest, ich bin da.«

»Danke, mein Engel.« Louisa küsste Rosa auf die Stirn und kehrte dann an ihren Platz hinter dem Tresen zurück. »Die Medien haben sich übrigens ein wenig beruhigt. Kein Wort über die schöne Müllerin an diesem Wochenende.«

»Puh.« Rosa lehnte sich gegen die Theke. »Das sind gute Neuigkeiten.« Was würde passieren, wenn die Klatschtanten, die sich im Internet herumtrieben, mitbekamen, dass David und sie sich geküsst hatten? Die sozialen Medien würden vermutlich explodieren vor hämischen Posts.

»Apropos. Wo ist denn deine Hilfskraft?« Louisa sah auf die Uhr. »Müsste er nicht längst hier sein?«

Rosa hob die Hände zu einer unschuldigen Ich-habe-keine-Ahnung-Geste. Vielleicht hatte ihre Abfuhr am Samstag dazu geführt, dass er nach München zurückgekehrt war. Ohne sich zu verabschieden? Möglich war es. Sie ignorierte das unangenehme Kribbeln in ihrem Magen, das diese Gedanken begleitete.

Im nächsten Moment hob Toby den Kopf und spitzte die Ohren. Und dann konnte Rosa es auch hören und spürte beim Geräusch von Davids altem Diesel, der auf den Hof rumpelte, die Erleichterung durch ihren Körper rauschen. Toby bellte einmal gut gelaunt und schoss davon, um seinen Lieblings-Leckerli-Spender zu begrüßen.

Rosa würde ihm nicht nach draußen folgen. David sollte nicht denken, sie könne es kaum erwarten, ihn zu sehen. Sie lehnte weiter am Verkaufstresen und tat so, als lese sie den Sportteil der Zeitung, den Louisa zur Seite gelegt hatte. Tobys aufgeregtes Bellen begleitete David bis zur Ladentür. Erst als seine Silhouette das Licht aus dem Türrahmen verdrängte, blickte sie auf. »O«, entfuhr es ihr, als sie den ausgemergelten Hund mit bunten Glitzersocken an den Vorderpfoten an seiner Seite entdeckte. Oder eher hinter seinem Bein, hinter dem er sich zu verstecken versuchte. »Wer ist das denn?«

»Eine lange Geschichte.« David fuhr sich durch die Haare. Dann kniete er sich hin und strich dem Hund mit einer beruhigenden Geste über den Rücken. Toby rannte aufgeregt um die beiden herum, sorgte mit seiner übersprudelnden Art aber eher dafür, dass sich der Neuankömmling mit furchtsam geweiteten Augen noch enger an David drückte. »Ich habe ihn im Klausbachtal gefunden. Unter der Hängebrücke. Xander und der Tierarzt gehen davon aus, dass er ausgesetzt wurde.«

»Toby, komm her«, kommandierte Louisa ihren Hund in sein Körbchen. Er gehorchte, flitzte durch den Raum und rollte sich in seinem Körbchen zusammen, ohne den Neuen aus den Augen zu lassen.

»Was für ein Hübscher du bist.« Rosa ging zu David und seinem Hund hinüber und hockte sich ebenfalls vor ihm hin. Sie hielt dem Hund ihre Hand hin, damit er schnuppern und zu dem Schluss kommen konnte, dass sie harmlos war. »Aber zu dünn.« Sie hob ihren Blick von dem Tier und wurde sich im gleichen Moment bewusst, dass sie David viel zu nah war. Er hatte schon wieder vergessen, sich zu rasieren, und die Spitzen seiner dunklen Haare kringelten sich noch feucht vom Duschen auf dem Kragen seiner Fleecejacke.

»Es ist eine Schande, dass es Menschen gibt, die Tieren so etwas antun«, vernahm Rosa die Stimme ihrer Tante hinter sich, die nun ebenfalls näher kam, um den Hund zu betrachten.

David sah Rosa unverwandt an mit diesem dunkelgrünen, unergründlichen Blick, und ihr wurde bewusst, dass sie ihn angestarrt hatte. Sie sah wieder den Hund an und räusperte sich, nicht sicher, ob ihre Stimme ihren Dienst tat. »Wie… wie heißt er denn?«

»Er hat keinen Namen.« David senkte den Blick nun ebenfalls auf den Hund. Das Tier sah ihn an, und die vorsichtige Skepsis wich sofort reiner, glücklicher Heldenverehrung, soweit man das im Gesicht eines Hundes ablesen konnte.

»Na, da ist aber jemand verliebt«, sagte Louisa und beugte sich über Rosas Schulter.

»Was?« Rosa fuhr zu ihrer Tante herum. Erst ihre Schwestern, und nun Louisa.

»Der Hund.« Louisa nickte in Richtung des Tieres. »Er ist

ziemlich verknallt in David. Du solltest ihm unbedingt einen Namen geben«, sagte sie zu ihm.

»Ich kann ihn nicht behalten, also sollte ich ihm auch keinen Namen geben.« David klang, als hätte er dieses Argument schon ein paarmal aufgezählt und wäre langsam genervt davon, sich immer wieder rechtfertigen zu müssen. »Ich hoffe, es ist okay, dass ich ihn heute mitbringe. Ich kann ihn nirgends unterbringen. Heute Nachmittag habe ich einen Termin im Tierheim.«

»Was?« Rosa richtete sich auf und erschreckte den Hund mit ihrer heftigen Bewegung und ihrer Frage. Er verkroch sich wieder halb hinter David. »Du willst ihn ins Tierheim bringen? Aber das kannst du nicht machen!«

»Ganz offensichtlich liebt er dich«, ergänzte Louisa.

*

Natürlich liebte der Hund ihn. David hatte ihn von einem Felsvorsprung gerettet, ihm zu fressen gegeben und war der Herr über die Schmerzmittel, die die Qualen der wunden Pfoten milderten. Allein die Tatsache, dass das Tier überhaupt auf dem Felsvorsprung gelandet war, sprach dafür, dass es nicht besonders schlau war. Und jetzt brachte es David etwas entgegen, das an Heldenverehrung erinnerte. Er selbst fühlte sich allerdings gerade auch nicht besonders clever. Als er in der Nacht bemerkt hatte, dass sich das Tier in sein Bett geschlichen hatte, hätte er ihn sofort auf seinen Platz auf dem Boden zurücksetzen müssen. Stattdessen hatte er zugelassen, dass sich der Hund an ihn heranpirschte. Und wenn er ganz ehrlich zu sich selbst war, dann hatte es sich gut angefühlt, als sich der Hund an ihn gekuschelt hatte. Aber das änderte nichts an den unumstößlichen Fakten, und die besagten nun einmal, dass David keinen Hund halten konnte.

»Ich habe überall herumtelefoniert«, erklärte er Rosa und ihrer Tante, die beide, die Hände in die Hüften gestützt, mit empörten Gesichtern vor ihm standen. »Meine Vermutung war, dass er möglicherweise ausgebüxt ist. Aber nirgends wird ein Hund vermisst, also wurde er wohl wirklich ausgesetzt. Im *Hotel Seeblick* sind abgesehen von Bub keine Hunde gestattet. Xander hat es vergangene Nacht geschafft, eine Ausnahme für mich zu bekommen, aber entweder bringe ich den Hund irgendwo unter oder ich muss ausziehen.«

»Dann nimm dir ein anderes Hotel. Es gibt Unterkünfte, in denen Haustiere erlaubt sind«, hielt Rosa in ihrer unerschütterlichen Logik dagegen.

»Es gibt genau sieben Stück hier in der Gegend – ich habe sie alle angerufen. Im Moment ist nirgends ein Zimmer zu bekommen.« Natürlich wollte er den Hund nicht ins Tierheim bringen. Am liebsten hätte er ihn an jemanden übergeben, der ihn gut behandelte und mit seiner ganzen Liebe überschüttete. »Entweder trennen sich unsere Wege«, sagte David mit einem Blick auf das dünne Tier, das sich noch immer an sein Bein schmiegte, als könne er ihn vor allen Übeln dieser Welt beschützen, »oder wir sind zusammen obdachlos.«

Louisa verschränkte nachdenklich die Arme vor der Brust und sah zwischen David und Rosa hin und her. »Eine Möglichkeit gäbe es da vielleicht noch«, sagte sie. »Du könntest hierbleiben. Auf dem Hof«, ergänzte sie, nur für den Fall, dass er schwer von Begriff war. Was er tatsächlich zu sein schien. Denn es dauerte etwas, bis er begriff, was sie da gerade vorgeschlagen hatte. »Was?«, brachte er seine Frage etwas verspätet heraus. Im gleichen Moment, in dem sie auch Rosa über die Lippen kam. Seiner Meinung nach war es nicht notwendig, dass sie die Augen so schockiert aufriss – er war schließlich kein Monster. Begeistert war er von der Idee allerdings auch nicht gerade.

Louisa tat den Einwurf mit einer Handbewegung ab. »Rosa hat ein Gästezimmer. Ich habe keine Ahnung, wie lange du noch vorhast, in Sternmoos zu bleiben, aber der Hund sollte nicht in ein völlig überfülltes Tierheim abgeschoben werden. Das arme Schätzchen hat schon so viel durchmachen müssen.«

Ehe David etwas darauf erwidern konnte, griff Rosa nach der Hand ihrer Tante. »Kann ich dich einen Moment sprechen?«, brachte sie zwischen zusammengepressten Zähnen hervor. Ohne eine Antwort abzuwarten zog sie Louisa einfach hinter sich her aus dem Laden.

*

Rosa lehnte sich gegen die Hauswand und atmete tief durch. »Was tust du da?«, fragte sie Louisa, als diese sich neben sie lehnte.

»Einen Hund retten«, gab ihre Tante in ihrer gewohnt nonchalanten Art zurück.

»Wenn du den Hund retten wolltest, hättest du David anbieten können, ihn bei dir zu lassen. Du liebst Tiere. Auf einen Hund mehr wäre es vermutlich nicht angekommen.«

»Also bitte!« Louisa legte in einer etwas zu theatralischen Geste die Hand auf ihr Herz. »Die beiden gehören zusammen. Das sieht man auf den ersten Blick. David liebt diesen Hund – er weiß es nur noch nicht.«

»Trotzdem kannst du David nicht einfach anbieten, in meine Wohnung zu ziehen. Hast du vergessen, wer er ist?«

»Habe ich nicht.« Louisa drehte sich so, dass nur noch ihre Schulter die Hauswand berührte und sie Rosa von der Seite ansehen konnte. »Du hast viel Zeit mit ihm verbracht. Genau wie ich. Wir haben ihn kennengelernt. So wie David gesehen hat, dass du eine bezaubernde, kluge und starke junge Frau bist, so hast du hinter seine Fassade schauen können. Sein Zynismus hat dir wehgetan. Aber er ist nur eine Hülle – dahinter versteckt sich ein verletzlicher Mensch. Eine Seele, die zerbrochen wurde.«

Verdammt. Rosa schloss die Augen und konzentrierte sich für einen Moment auf den Wind, der kalt über ihr Gesicht strich. Ihre Tante hatte schon immer gut hinter die Tünche schauen können, mit der die Menschen ihr Leben anstrichen. Sie hatte recht mit dem, was sie über David sagte. Rosa konnte das ebenfalls spüren. Aber das änderte nichts daran, dass alles noch komplizierter werden würde. Noch komplizierter, als es sowieso schon war. »Du benutzt David doch nicht, um von dir und Mama abzulenken?«, fragte sie.

»Gegenfrage: Gibt es einen Grund, warum du David noch immer so ablehnst? Ich dachte, ihr habt euch ein bisschen besser kennengelernt.« Plötzlich ging ein Ruck durch Louisas Körper, und sie stieß sich von der Wand ab. Sie legte Rosa die Hand auf die Schulter und sah sie ernst an. »Er ist doch nicht übergriffig geworden? Wenn er dir zu nahegetreten ist, werfen wir ihn natürlich auf der Stelle raus.«

»Nein.« Rosa seufzte. »Natürlich nicht.« Sie hatten sich geküsst. Und das war ganz eindeutig gegenseitig gewesen. Ihr machte viel mehr Sorge, dass es wieder passieren könnte.

»Dann ist ja gut. Und jetzt«, Louisa klatschte in die Hände, »zurück an die Arbeit.«

David sagte zunächst nichts, als sie den Laden wieder betraten. Er füllte, den Hund dicht an seiner Seite, die Regale mit den Waren auf, die Louisa aus dem Lager geholt hatte. Erst, als Rosas Tante zum Telefonieren nach draußen ging und keine Kunden im Raum waren, drehte er sich zu ihr um. »Ich mache das nur, wenn das für dich in Ordnung ist.«

Rosa, die Bohnen in die Kaffeemaschine füllte, hielt den Blick auf das glänzende Metall der Barista-Maschine gerichtet. Sie blickte sich auch nicht um, als David hinter sie trat und sich seine Züge verschwommen in der Maschine spiegelten.

»Ich weiß, warum du das nicht möchtest«, fuhr er fort und wartete auf eine Reaktion von ihr. Als sie nicht antwortete, trat er einen Schritt zurück, ließ ihr Raum. Spürte er, dass sie den Abstand brauchte? »Du hast gesagt, der Kuss hat nicht stattgefunden. Das ist in Ordnung für mich. Ich habe das Gefühl, wir werden langsam Freunde, trotz der Umstände, unter denen wir uns kennengelernt haben. Und das möchte ich nicht kaputtmachen. Ich verspreche dir, nicht noch einmal zu versuchen, dich zu küssen.«

»Das kannst du mir versprechen?« Rosa wandte sich zu ihm um. Ihr Herz klopfte laut. Sie musste sich selbst daran erinnern, dass das genau das war, was sie wollte.

»Natürlich.« David zog den rechten Mundwinkel zu einem halben Lächeln nach oben. »Ich kann mich beherrschen.«

Vielleicht hatte er sich im Griff. Sie konnte nur hoffen, dass sie sich ebenfalls unter Kontrolle hatte. »Okay«, sagte sie leise. »Hol deine Sachen aus dem Hotel. Du kannst das Gästezimmer haben. Zumindest bis zum Herbstfest.«

»Danke«, sagte David schlicht und drehte sich zur Tür um. Der Hund folgte ihm wie ein Schatten.

»David«, rief sie ihm nach, als er bereits den halben Raum durchquert hatte. Sie wartete, bis er zu ihr zurücksah, und deutete dann auf den Hund. »Gib ihm einen Namen.«

*

David hatte keine Ahnung, auf was er sich eingelassen hatte. Zumindest ging ihm dieser Gedanke durch den Kopf, als er seine wenigen Habseligkeiten im Hotel zusammenpackte. Wie hatte er sich nur dazu überreden lassen können, in Rosas Gästezimmer zu ziehen? Das war … einfach nur verrückt.

Wenn David wach war, dachte er ständig an Rosa. An den Kuss. Wie sich ihre weiche Haut unter seinen Fingerspitzen angefühlt hatte. Wie sich ihr Körper an seinen schmiegte. In seinen Träumen war sie nicht weniger präsent – allerdings deutlich spärlicher bekleidet. David war sich nicht sicher, ob er möglicherweise den Verstand verlor, aber er schien neuerdings eine gewisse Besessenheit von Dirndlkleidern zu entwickeln. Und davon, wie man eine Frau aus ihnen herausbekam. Eine ganz bestimmte Frau.

»Das ist alles deine Schuld«, erklärte er dem Hund, der sich unter den winzigen Schreibtisch im Hotelzimmer gequetscht hatte und David aufmerksam dabei beobachtete, wie er T-Shirts und Jeans in seine Reisetasche warf. Als ihm bewusst wurde, dass David mit ihm redete, legte er den Kopf auf die ausgestreckten Pfoten und starrte ihn regungslos an. »Na ja«, brummte David. »Vielleicht lag es auch ein bisschen an der Mischung aus Zimt und Orangen, nach der Rosa dieses Mal gerochen hat.« Und mit der sie ihm einmal mehr die

Sinne vernebelt hatte. »Jetzt haben wir die Versuchung rund um die Uhr vor der Nase. Du solltest an deinen Wachhund-Genen arbeiten und nachts auf mich aufpassen, damit ich nicht auf die Idee komme, zu schlafwandeln und etwas wirklich Dummes anzustellen.«

Davids Handy signalisierte eine eingehende Nachricht. Er warf die beiden Longsleeves, die er in der Hand hatte, auf den unordentlichen Haufen, der aus seiner Reisetasche lugte, und zog das Handy aus der Hosentasche, um einen Blick auf das Display zu werfen. Vielleicht hatte ja doch noch eine Pension, die Hunde erlaubte... nein, es war Julian. Die letzte Person, mit der er zu tun haben wollte, solange Rosa durch seine Gedanken geisterte. Sein Bruder hatte ihm bereits am Morgen eine Nachricht hinterlassen und gebeten, ihn zurückzurufen.

Er legte das Handy zur Seite und ging mit einem Müllsack ins Bad, um seinen Parka einzupacken. So wie er nach der Hunderettung am Vortag stank, würde er ihn wohl oder übel in die Reinigung bringen müssen. »Wir müssen Rosa die Verantwortung für Frau Obermaier übertragen«, erklärte er dem Hund, nachdem er den Müllbeutel neben der Zimmertür abgestellt hatte. Er hatte sich ein paar alte Ausgaben des Berchtesgadener Anzeigers besorgt und wickelte die Pflanze vorsichtig darin ein. Erstaunlicherweise hatte sie bis jetzt durchgehalten. David musste zugeben, dass sie ihm irgendwie ans Herz gewachsen war und er das Bedürfnis verspürte, sie auch weiterhin am Leben zu halten.

*

Es war ein Fehler, David bei sich wohnen zu lassen. Rosa drehte sich schlaflos im Bett hin und her. Ein Blick auf die Uhr auf ihrem Handy verriet ihr, dass es bereits nach Mitternacht war.

Der Abend hatte sich angefühlt wie ein Spießrutenlauf durch ein Minenfeld unterdrückter Spannungen. Rosa hatte David ihr Gästezimmer gezeigt und eines von Tobys alten Hundekörbchen in den Raum gestellt. Wahrscheinlich war es für Davids Hund ein bisschen eng, aber für den Anfang würde es reichen. Ihr neuer Mitbewohner hatte sich, die Hände in die Hüften gestützt, im Zimmer umgesehen, während sein vierbeiniger Freund in den Ecken herumschnüffelte. Was für einen Eindruck David wohl von ihrem Zuhause hatte? Wenn sie an sein Buch dachte, erfüllte die gemütliche Shabby-Chic-Einrichtung aus einem Bett mit rustikalem Kopfteil, der weißen Kommode mit den beiden massiven silbernen Kerzenleuchtern und dem Kleiderschrank im Landhausstil genau das Klischee, das er von Josefine gezeichnet hatte. Von den luftigen weißen Vorhängen und dem gemütlichen Ohrensessel in der Ecke ganz zu schweigen.

Sie hatte sich bereits auf einen bissigen Kommentar seinerseits eingestellt und wappnete sich dafür. Stattdessen packte er mit vorsichtigen Bewegungen die Pflanze aus, die er im Blumenladen ihrer Mutter gekauft hatte, und platzierte sie auf der Kommode. Ein paarmal drehte er sie hin und her, bevor er zufrieden einen Schritt zurücktrat. Er nannte sie ›Frau Obermaier‹ und war offenbar ganz stolz darauf, dass sie noch am Leben war. Rosa erinnerte sich noch genau daran, wie die Pflanze im *Holzwurm* neben David gestanden hatte, nachdem er versucht hatte, Anna auszuquetschen. Das war noch gar nicht lange her. Und doch fühlte es sich an wie eine Ewigkeit.

So viel hatte sich in der Zwischenzeit verändert. Rosa mochte David. Was das Letzte war, was sie von sich selbst erwartet hatte. Abgesehen davon war sie Julian keine Rechenschaft schuldig, trotzdem fühlte es sich falsch an, so über David zu denken.

Rosa hatte ein leichtes Abendessen gekocht, das David über den grünen Klee gelobt hatte. Dann waren sie mit Toby und seinem humpelnden Hund eine kleine Abendrunde gegangen, bevor David seinem Hund in einer Tasse ein Fußbad mit einem Kamillentee machte und die wunden Ballen in ein neues Paar Kindersocken steckte. Kurz danach hatte er sich zurückgezogen, um noch ein bisschen zu schreiben. Der Hund hatte ihr im Wohnzimmer noch ein Weilchen Gesellschaft geleistet und versucht, die Socken wieder loszuwerden, ehe er seinem Herrchen gefolgt war.

Jetzt lag Rosa hier und dachte über ihre Gäste nach. Als sie sich zum x-ten Mal auf die andere Seite drehte, akzeptierte sie, dass es nichts brachte, hier zu liegen und in die Dunkelheit zu starren. Sie stand auf und huschte auf Zehenspitzen in die Küche, um sich einen Kräutertee zu kochen, der ihre wild herumgaloppierenden Gedanken beruhigen würde.

Die alten Holzdielen knarrten unter ihren nackten Füßen. Sie fühlten sich glatt und eiskalt an, als Rosa den Flur hinunterschlich. Die Tür zum Gästezimmer war nur angelehnt. Wahrscheinlich, damit sich der Hund nicht eingesperrt fühlte. Rosa wusste nicht, wie leicht Davids Schlaf war, und sie wollte ihn nicht wecken, nur weil sie wie eine Mondsüchtige durch die Nacht tappte.

Erleichtert, dass weder David noch der Hund aus dem Zimmer kamen, goss sie sich in der Küche einen Tee auf. Als sie zu ihrem Schlafzimmer zurückschlich, blieb sie vor

Davids Tür stehen, magisch angezogen wie von einem unsichtbaren Band. Eine angelehnte Tür war noch lange keine Einladung, das Zimmer zu betreten. Rosa hatte sehr wohl bemerkt, dass David den ganzen Tag über versucht hatte, Berührungen zwischen ihnen zu vermeiden. Er hielt Abstand. Weil sie das nach ihrem Kuss so gewollt hatte. Vielleicht war er längst selbst zu dem Schluss gekommen, dass der Kuss ein Fehler gewesen war.

Sie legte ihre Hand an das kühle Türblatt. Ihre Finger fühlten sich heiß an auf dem Holz. Sie war eine Gastgeberin – eine gute, wohlgemerkt –, die sich davon überzeugte, dass es ihren Gästen gut ging.

Rosa schüttelte über sich selbst den Kopf. Was versuchte sie sich da einzureden? Das hier hatte nichts mit Gastfreundschaft zu tun. Mit wild klopfendem Herzen schob sie die Tür ein Stück auf. Sie wartete mit angehaltenem Atem, ob sie in den Angeln knarren würde, doch sie glitt lautlos auf. In der Dunkelheit des Zimmers konnte Rosa nur Davids Silhouette erkennen. Er lag auf dem Bauch und schlief offenbar tief und fest. Der Hund hatte sich quer auf dem Bett ausgestreckt und seine Schnauze auf Davids Hüfte abgelegt. Er spürte, dass sein Herrchen und er nicht mehr allein waren, und hob den Kopf. Seine Augen schienen Rosa in der Dunkelheit einen Moment zu fixieren, dann machte er es sich wieder bequem.

David murmelte im Schlaf etwas, was Rosa nicht verstand, und strich dem Hund mit der Hand über das Fell. Die Geschwindigkeit, mit der ihr Herz raste, nahm noch ein wenig zu. Langsam stieß sie den Atem aus und schob die Tür wieder zu. Allein im dunklen Flur wartete sie darauf, bis das aufgeregte Zittern in ihrem Körper nachließ, bevor sie ihre Teetasse in ihr Schlafzimmer balancierte.

19

Die Woche seit Davids Einzug bei Rosa war wie ein merkwürdiger Film an ihm vorbeigezogen. Er hatte Zeit mit Rosa verbringen wollen – und inzwischen verbrachte er kaum noch Zeit ohne sie. Nicht, dass er sich darüber beklagte. Es war auf eine surreale Art schön, in ihrer Nähe zu sein, sie um sich zu haben.

David lief durch das abendliche Salzburg, auf dem Weg zu der Lesung in der Buchhandlung Aschauer, um die er gebeten worden war. In dieser Stadt schien es keine Rolle zu spielen, um welche Tageszeit man sich durch die Gassen drängte – man schien immer von Touristen aus der ganzen Welt umgeben. Um ihn schwirrte ein Potpourri aus Stimmen, die er zum Teil noch nie in seinem Leben gehört hatte. Sie hörten den Stadtführern zu, posierten für Selfies und bestaunten die aufwendigen, beeindruckenden Häuserfassaden.

Ohne dass sich David dagegen wehren konnte, schob sich Rosas Bild vor die Kulisse der historischen Gebäude, die in der Nacht kunstvoll beleuchtet wurden. Vor zwei Tagen hatte er mit dem Hund noch einen Termin beim Tierarzt gehabt. Danach hatte er in Berchtesgaden ein Bier in einer Kneipe getrunken, die nichts gegen Hunde hatte. Er hatte eine ganze Weile mit Wastl telefoniert, der jedes Detail seines Umzuges zu Rosa hören wollte und sich darüber kaputtlachte, dass David jetzt Besitzer eines Hundes war. Denn loswerden würde er das Tier auf keinen Fall mehr. Und auch wenn er es nie offen zugeben würde, es war schön, den kleinen Kerl in seiner Nähe zu wissen und nachts das Gewicht seines Kopfes auf seiner Hüfte zu spüren. Von Wastl kam auch der Namensvorschlag für den Hund, nachdem David ihm ein Foto geschickt hatte. Er hatte sich über Lenis Strümpfe an den Vorderpfoten amüsiert und ihn einfach Socke getauft.

Als er nach dem Tierarztbesuch mit anschließendem spontanem Ausflug in die Kneipe auf den Mühlenhof zurückgekehrt war, war es bereits spät gewesen. In Rosas Küche hatte genau wie im Wohnzimmer das Licht gebrannt, sie war aber nirgends zu finden gewesen. Die Tür zu ihrem Schlafzimmer war geschlossen gewesen, also war er davon ausgegangen, dass sie sich für den Tag zurückgezogen hatte. Vielleicht auch, um ihm aus dem Weg zu gehen. Denn die Energie, die permanent zwischen ihnen summte, war oft ein wenig überwältigend.

David hatte die Badezimmertür geöffnet, um sich die Hände zu waschen, und war auf einmal gegen eine warme Wand aus Vanille- und Schokoladenduft gelaufen. Er blieb im Türrahmen stehen und blinzelte in das schummrige Licht, das ausschließlich von Kerzen stammte. Teelichter, dicke Stumpenkerzen und sogar ein zweiarmiger Leuchter. Sie standen auf dem Wannenrand, dem Fenstersims und allen anderen verfügbaren Oberflächen verteilt. David war sich nicht sicher, ob die Lichter für den Duft verantwortlich waren oder ob die Ursache dafür in dem riesigen Schaumberg in der Badewanne lag, unter dem Rosas Körper versteckt war. Sie hielt ihre Augen geschlossen und den Kopf gegen ein pinkfarbenes Kissen an den Wannenrand gelehnt. David konnte ihren schlanken Hals sehen, an dem sich ein paar dunkle, nasse

Locken ringelten, die sich aus dem schiefen Haarknoten auf ihrem Kopf gelöst hatten. In ihren Ohren steckten Kopfhörer, was vermutlich der Grund war, weswegen sie ihn noch nicht bemerkt hatte.

Gleichzeitig mit dem überwältigend sinnlichen Duft nahm er das Rotweinglas wahr, das sie auf dem Wannenrand abgestellt hatte. Ihre schlanken Finger hatte sie um den schmalen Griff geschlossen. Mit dem Zeigefinger tippte sie im Takt der Musik, die nur sie hören konnte, gegen das Glas. Ihre Augen blieben geschlossen, ihre Lippen formten tonlos den Text zu dem Lied, und David hatte den übermächtigen Wunsch herauszufinden, was sie da hörte. Noch immer hatte sie ihn nicht bemerkt, obwohl der Lufthauch, der sein Auftauchen begleitete, die Kerzenflammen erzittern ließ. Wenn sie ihn jetzt entdecken würde, würde sie das wahrscheinlich alles andere als gut aufnehmen.

Vorsichtig trat David einen Schritt zurück in den Flur und schloss die Tür lautlos. Dann lehnte er seine Stirn dagegen und wartete, bis sich sein Herzschlag wieder normalisierte. Als er sich umdrehte, saß Socke vor ihm und starrte ihn mit schräg gelegtem Kopf an. »Ja, ich weiß, dass ich ein Idiot bin«, sagte David leise zu ihm. Er wusste nur nicht, ob er ein Blödmann war, weil er ohne anzuklopfen ins Bad gegangen – oder weil er wieder hinausgegangen war.

David schob die Erinnerungen an diesen Moment zur Seite. Was ihm von Mal zu Mal schwerer zu fallen schien, so tief hatte sich das Bild von Rosas Schaumbad in seine Gedanken eingebrannt. Fast wäre er an der Buchhandlung Aschauer vorbeigelaufen. Er machte einen Schritt zurück und betrat den Laden, begleitet vom aufgeregten Bimmeln des Türglöckchens. Der warme, etwas staubige Geruch nach

Büchern hüllte ihn ein, entfaltete seine beruhigende Wirkung und half ihm, die Erinnerungen an Rosa vollständig zur Seite zu schieben.

Diese Lesung würde sicher nicht als großer Erfolg in die Geschichte eingehen, David hatte es in den Gesichtern seiner Zuhörer lesen können. Genau wie in denen der Buchhändlerin, Magdalena Aschauer, und des Vertreters der Salzburger Nachrichten, der eigens für diesen sensationellen Abend eine Veranstaltung mit dem Bürgermeister hatte sausen lassen.

David hatte gelesen. Und dann war er – wie er es Rosa, Wastl und sich selbst versprochen hatte – ehrlich gewesen. Er hatte versucht, deutlich zu machen, dass es in dem Buch eigentlich um seinen Bruder ging, was angesichts seiner Schilderungen von Josefine in den Hintergrund getreten war. Und er hatte erzählt, wie Rosa wirklich war. Wie wenig sie mit Josefine gemein hatte. Wie sehr sie ihn beeindruckte und wie gut sie in ihrem Job war. Von ihrer Offenheit hatte er genauso gesprochen wie von ihrer Kreativität. Davon, wie hart sie auf dem Mühlenhof arbeitete. Während die Figur Josefine immer mehr verblasste.

Spätestens als er bedauerte, sich nicht die Mühe gemacht zu haben, sie kennenzulernen, bevor er *Die schöne Müllerin* geschrieben hatte, hörte er das leise genervte Schnauben einzelner Gäste und sah zwei Frauen Anfang dreißig die Augen verdrehen. Irgendjemand murmelte etwas, das wie »Ich glaube, der ist total in die Müllerin verknallt« klang. Nein, er war nicht in Rosa Falkenberg verknallt, widersprach David im Stillen. *Ich bin nur fasziniert von dieser Frau, die ich völlig falsch eingeschätzt habe.* Der Skandal, den sich vermutlich alle im Raum erhofft hatten, war nicht eingetreten. Was zur Folge hatte, dass weniger Bücher als bei seinen anderen Lesungen verkauft wurden und sein Handgelenk nicht vom Signieren schmerzte.

Die Enttäuschung der Gäste löste bei David eine erstaunliche Zufriedenheit aus. Er hatte das Richtige getan. Als er die Tür der Buchhandlung öffnete und in die eisige Nachtluft hinaustrat, verzogen sich seine Lippen zu einem breiten Grinsen. Er wollte nach Hause. Zu Rosa und zu Socke. Und ihnen von diesem Abend erzählen.

Er hatte das Parkhaus, in dem er Gundula abgestellt hatte, schon fast erreicht, als sein Handy klingelte. Martin Arens. David hatte keine Lust, mit seinem Agenten zu sprechen. Aber genauso gut wusste er, dass der Mann keine Ruhe geben würde, bis er ihn an der Strippe hatte. Es war vermutlich besser, das Gespräch gleich hinter sich zu bringen. Wenn er in Rosas Beisein mit ihm telefonieren würde, würde er nur wieder Misstrauen in ihr schüren, denn das, was er zu sagen hatte, ließ sich durchaus missverstehen. »Martin«, sagte er nachdem er abgehoben hatte. »Was kann ich für dich tun?«

»Wie geht es dir?«, kam die Gegenfrage.

Der Geräuschkulisse im Hintergrund entnahm David, dass sein Agent es sich einmal mehr in seinem Lieblingslokal gemütlich gemacht hatte. »Mir geht es gut.« Ihm war klar, dass Martin mit seiner Frage nicht Davids persönliches Befinden meinte.

»Du weißt, was ich meine«, sagte dieser auch prompt. »Wie läuft es mit dem zweiten Teil der *schönen Müllerin*?«

»Super ... wirklich.« David verzog das Gesicht. »Ich mache echt ... Fortschritte.«

»Na wunderbar. Schick mir eine Leseprobe, damit ich endlich anfangen kann, mit dem Verlag zu verhandeln.«

»Klar, mach ich«, log David. »Ich überarbeite es noch einmal, und dann bekommst du alles, was ich habe.«

»Gut, gut. Ich bin gespannt.« David hörte ihn mit jemand anderem sprechen. »Ich muss Schluss machen, mein Essen kommt. Schick es mir so schnell wie möglich«, forderte er David noch einmal auf, bevor er auflegte.

Langsam ließ David das Handy sinken. Martin dachte noch immer, er arbeite an einer Fortsetzung der *schönen Müllerin*. Genau genommen arbeitete er ja an einem zweiten Teil seines Bestsellers. Nur hatte Martin genau wie der Rest der Leser nicht verstanden, dass der Mittelpunkt seines Romans nicht Josefine gewesen war, die er als naives, nicht besonders schlaues Opfer angelegt hatte. Es war sein Bruder. In seinem neuen, ganz persönlichen Projekt – der Geschichte seiner kaputten Familie –, ging er nur noch einen Schritt weiter und konzentrierte sich auf sein eigenes Leben und darauf, wie es durch seine Familie geprägt worden war. Er hatte seinem Agenten nichts erzählt, weil er wusste, wie der darauf reagieren würde. Martin würde mit allen Mitteln versuchen, ihn dazu zu bringen, das zu schreiben, womit sich mit größerer Sicherheit das meiste Geld verdienen ließ. Davids persönliche Lebensgeschichte würde wahrscheinlich kein Leser spannend finden. Aber es tat ihm verdammt gut, sich all diese Dinge von der Seele zu schreiben. Mit Martin würde er sich auseinandersetzen, wenn das Manuskript fertig war. Dann würde er ihn vor vollendete Tatsachen stellen.

Jetzt wollte er erst einmal auf den Mühlenhof zurück und Rosa von der Lesung erzählen.

*

»Was ist das denn?« Nico griff nach einem der Schühchen, die Rosa auf den Küchentisch gelegt hatte.

»Die sind für Socke. Davids Hund«, ergänzte sie auf seinen fragenden Blick und wies mit dem Kinn in Richtung von Tobys Körbchen in der Küchenecke. Daneben hatte sie eine Decke für Socke ausgebreitet, auf der der Hund lag und versuchte, die Kindersocken, die seine Pfoten schützten, wegzuknabbern. Solange David bei seiner Lesung unterwegs war, würde sie ein Auge auf den Hund haben.

»Du hast dem Hund Schuhe genäht?« Nico nahm sich ein Bier aus dem Kühlschrank und stellte es auf den Küchentresen. Dann griff er nach dem bereits geöffneten Primitivo und schenkte Rosa ein Glas ein. »Ist das nicht ein wenig übertrieben? Oder willst du jetzt noch ins Hundeklamottengeschäft einsteigen?« Er reichte ihr das Glas und stieß mit ihr an.

Rosa nippte an ihrem Wein und stellte das Glas dann auf den Tisch. Sie ging in die Hocke und kraulte Toby und Socke unter dem Kinn. In der Woche, die der ausgesetzte Welpe jetzt schon bei David war, hatte sich sein Zustand deutlich verbessert. Seine Augen glänzten, genau wie sein Fell. Und er war mit einem unglaublichen Appetit gesegnet, der darauf schließen ließ, dass er nicht nur ein paar Kilo schwerer werden würde, sondern auch noch ein paar Zentimeter größer. »Er braucht Schutz für seine Pfoten und darf die Salbe nicht abschlecken, aber er hasst die Strümpfe, die David ihm anzieht und versucht immer, sie loszuwerden. Also habe ich ihm ein paar Schühchen genäht.«

»Mal eben so.« Nico lehnte sich neben Rosa an die Wand und drehte einen der Schuhe in seiner Hand, um ihn von allen Seiten betrachten zu können. »Mit Klettverschlüssen und einem Pelzbesatz.«

Okay, die Fellkante war vielleicht ein wenig zu viel des Guten. Rosa hatte sich nur ein winziges bisschen hinreißen lassen, als sie die Kunstfellreste in ihrer Stoffkiste gefunden hatte. Die Schuhe waren cool. Und Socke würde nicht in der Lage sein, sie auszuziehen, weil sie dank der Klettverschlüsse gut halten würden. Außerdem hatte sie die Lauffläche mit Antirutsch-Punkten versehen, damit Socke beim Laufen besseren Halt hatte. Besonders, wenn er auf den glatten Dielenböden in ihrer Wohnung unterwegs war. »Nur weil etwas nützlich sein muss, heißt es ja noch lange nicht, dass es nicht auch schön sein darf«, verteidigte sie die Schuhe.

»Versuchst du, das Herrchen dieses Hundes zu beeindrucken?«, wollte Nico wissen und trank einen Schluck Bier.

Rosa spürte, wie eine leichte Hitze in ihre Wangen stieg. Sie richtete sich wieder auf. »Nein. Was David dazu sagt, ist mir völlig gleich.« Lügnerin. »Es geht mir um den Hund. Dem armen Tier muss geholfen werden.« Und vielleicht wollte sie David ein klitzekleines bisschen beeindrucken. Es schadete zumindest nicht, wenn er sah, dass die Fähigkeiten, die er von ihr auf Josefine übertragen hatte, halfen, seinem neuen Begleiter zu helfen.

»Wenn das so ist.« Nico zuckte mit den Schultern. Er war ein feinfühliger Mensch, und Rosa war sich sicher, dass er wusste, dass sie nicht die ganze Wahrheit erzählt hatte. Vermutlich spürte er sogar, dass sich zwischen David und ihr etwas verändert hatte. Aber genau wie ihre Ankündigung, dass der Autor bei ihr eingezogen war, nur zu einem Hochziehen seiner Augenbrauen geführt hatte, kommentierte Nico die Schuhe nicht weiter. Er wusste, dass Rosa ihm mehr erzählen würde, wenn sie so weit wäre.

Da es aber nichts weiter zu erzählen geben würde, rollte

Rosa ihre verspannten Schultern und nippte an ihrem Wein, bevor sie versuchte, ein herzhaftes Gähnen zu unterdrücken. Die vergangenen Nächte, in denen sie viele Stunden wach gelegen hatte, forderten gemeinsam mit den anstrengenden Tagen ihren Tribut. Heute hatten Nico und sie alle Vorbereitungen getroffen, die für das Brotbacken im Holzofen am nächsten Tag notwendig waren. Sie hatten Brennholz geschleppt, Mehle und Zutaten abgewogen, sodass sie am Morgen nur noch die Teige ansetzen und nach dem Gehen in den Ofen schieben mussten. Den Sauerteig hatte Nico schon vor ein paar Tagen angesetzt, aber auch für die Brote, die daraus gebacken werden würden, hatten sie alles vorbereitet.

»Du steckst mich an«, sagte Nico und gähnte ebenfalls. »Wenn Pizza nicht fester Bestandteil des morgigen Speiseplans wäre, würde ich jetzt für Schinken-Käse und Netflix plädieren.«

Dankbar, dass er das Thema wechselte, öffnete Rosa den Kühlschrank und zog eine abgedeckte Platte heraus. »Fingerfood«, erklärte sie und drückte Nico das Essen in die Hand. »Ich habe mir schon gedacht, dass wir heute Abend platt sein werden, und das hier vorbereitet. Netflix klingt perfekt.« Sie klemmte sich ein zweites Bier für ihren Freund unter den Arm und folgte ihm mit dem Rotwein und ihrem Glas ins Wohnzimmer.

Nico schob sich schon im Gehen einen gefüllten Champignon in den Mund. »Ehrlich«, nuschelte er kauend. »Wenn eine platonische Ehe auch nur irgendwie zur Diskussion stehen würde, ich würde sofort um deine Hand anhalten.«

Rosa lachte. »Du reduzierst mich auf mein Essen. Das ist sexistisch und total Macho. Dafür darf ich aussuchen, was wir uns ansehen.«

»Du bist der Boss.« Nico stellte die Platte auf den Couchtisch und ließ sich auf das Sofa fallen. Rosa machte es sich neben ihm bequem. Sie mochte die alte, durchgesessene, breite Couch und die unkomplizierte Freundschaft zu Nico. Julian hatte diese Beziehung immer mit Argusaugen betrachtet – und nie ganz verstanden, wenn sie es rückblickend betrachtete. Wie wohl David diese Freundschaft beurteilen würde? Sie schob den Gedanken zur Seite und griff nach einer Dattel im Speckmantel. David war nicht hier. Er hatte eine Lesung in Salzburg, und sie konnte nur hoffen, dass er sein Versprechen hielt und sie nicht noch tiefer in den Dreck zog. Erstaunlicherweise glaubte sie ihm, dass er versuchen wollte, die Dinge geradezurücken. Das war vermutlich das Absurdeste an dieser ganzen Situation.

*

Das Licht in Rosas Wohnung brannte, als David die Tür öffnete. Er hörte den Fernseher im Wohnzimmer, ging aber als Erstes in die Küche, um nach Socke zu sehen. Der Hund lag auf einer Decke neben Toby und schlug mit dem Schwanz auf den Boden, als er David hereinkommen sah. Dann ließ er sich genau wie Toby ausgiebig kraulen. Davids Leben hatte sich definitiv – und unwiderruflich – verändert. Wenn ihm vor zwei Jahren jemand gesagt hätte, dass er beim Heimkommen als Erstes nach einem Hund namens Socke sehen würde, wäre er aus dem Lachen gar nicht mehr herausgekommen.

Sein Blick fiel auf die Hundeschuhe, die auf dem Tisch lagen. Er griff nach einem und betrachtete ihn von allen Seiten. Lächelnd schüttelte er den Kopf. »Halbe Sachen macht Rosa nicht«, sagte er zu Socke.

Er erhob sich und machte sich auf die Suche nach Rosa. Da er den Fernseher gehört hatte, vermutete er sie im Wohnzimmer. Er schlug diese Richtung ein und blieb auf der Schwelle zum Wohnzimmer wie angewurzelt stehen.

Rosa lag schlafend auf der Couch. Aber sie war nicht allein. David spürte einen für ihn ganz untypischen Stich in der Brust, als er das Bild in sich aufnahm, das sich ihm bot. Das Sofa war breit genug, dass der Mann, der ebenfalls schlief, und Rosa nebeneinanderliegen konnten. David erkannte den Typ als denjenigen wieder, der an dem Morgen, an dem sie die Weinflasche nach seinem Kombi geworfen hatte, gemeinsam mit Rosa aus ihrer Wohnung gekommen war. Er lag auf der Seite, die Hand über die Armlehne gelegt. Rosa hatte sich an seinen Oberkörper geschmiegt. Ihre Haare fielen über die Sofakante und reichten fast bis zum Boden. Sie trug eine schwarze Leggins und dicke, schreiend bunte Wollsocken. Ein übergroßes T-Shirt reichte ihr bis zur Mitte der Oberschenkel. Auf dem Tisch vor ihr standen zwei leere Bierflaschen und ein halb ausgetrunkenes Rotweinglas. Daneben lagen auf einer Porzellanplatte die Reste des Abendessens. Aus dem Fernsehen plärrte David eine Reality Show des untersten Niveaus entgegen.

Er riss sich von dem Anblick los. Enttäuschung brodelte in ihm, mischte sich mit der Eifersucht, die unaufhaltsam in ihm aufstieg. Eifersucht. Ein Gefühl, das er in Bezug auf Rosa gar nicht haben wollte. Das er überhaupt nicht haben wollte, korrigierte er den Gedanken im Stillen. Er mochte diese Empfindung nicht und hatte sie schon lange nicht mehr gehabt. Nicht mehr, seit er aufgehört hatte, seinen kleinen Bruder zu beneiden für all die Aufmerksamkeit und Liebe, die ihm entgegengebracht wurden.

In der Regel gingen Davids Beziehungen nicht tief genug, um so ein Gefühl überhaupt zu spüren. Das zwischen ihm und Rosa war noch nicht einmal eine Beziehung. Socke war neben ihn gehumpelt und blickte zu ihm auf. »Wir sollten uns zurückziehen«, murmelte David. Er durchquerte den Flur, ließ den Hund in sein Zimmer und zog die Tür hinter sich zu. Dann setzte er seine Brille auf und öffnete den Laptop, während das Tier es sich auf dem Bett bequem machte. David starrte auf den schwarzen Bildschirm. In seinem Kopf formte sich kein einziges Wort, das er aufschreiben konnte. Stattdessen lauschte er angestrengt auf Geräusche aus dem Wohnzimmer, bis ihm irgendwann die Augen zufielen und er in seinem Sessel einnickte.

Er fuhr hoch, als er Rosas Lachen hörte. Er brauchte einen Moment, um zu begreifen, wo er sich befand. Auf dem Sessel in seiner Zimmerecke. Sein Nacken war steif, weil er im Sitzen eingeschlafen war. Ein Blick auf sein Handy verriet ihm, dass es kurz nach sechs war – keine Unzeit am Wochenende. Aber Socke war ebenfalls wach und stand bereits leise fiepend an der Zimmertür, er musste dringend sein Geschäft erledigen. David rappelte sich auf und brachte den Hund nach draußen. Als sie zurückkehrten, stand Rosa in der Küche am Herd, und ihr Übernachtungsgast fläzte am Küchentisch und hatte eine große Tasse Kaffee in der Hand, die er gerade zum Mund führte. Er hielt auf halbem Weg inne, als David den Raum betrat. »Guten Morgen«, sagte er und verzog die Lippen zu einem breiten Lächeln.

»David.« Rosa drehte sich zu ihm um und grüßte ihn ebenfalls mit einem ziemlichen Strahlen im Gesicht. »Guten Morgen.«

Was ihn zum schlecht gelaunten Troll deklarierte. »Morgen«, brummte er, füllte die Wasserschüsseln der Hunde und gab ihnen zu fressen. Als er sich wieder aufrichtete, hielt Rosa ihm einen Becher Kaffee entgegen, der dem ihres Gastes in nichts an Größe nachstand. »Danke«, brachte er heraus und wollte sich aus der Küche zurückziehen, um die Turteltäubchen nicht zu stören.

Doch statt ihn loswerden zu wollen, forderte Rosa ihn auf, Platz zu nehmen. »Das ist Nico«, stellte sie den Mann vor. »Ich habe dir von ihm erzählt. Wir backen heute zusammen Mühlenbrot.«

Und nicht nur das, verkniff David sich laut auszusprechen, was er am vergangenen Abend gesehen hatte. Rosa sah wieder aus wie aus dem Ei gepellt. Ein Dirndl in Altrosa und Violett, ihre Bluse schloss mit einem Stehkragen ab, der aus Hunderten winzigen Rosenblüten zu bestehen schien, die sich eng an ihren schmalen Hals schmiegten. Ihre Flechtfrisur saß selbstverständlich perfekt. Nichts erinnerte an die Leggins, das offene Haar … David senkte den Blick auf seine Kaffeetasse. Er befürchtete, dass ihm jeder seiner Gedanken ins Gesicht geschrieben stand.

»Spannend, dich endlich mal persönlich kennenzulernen.« Der Typ – Nico – streckte David über den Tisch hinweg die Hand hin. Widerwillig griff er danach. Spannend würde er diese Situation nicht gerade nennen. Wohl eher angespannt.

»Setz dich doch«, forderte Nico ihn auf, und David fühlte sich, als sitze er in der Falle.

»Willst du Spiegeleier zum Frühstück?«, fragte Rosa im gleichen Moment und drehte sich am Herd zu ihnen um.

»Ich … Nein, eigentlich …« Er saß nicht nur in der Falle, er hatte sich auch selbst hineinmanövriert. Rosa hatte ihm gesagt, dass der Kuss nichts bedeutet hatte. Vielleicht hatte es diesen Nico zu diesem Zeitpunkt bereits in ihrem Leben gegeben, vielleicht auch nicht. Das ging ihn nicht das Geringste an, wurde ihm klar. Rosa wollte nichts von ihm, während er sich in seinen Träumen, tags wie nachts, permanent vorstellte, sie aus einem ihrer Dirndl zu schälen und seine Lippen statt auf ihren Mund zu pressen über ihren ganzen Körper gleiten zu lassen. »Ja, bitte«, korrigierte er sich. »Das wäre wirklich nett.« Essen musste man schließlich auch, wenn man sich zum Idioten machte.

»Schau mal, die habe ich für Socke gemacht.« Sie wies mit dem Kochlöffel auf die Hundeschuhe. »Ich glaube, die bekommt er nicht ab, wenn wir sie ihm erst einmal angezogen haben.« Wieder dieses Strahlen in ihren Augen. »Das können wir ja nach dem Frühstück mal zusammen probieren.«

»Sicher. Sie sehen toll aus.« David zwang sich zu einem Lächeln, weil sie in diesem Moment so glücklich wirkte. »Danke. Auch in Sockes Namen.« Die Falle würde ihn so schnell nicht mehr freigeben. Und gerade eben war der Gedanke an Folter dazugekommen. Mit einer ahnungslosen Rosa, die wieder nach irgendetwas Sinnlichem duften würde, auf dem Boden zu knien und scharf auf sie zu sein, während sie mit dem widerspenstigen Hund kämpften, der sich keine Schuhe anziehen lassen wollte (auch wenn sie einen hübschen Fellbesatz hatten), war nicht die Art, wie er in das Wochenende starten wollte.

Seine Befürchtung bewahrheitete sich. Nach einem Spiegelei, das zu den besten zählte, die er jemals gegessen hatte, auch wenn er bis zu diesem Morgen gedacht hatte, dass es bei diesem Gericht wohl kaum viele Varianten geben konnte. Grüner Apfel war der Duft, den sie sich für den heutigen Tag ausgesucht hatte. Er atmete ihn ein, als sie sich gemeinsam über den widerspenstigen Socke beugten, der wie zu erwarten mit seinen neuen Schuhen nicht einverstanden war. Sie fragte ihn über seine Lesung aus und erzählte aufgeregt von der Brotbackaktion im Holzbackofen, die sie für diesen Tag geplant hatten.

Rosa brauchte seine Hilfe nicht. Nico und sie waren ein eingespieltes Team. Natürlich hätte David ihr über die Schulter schauen können, aber er hatte kein Bedürfnis, dem Pärchen den Tag über zuzusehen und dabei pausenlos Rosas Duft einzuatmen. Er zog sich in sein Zimmer zurück und verbrachte den Tag abermals damit, auf seinen leeren Bildschirm zu starren. Rosa war der Grund gewesen, aus dem er wieder angefangen hatte zu schreiben. Jetzt hatte sie die Macht, ihm diese Fähigkeit wieder zu nehmen.

Am Nachmittag platzte sie in sein Zimmer. David zuckte zusammen und klappte den Laptop zu, damit sie nicht sah, dass er gar nichts geschrieben hatte. Mit einer fahrigen Bewegung schob er seine Brille auf dem Nasenrücken nach oben. »Kannst du nicht anklopfen?«, knurrte er.

»Hab ich«, erwiderte Rosa. Das breite Lächeln in ihrem Gesicht verlor ein bisschen von ihrem Strahlen.

»Dann hättest du dir noch die Zeit nehmen können, auf ein Herein zu warten.«

Rosa blinzelte ihn verdutzt an, dann kniff sie die Augen zusammen und stemmte die Hände in die Hüften. »Ich weiß zwar nicht, was der Grund für deine miese Laune ist, aber lass sie nicht an mir aus. Wir hatten einen erfolgreichen Tag, und ich wollte dich gerade zu einer Familientradition einladen.«

»Sicher, dass ich dabei nicht fehl am Platz wäre?«, gab er zurück.

»Jetzt, wo du es erwähnst: Wahrscheinlich hast du recht. Bleib in deiner Höhle, du verdammter Einsiedler, und brumm die Wand an.« Sie drehte sich mit einer steifen Bewegung zur Tür. Ihr Körper vibrierte vor Wut.

Doch David war bereits aufgestanden. Sein Gehirn musste einen Kurzschluss erlitten haben. Überspannung, wahrscheinlich. Er griff nach Rosas Arm und wirbelte sie zu sich herum. Bevor er wieder einen klaren Gedanken fassen konnte, riss er sie in seine Arme und presste seine Lippen in einem harten, besitzergreifenden Kuss auf ihre. Seine Wut prallte auf ihre. Einen Moment verharrten sie in diesem stummen Kampf, dann geriet die Situation irgendwie … außer Kontrolle.

*

In dem Moment, in dem Davids Lippen auf ihre trafen, reagierte Rosas Gehirn mit einem Kurzschluss. Zumindest fühlte es sich so an. Ihr Verstand setzte aus, und sie konnte nur noch fühlen. Seine ganze Wut, die in diesem Kuss lag. Die Frustration. Und Verlangen. Sie würde sich nicht herumschubsen lassen. Weder von David noch von ihren Gefühlen. Als er sie zu sich herumgedreht hatte, hatte sie ihre Hände zu Fäusten geballt, um nach ihm zu schlagen. Doch irgendwie waren ihre Hände auf seinem Brustkorb gelandet, und statt sich gegen diesen sinnlichen Übergriff zu wehren, krallten sich ihre Finger in den weichen Stoff seines Sweatshirts, um ihn noch näher an sich zu ziehen.

Ihr Rücken prallte gegen das Türblatt, als David sie nach hinten schob und den Kuss noch weiter vertiefte. Ihre Finger glitten in seine Haare, zogen Furchen durch die weichen

Strähnen, während seine Hände in fiebriger Hast über ihren Körper glitten. Er strich über ihre Brüste, die Hüften, bevor er sie noch näher an sich heranzog.

Hitze rotierte zwischen ihnen. Verlangen pulsierte im schnellen Rhythmus ihres Herzschlags durch Rosas Körper. Sie verlor jedes Zeitgefühl, hatte keine Vorstellung, wie lange sie sich aneinanderklammerten, bis David sich von ihr löste.

Er lehnte seine Stirn gegen ihre, seine Hände ruhten schwer auf ihren Schultern. Rosa erschauerte unter der schlichten Liebkosung seines Daumens, der über ihren rasenden Puls am Hals strich.

Ihr Blick ruhte auf Davids Oberkörper, der sich hektisch hob und senkte. Langsam hob sie den Kopf, um ihn zu einem weiteren Kuss herauszufordern. Doch er entschied in diesem Moment, einen Schritt zurückzutreten und Abstand zwischen sie zu bringen. Sein Blick ruhte auf ihrem Gesicht. Dann schloss er die Augen und schluckte trocken. Davids Finger glitten über ihre Wange und schoben ihr eine Haarsträhne hinter das Ohr.

»Verzeih mir«, flüsterte er. Seine Stimme klang rau. »Das wollte ich nicht.« Er schob Rosa mit einer sanften Bewegung ein Stück zur Seite. Ohne ihr in die Augen zu sehen, zog er die Tür auf – und weg war er.

»Was ...?« Rosa ließ sich gegen die Tür sinken und strich mit den Fingern über ihre Lippen. Sie konnte David noch fühlen. Ihn schmecken. Und sie konnte beim besten Willen nicht begreifen, warum er plötzlich aufgehört hatte, sie zu küssen. Noch weniger verstand sie, dass er einfach davongerannt war, obwohl sie in seinem Gesicht ganz deutlich gelesen hatte, dass er sie wieder küssen wollte. Genau wie sie ihn.

Aber jetzt war er weg. Er hatte sie stehen gelassen, wie sie ihn vor ein paar Tagen am See. Rosa blieb nichts anderes übrig, als abzuwarten, bis sich ihr Herzschlag wieder etwas beruhigt hatte. Dann würde sie auf den Hof zurückkehren, wo Nico und ihre Familie bereits auf sie warteten, und so tun, als sei nichts passiert. »Zum Teufel mit dem Mistkerl«, fluchte sie leise und legte die Hand auf ihr wild klopfendes Herz.

20

David stürmte aus dem Haus ohne nachzudenken. Im Vorbeigehen hatte er noch seine Jacke vom Haken gerissen und war dann davongerannt, als sei er auf der Flucht. Ein bisschen fühlte es sich auch so an. Auf der Flucht. Vor seinen eigenen Gefühlen, die er nicht mehr im Griff hatte, wenn Rosa in seiner Nähe war. Wenn sie ihn herausforderte. Ihm die Stirn bot. Ihn bis aufs Blut reizte, nur um im nächsten Moment himmlisch weich in seinen Armen zu liegen und zu schmecken wie die Sünde. Ihm war klar, dass die Eifersucht auf diesen Nico sein Trigger gewesen war. Gemeinsam mit diesem unstillbaren Verlangen nach Rosa, das ihn nicht mehr losließ.

Aus den Augenwinkeln nahm er die kleine Menschenansammlung auf dem Hof wahr. Er atmete den Duft nach frisch gebackenem Brot und Pizza ein. Um dem unvermeidlichen Small Talk zu entgehen, schlug er die entgegengesetzte Richtung ein und lief einfach los. Er überquerte die Brücke und fand sich kurz darauf auf der Lichtung wieder, die zum Mühlengrundstück gehörte.

Sein Atem bildete kleine Wolken vor seinem Gesicht, die vom Wind davongerissen wurden. Das Gras unter seinen Füßen war mit Reif überzogen und knirschte bei jedem seiner Schritte. Links von ihm standen Louisas Pferde am Zaun ihrer Koppel. David lief bis zum Wasser. Er war zum ersten Mal hier. Die Wellen des Sees schwappten an das mit einer Eiskruste überzogene Ufer. Er blickte zu den beiden kleinen Felseninseln hinüber, auf denen Moose und Farne wuchsen, gekrönt von den markanten Kiefern.

David legte den Kopf in den Nacken und atmete langsam aus. Er konnte Rosa noch immer spüren. Ihren Körper, der sich an seinen schmiegte. Ihren Geschmack, der noch immer an seinen Lippen haftete. Wieso hatte er es nicht geschafft, sich zu beherrschen? Mit dieser dämlichen Aktion hatte er seine Einladung in Rosas Zuhause verspielt. Sie würde ihn bitten zu gehen, sobald er wieder auf den Mühlenhof zurückgekehrt war. Und er konnte sie verstehen. Sie hatte ihm ganz deutlich gesagt, dass der erste Kuss für sie nicht existiert hatte. Ihr Körper reagierte auf seinen, aber ihr Verstand wollte diese Nähe nicht. Es gab ja diesen Nico. Und David war der Bruder ihres fremdgehenden Ex-Freundes, der sie in einem Buch auseinandergenommen hatte. Jedes Quäntchen Nähe und Offenheit, das sie ihm bis jetzt entgegengebracht hatte, kam einem kleinen Wunder gleich. Ihr großes Herz erstaunte ihn jeden Tag aufs Neue. Aber jetzt war damit Schluss. David hatte den Bogen überspannt – und es astrein verbockt.

David blieb am Wasser stehen, bis er den eisigen Wind nicht mehr aushalten konnte, der ihm ins Gesicht blies. Erst dann drehte er sich um und machte sich langsam auf den Rückweg zur Mühle.

*

Rosa hoffte, dass sich ihre Gesichtsfarbe wieder ein wenig normalisiert hatte, als sie auf den Hof trat. Antonia hatte nach ihr gerufen, weil sie sich nach Davids Verschwinden so viel Zeit gelassen hatte. Ihr war nichts anderes übrig geblieben, als einen prüfenden Blick in den Spiegel zu werfen, glättend über ihr Dirndl zu streichen und zu den anderen zurückzukehren. Sie hatte Socke mit nach draußen genommen. Er hatte auf seiner Decke neben Davids Bett gesessen und den Abgang seines Herrchens mit schief gelegtem Kopf verfolgt. Sein Blick war so verständnislos, wie Rosa sich fühlte.

Neben Nico, der aus dem Pizzabacken eine große Show machte, standen ihre Schwestern, ihre Tante und Rosas Vater auf dem Hof und tranken heißen Punsch, den Louisa angesetzt hatte.

Antonia und Hannah kamen auf Rosa zu, als sie sie bemerkten. Rosa setzte ein Lächeln auf und umarmte ihre Schwestern. »Ist Mama nicht mitgekommen?«, fragte sie.

»Nein.« Hannah verdrehte die Augen. »Sie ist immer noch bockig, wenn es um Lou geht. Ich habe mit Engelszungen auf sie eingeredet, aber sie befürchtet, dass Brandl sich hier herumtreiben könnte. Außerdem kann sie Lou immer noch nicht vergeben.«

»Noch nicht«, murmelte Rosa. »Ich hoffe, sie kriegt sich bald wieder ein, und die beiden schaffen es, sich auszusprechen.«

»Das hoffen wir alle.« Antonia hielt Rosa ihren Punschbecher hin. »Übrigens, David ist vorhin aus dem Haus gestürmt, als wäre ihm der Leibhaftige auf den Fersen. Alles klar zwischen euch?« Sie beugte sich hinunter, um Socke hinter den Ohren zu kraulen.

»Natürlich.« Rosa spürte die Hitze, die an ihrem Hals nach oben kroch und sich auf ihrem Gesicht ausbreitete. Sie nippte an dem Punsch, um ihre Schwestern nicht ansehen zu müssen.

»Du weißt, dass du knallrot angelaufen bist, oder?«, fragte Hannah.

»Also wirklich.« Antonia richtete sich wieder auf und stieß ihrer jüngeren Schwester den Ellenbogen zwischen die Rippen. »Da darf man doch nicht so mit der Tür ins Haus fallen. Wir müssen das subtiler angehen. Fragen, ob David und Rosa eine nette Unterhaltung hatten, bevor sie aus dem Haus gekommen sind. So in der Art. Verstehst du?«

»Ich stehe vor euch und kann euch hören.« Rosa wedelte mit der Hand vor ihren Gesichtern. »Hört auf, so über mich zu reden.«

Antonia legte den Kopf schief und sah sie herausfordernd an. »Wenn du uns sagst, was ihr zwei da oben getrieben habt.«

»Ich denke, das Zauberwort heißt subtil …«, begann Hannah.

Antonia wischte den Einwurf mit einer Handbewegung zur Seite. »Der Zug ist dank dir längst abgefahren. Also, was ist los mit dir und David?«

Rosa verzog das Gesicht. Ihren Schwestern zu entkommen war wie der Versuch, aus dem Auge eines Wirbelsturms zu fliehen. »Es ist wieder passiert. Gerade eben. Wir haben uns geküsst, und es war wie … Bähm!« Sie simulierte mit der Hand eine Explosion. »Es war, als wären die Emotionen, die sich seit Davids Einzug zwischen uns angestaut haben, plötzlich außer Kontrolle geraten. Und dann hört David einfach auf, dreht sich um und geht.« Sie schüttelte den Kopf über diese surreale Situation. »O«, fiel ihr der entscheidende Punkt ein, »und bevor er gegangen ist, hat er sich für den

Kuss entschuldigt.« Sie ließ die Schultern hängen. »Immer wird behauptet, Frauen seien kompliziert. Aber das… Ich versteh ihn kein bisschen.«

»Ich schon«, sagte Hannah. Sie legte Rosa in einer tröstlichen Geste die Hand um die Hüfte. »Du hast ihm gesagt, dass es den ersten Kuss nicht gegeben hat. Du wolltest ihn glauben lassen, dass er dir nichts bedeutet hat. Jetzt passiert es wieder, und er glaubt, dass er dich überrumpelt hat. Dass du das nicht willst.«

Antonia legte Rosa von der anderen Seite den Arm um die Schultern. »Du hast nicht nur David belogen, sondern auch dich selbst. Du willst ihn genauso wie er dich.«

Rosa legte den Kopf an die Schulter ihrer älteren Schwester. »Ich wusste, dass du so was in der Art sagen würdest.«

»Weil es wahr ist. Und einfach. Wenn es nur die Chemie ist, die zwischen euch vibriert, die reine Anziehungskraft, dann gib ihr nach. Genieße seine Nähe. Lass dich darauf ein. Das wird dir verdammt guttun.«

»Wenn du allerdings dabei bist, dich in David zu verlieben…«, setzte Hannah an.

»Ich bin doch nicht in David verliebt«, verteidigte sich Rosa.

»Dann ist ja gut. Wenn du es wärst, musst du unbedingt die Finger von ihm lassen. Ein Typ wie er bricht dir auf jeden Fall das Herz.«

»Ihr müsst euch wirklich keine Sorgen machen, dass ich…«

»Hey, ihr drei Schönheiten.« Nico kam auf sie zu und unterbrach Rosa. »Die Pizza ist fertig. Ihr seht zwar hübsch aus, wie ihr hier rumsteht und über Geheimnisse tuschelt, aber es wird Zeit, euch zu uns zu gesellen.« Er blickte an ihnen vorbei, und sein Grinsen wurde noch breiter. »David! Hey! Komm doch mal rüber!« Er winkte, und Rosa sah, genau wie ihre Schwestern, über die Schulter in die Richtung, in die Nico sprach.

David war offenbar gerade erst um die Hausecke gebogen und blieb wie angewurzelt stehen, als Nico auf ihn aufmerksam machte, während Socke sich sofort begeistert in Bewegung setzte und auf sein Herrchen zuhumpelte.

»Wir haben hier eine sensationelle Pizza! Die solltest du unbedingt probieren und Rosas Talent bewundern.«

Rosa zuckte zusammen, und Hannah verzog ihr Gesicht voller Mitgefühl.

»Hör auf rumzubrüllen, Nico, und hol die Pizza aus dem Ofen. Ich hole David«, sagte Antonia. »Und du, hör auf deinen Bauch«, flüsterte sie Rosa zu. »Wenn keine Gefühle im Spiel sind, musst du dir um nichts Gedanken machen. Lass es einfach geschehen.« Sie drückte Rosas Hand und machte sich dann von ihr los. Betont entspannt schlenderte sie auf David zu. Ein bisschen erinnerte sie an eine schwarze Witwe. Jedenfalls starrte David sie an, als ob er genau das in ihr sah.

*

David hatte gehofft, ungesehen ins Haus zurückschleichen zu können. Doch er hatte die Rechnung ohne Nico gemacht, ohne Socke – und ohne Antonia, die mit einem Lächeln im Gesicht auf ihn zukam, das ihm einen Schauer über den Rücken rieseln ließ. Er musste sich wirklich beherrschen, um nicht einen Schritt zurückzuweichen. »David, schön, dich zu sehen. Hast du Jakobs Party gut überstanden?«

Sie wusste es, ging es David durch den Kopf. Antonia

wusste von dem ersten Kuss genauso, wie Rosa ihr erzählt hatte, was an diesem Nachmittag geschehen war. Er konnte es in den Augen der Frau lesen. Rosas Schwester Hannah stand zu weit entfernt, um ihren Gesichtsausdruck sicher deuten zu können, aber er glaubte, das gleiche Funkeln wie in Antonias Blick zu erkennen. »Hallo Antonia«, sagte er. Eine Antwort auf die Anspielung zur Party verkniff er sich.

»Komm mit«, sagte sie und hakte sich bei ihm unter. »Rosas Pizza ist wirklich eine Sensation. Die solltest du nicht verpassen.«

»Ich war eigentlich gerade auf dem Weg…«, protestierte er – zu schwach, wie ihm klar wurde.

Denn Antonia interessierte sein Widerstand kein bisschen. Sie zog ihn einfach mit sich in Richtung der Biertischgarnitur neben dem Holzbackofen. »Das kannst du sicher später noch. Jetzt wird gegessen.«

David wurde Rosas Vater vorgestellt, den er bis jetzt noch nicht kennengelernt hatte – und der ihm unter buschigen, zusammengezogenen Augenbrauen einen missbilligenden Blick zuwarf. »Wenn meine Töchter Sie einladen, dann ist das in Ordnung für mich. Dieses Buch, das Sie geschrieben haben, kann ich aber eindeutig nicht gutheißen«, hielt er mit seiner Meinung nicht hinter dem Berg.

»Gut gebrüllt, Löwe. Aber Rosa vertraut ihm inzwischen genug, um ihn hier wohnen zu lassen«, sagte Hannah. Sie war hinter die Bank getreten, auf der ihr Vater saß. Zärtlich legte sie ihm die Arme um den Hals und umarmte ihn. Als sie sich wieder aufrichtete, ließ sie die Hände locker auf seinen Schultern liegen, und Josef Falkenberg strich mit funkelnden Augen und einer liebevollen Geste über ihre Finger. »Sie kann dir doch vertrauen, oder?«, wollte sie von David wissen.

»Sicher.« Er schluckte. Sein Bedürfnis, dieser Familie und ihren bohrenden Blicken zu entkommen, wuchs von Minute zu Minute.

»Setz dich.« Louisa schob ihn in Richtung Bierbank. »Du bist ja ganz durchgefroren.«

David bekam einen Platz nahe am Holzofen zugewiesen. Die Hitze, die um ihn herum waberte, tat tatsächlich gut. Allerdings sah er sich damit automatisch wieder Rosas Freund gegenüber, der es sich wie auch schon am Morgen breit grinsend auf der anderen Seite des Tisches gemütlich gemacht hatte.

Rosa hatte nichts zu ihm gesagt. Sie wich seinen Blicken aus. Als sie die Pizza verteilte und ihm einen Teller hinschob, sah sie ihm nicht in die Augen. Anschließend setzte sie sich neben Antonia, so weit weg von ihm wie möglich.

»Wie findest du die Pizza?«, fragte Nico, der Davids Blick ans andere Ende des Tisches gefolgt war und ihn nun mit leicht gerunzelter Stirn ansah.

»Ähm …« David blickte auf das unberührte Stück auf seinem Teller. Er biss ein Stück ab. »Sehr gut«, sagte er. Und meinte es genau so. »Sie schmeckt wirklich fantastisch.«

»Ja, nicht wahr?« Nico grinste breit. »Ich hatte die Idee mit dem Holzofenbrot. Mehl aus der Mühle, auf dem Hof der Mühle gebacken. Von Ciabatta bis Roggenvollkorn ist alles dabei. Besser geht's nicht, finde ich«, erklärte er mit vollem Mund. »Die Pizza war allerdings Rosas Idee. Wenn wir den Ofen schon anschmeißen, können wir zum Abschluss auch eine Pizza reinschieben.«

Hannah stellte einen Becher dampfenden, heißen Punsch vor David ab, der ihm ebenfalls half, ein wenig aufzutauen. Die Hände um das warme Porzellan geschlossen, sah er wieder zu Rosa hinüber, die gedankenverloren ihr Essen auf dem Teller hin und her schob.

»Sie ist was Besonderes«, hörte David Nico sagen. Mist. Hatte er ihn schon wieder beim Starren erwischt?

»Was?« David konzentrierte sich wieder auf sein Gegenüber.

»Rosa. Sie ist eine außergewöhnliche Frau. Das, was du in diesem schäbigen Buch geschrieben hast, beschreibt sie kein bisschen, auch wenn du mit vielen Dingen gar nicht wirklich gelogen hast. Du hast sie nur einfach nicht verstanden.« Er lehnte sich ein Stück zurück und fixierte David mit einem durchdringenden Blick. »Sie ist der Typ Frau, mit der man in der Küche tanzt. Wenn du weißt, was ich meine.«

»Hmm.« David hatte nicht den Hauch einer Ahnung, was Nico damit sagen wollte. Sein schlechtes Gewissen wuchs weiter.

»Wenn du mich fragst, solltest du das vielleicht mal tun.« Nico hatte sich wieder vorgebeugt und sah ihn unter hochgezogenen Augenbrauen an. »Mit ihr in der Küche tanzen.« Er nickte zu Rosa hinüber. »Diese Spannung zwischen euch ist ja kaum zu ertragen. Mich macht das jedenfalls ganz wuschig.«

David starrte den Mann an. »Ich soll … aber was ist mit dir und Rosa? Seid ihr nicht … zusammen?«

»Gott bewahre!« Nico legte sich in einer theatralischen Geste die Hand auf das Herz, und plötzlich begriff David, was er bis jetzt übersehen hatte. Er, der Schriftsteller, der immer auf seine Beobachtungsgabe zählen konnte. »Nicht, dass Rosa nicht anbetungswürdig ist. Aber um für mich interessant zu sein, müsste sie schon einen Vollbart haben und Holzfällerhemden tragen.«

»Entschuldige. Ich wusste nicht …«, begann David.

»Dass ich schwul bin?« Nico beugte sich noch ein wenig weiter vor. »Es spricht jedenfalls nicht für dein Selbstbewusstsein, wenn du glaubst, dass sogar ein Typ wie ich dir das Mädchen ausspannen kann, auf das du scharf bist.« Er zwinkerte David zu. »Aber eines sage ich dir: Wenn du ihr wehtun solltest, mach dich auf was gefasst. Ich bin zwar sehr friedliebend, aber ich hatte mal Karatestunden. Ich würde dich fertigmachen.«

»Danke für die Warnung.« David spürte die Hitze, die ihm in die Wangen gestiegen war. Er trank einen Schluck Punsch und räusperte sich. »Aber du brauchst dir darum keine Sorgen machen.« Rosa würde ihn noch heute bitten zu gehen, ganz gleich, ob sie mit irgendjemandem liiert war oder nicht. Er hatte eine Grenze überschritten, und wie er inzwischen wusste, war sie nicht der Typ Frau, der klein beigab.

»Dann ist ja gut.« Nico stieß mit ihm an. »Noch ein Stück Pizza?«

Eine Weile blieben sie in der herbstlichen Kälte sitzen. Die Hitze des Holzofens wärmte von außen, der Punsch von innen. David versuchte, sich an den zwanglosen Gesprächen zu beteiligen. Aber er merkte bald, dass auch zwischen den Falkenbergs eine unterschwellige Spannung herrschte. David vermutete, dass die Ursache dafür die Auseinandersetzung zwischen Louisa und ihrer Schwester war. Die in der Tischrunde fehlte. Einzig Nico, der nichts von diesem Familiendrama mitbekommen zu haben schien, plauderte entspannt. Als er sich erhob, um zu einer Verabredung in Berchtesgaden aufzubrechen, stand auch David auf. Er brach mit Socke, der sich zu seinen Füßen zusammengerollt hatte, zu seiner

Gassirunde auf. Der Hund ließ sich dabei heute besonders viel Zeit und musste offenbar an jedem Grashalm überprüfen, welches Eichhörnchen oder welche Katze vorbeigelaufen war. Davids Versuche, Socke ein wenig zur Eile anzutreiben, ignorierte er und schnüffelte weiter ausgiebig am Boden herum.

Als sie schließlich wieder auf den Hof zurückkehrten, war die Biertischgarnitur weggeräumt und Rosas Familie verschwunden. David trug Socke die Treppe hinauf und ließ ihn in Rosas Wohnung. Der Hund machte sich schnurstracks auf den Weg in die Küche. David folgte ihm und wurde Zeuge, wie sich Socke eine Streicheleinheit von Rosa abholte, die an der Spüle stand, und sich dann auf seine Decke neben Tobys Körbchen fallen ließ.

»Die Schuhe funktionieren gut«, sagte David, um die Stille zwischen ihnen zu durchbrechen.

Rosa lächelte. Aber er merkte, wie nervös sie war. Nicht weniger als er selbst. Er lehnte sich mit der Schulter in den Türrahmen. »Wir sollten über das reden, was vorhin passiert ist.«

Rosa drehte sich zur Spüle um und begann mit einem Geschirrtuch, das bereits blitzblanke Edelstahl zu polieren. »Ich dachte, du hättest schon alles gesagt.« Sie drehte sich nicht zu David um, sondern sprach mit dem Küchenregal vor sich.

»Ich … na ja. Ich …«, setzte David noch einmal an. Normalerweise stotterte er nicht so herum. Er atmete tief durch. »Ich weiß, dass ich dich nicht hätte küssen sollen. Du möchtest jetzt vermutlich, dass ich meine Sachen packe und gehe.«

Rosa schwieg. Sie stützte ihre Hände auf den Rand des Spülbeckens und ließ den Kopf hängen. »Nein«, sagte sie leise. »Ich möchte nicht, dass du gehst. Und ich möchte nicht, dass du den Kuss bereust.« Sie stieß sich ab und drehte sich um. Ihr Blick traf auf seinen, hielt ihn fest. Ihre Wangen glühten. »Ich wollte das, was heute passiert ist. Dich zu küssen war schön. Ich will das. Ich will herausfinden, wohin das führt.«

David schluckte trocken. Sein Herz hämmerte. Einen Moment lang war er sich nicht sicher, ob Rosa das wirklich gesagt hatte oder ob die Worte nicht seiner viel zu lebhaften Fantasie entsprangen, die sein Denken bestimmte, wenn es um Rosa ging. Doch ihr Blick ließ wenig Raum für Zweifel. »Du willst …« Er sprach es nicht aus.

Rosa blieb an der Spüle stehen und schien darauf zu warten, was David tun würde. Er lehnte noch immer im Türrahmen und starrte sie an. Was hatte Nico gesagt? Rosa war der Typ Frau, mit dem man in der Küche tanzte? Er hatte nicht verstanden, was er damit gemeint hatte. Jetzt begriff er. David richtete sich auf und ging auf Rosa zu. Langsam. Bis er so dicht vor ihr stand, dass sie nur noch Zentimeter voneinander trennten. Statt Rosa zu berühren griff er an ihr vorbei und schaltete das Radio im Regal hinter ihr ein. Zu den Klängen des Linkin-Park-Songs *In the End* trat er einen Schritt zurück und zog Rosa an ihrer Hand mit sich. Bis sie in seinen Armen lag. »Tanz mit mir«, flüsterte er und sog den unwiderstehlichen Duft nach grünen Äpfeln ein, der um sie schwebte, als hätte sie gerade einen gegessen. Langsam und kein bisschen im Takt zu Chester Benningtons geschrienem Refrain begannen sie, sich zu bewegen.

21

Rosa fühlte sich atemlos, obwohl sie sich endlos langsam bewegten. Entweder hatte David keinerlei Taktgefühl, oder das Tempo des Songs interessierte ihn nicht. Ihr jedenfalls war es egal. Sie schob ihre Hände an seinen Armen hinauf, ließ sie über seine Schultern gleiten und legte sie um seinen Nacken. Seine Haarspitzen strichen über ihre Finger. Rosa wollte die Augen schließen und sich davontragen lassen, doch Davids Blick hielt sie fest, hypnotisierte sie regelrecht. Sie ließ sich führen, ließ sich verzaubern von diesem Moment.

Linkin Parks E-Gitarren verklangen und machten Adeles *Hello* Platz. David zog Rosa näher an sich, unterbrach den Blickkontakt. Sie schmiegte ihre Wange an seine Schulter, atmete seinen unaufdringlichen Geruch nach Baumwolle und Mann ein. Jetzt erlaubte sie sich, die Augen zu schließen und nur noch zu fühlen, während sie sich langsam hin und her wiegten. Davids Herz schlug im gleichen Rhythmus wie ihr eigenes. Laut. Und eine Spur zu schnell für diesen langsamen Song. Sie war mutig gewesen und hatte Antonias Rat befolgt. Aber ganz egal, was ihre Schwester gesagt hatte, Rosa musste sich in Acht nehmen. Sie durfte nur den Moment genießen und keine Erwartungen an David stellen. Und sie durfte auf keinen Fall vergessen, dass er Sternmoos bald wieder verlassen würde.

»Schalte deinen Kopf aus«, flüsterte er – und Rosa tat genau das. Sie schob die Gedanken an das, was nach dieser Nacht wäre, zur Seite und hob ihren Kopf, um ihre Lippen über Davids Hals gleiten zu lassen. Er senkte den Kopf, und ihre Lippen fanden sich zu einem vorsichtigen Kuss, der schnell leidenschaftlicher und drängender wurde. David zog sie noch näher an sich, hielt sie fest, als wolle er sie nicht mehr loslassen. Doch für das, was Rosa vorhatte, musste sie sich von ihm lösen. Zumindest für einen Moment. Sie legte ihre Hände auf seine Brust und schob ihn zurück.

Verwirrung und Enttäuschung rangen in Davids Blick, als er die Lider hob. In einer beruhigenden Geste küsste Rosa ihn auf den Mundwinkel und trat einen Schritt zurück. Sie griff nach seiner Hand und drehte sich um. »Komm mit«, sagte sie. Sie führte David in ihr Schlafzimmer und schloss die Tür hinter ihnen.

Fast erwartete sie einen Kommentar von ihm. Irgendetwas über die Einrichtung, den viel zu weiblichen Touch. Doch David schien nur Augen für sie zu haben. Er blieb hinter ihr stehen und strich mit den Fingerspitzen über ihre zum Kranz geflochtenen Haare. Dann schob er den Schneewittchenkragen ihrer Dirndlbluse ein Stück hinunter und küsste ihren Nacken. Seine Hände schoben sich um ihre Taille. Rosa legte den Kopf schief und lud ihn stumm ein, die Lippen an ihrem Hals hinaufgleiten zu lassen. David kam der Aufforderung nach und sorgte für einen sinnlichen Schauer. Ohne seine Liebkosungen zu unterbrechen, löste er die Schleife ihrer Schürze und ließ sie fallen. Anschließend glitten seine Finger zum Reißverschluss ihres Dirndls. Zentimeter für Zentimeter zog er ihn herunter. Als ob er alle Zeit der Welt hätte. Es kam Rosa wie eine Ewigkeit vor, bis er ihr den Stoff endlich von den Schultern schob und nach unten gleiten ließ. Er landete in einem Pool zu ihren Füßen, und David reichte ihr die Hand und ließ sie aus dem Kleiderhaufen treten.

Sein Blick berührte ihren Körper, glitt nach unten. Und wieder hinauf. Die Lider halb gesenkt, den rechten Mundwinkel zu einem leichten Lächeln gehoben, strich er an der Unterkante ihrer Dirndlbluse entlang. »Ich habe mich die ganze Zeit gefragt, ob du eines von diesen Dingern trägst«, flüsterte er rau. »Ich habe es mir vorgestellt. Immer wieder.«

Rosa müsste sich unter diesen intensiven Blicken nackt fühlen. Stattdessen gab er ihr das Gefühl, wunderschön und begehrenswert zu sein. »Alle Frauen, die Dirndl tragen, haben diese Blusen an. Alte. Junge. Dicke und dünne. Das Dirndl ist das Kleidungsstück, das jeder Frau steht«, raunte sie in neckendem Tonfall.

»Keine Frage.« Davids Hände glitten über ihren nackten Bauch, umfassten ihre Taille. »Ich habe meine Einstellung zu diesem Kleidungsstück eindeutig geändert.« Er senkte den Kopf und küsste ihr Dekolleté, glitt mit den Lippen weiter nach oben, an ihrem Hals entlang, über ihre Wange, bevor er sie mit einem weiteren, tiefen Kuss eroberte. Nicht verspielt, nicht wild. Einfach nur intensiv.

Rosa ließ ihre Hände über Davids Rücken gleiten und wurde sich bewusst, dass sie fast nackt vor ihm stand, während er noch vollständig bekleidet war. Sie zog an seinem Longsleeve und brachte ihn dazu, den Kuss lange genug zu unterbrechen, bis sie es ihm über den Kopf gezerrt hatte. Er öffnete im Gegenzug die wenigen Knöpfe ihrer Bluse und schob sie ebenfalls von ihrem Körper. Sanft schob er sie rückwärts, bis ihre Kniekehlen die Bettkante berührten. Sie ließ sich fallen, und David folgte ihr. Seine Hände glitten über ihren Körper, streichelten, erregten ihn. Sein Mund folgte ihnen. Als sich ihre Lippen endlich wiederfanden, küsste er sie langsam, quälend langsam – und Rosa hatte keine Ahnung, wie er diese Selbstkontrolle aufbrachte. Ihre Finger strichen in fiebriger Hast über seine nackte Haut, ertasteten die festen Muskeln unter der Oberfläche. Sie fummelte an den Knöpfen seiner Jeans herum, doch David zog ihre Hände weg, schob sie über ihren Kopf und hielt sie dort mit der linken Hand fest. Wieder küsste er sie, während seine rechte Hand sich unter den Bund ihres Höschens stahl und über diese ganz besondere Stelle strich, bis Rosas Verlangen in einem Kaleidoskop aus Farben explodierte.

*

Rosa ruhte in Davids Armen. Ihre Augen waren geschlossen, und in ihrem Gesicht lag ein zufriedenes Lächeln. Langsam beruhigte sich ihr Herzschlag wieder. Als sie ihm in der Küche zu verstehen gegeben hatte, was sie von ihm wollte, hatte er es fast nicht glauben können. Und dann hatte sein Verlangen die Führung übernommen. Er wollte sie so sehr. Aber vielleicht war dies die einzige Nacht, die sie miteinander verbringen würden. Die einzige Chance, die sie ihm gewährte. Also würde er es nicht überstürzen, er würde jede Minute genießen. Er würde Rosa genießen.

Flatternd hoben sich ihre Lider. »Du hast immer noch zu viel an«, murmelte sie und strich mit der Hand über seine Jeans.

»Lässt sich ändern.« Er richtete sich weit genug auf, um seinen Geldbeutel aus der Gesäßtasche zu nehmen und dann seine Hosen samt Schuhen und Strümpfen auszuziehen. Während er dafür sorgte, dass ihr BH und ihr Höschen verschwanden, hinterließen ihre Fingerspitzen eine Spur aus Feuer auf seiner Haut.

David begann, Rosa erneut zu verführen. Er fing ihre ruhelosen Hände ein, küsste ihre Handinnenfläche und ließ seine Lippen über ihren Arm bis zur Schulter wandern, liebkoste ihre Brustspitzen und genoss den drängenden Ton, mit dem Rosa sich ihm entgegenbog. Er war derjenige, der das Tempo bestimmte. Und er ließ sich nicht drängen. Mit federleichten Bewegungen strich er über ihren Körper, erkundete sie, reizte sie.

Nichts war zu hören, außer Rosas Seufzern und seinem rauen Atem. Seine Beherrschung stand auf der Kippe. Er tastete auf der Suche nach einem Kondom nach seinem Geldbeutel und zog den Schutz über, ohne den Kuss zu unterbrechen. Dann zog er sie in seine Arme und drang in sie ein. Sie sprachen nicht, aber ihre Körper verstanden einander auch ohne Worte. In einem langsamen, trägen Rhythmus, der nicht im Geringsten mit dem Dahinrasen ihrer Herzen zu tun hatte, begannen sie, sich zu bewegen. Er versuchte, den Moment so lange wie möglich auszukosten, die Verbindung zu Rosa aufrechtzuerhalten, aber sein Verlangen machte ihm irgendwann einen Strich durch die Rechnung. Es ballte sich wie ein glühender Kern in seinem Inneren zusammen. David erhöhte das Tempo, und Rosa öffnete die Augen. Die Blicke ineinander verhakt sprangen sie gemeinsam über die Klippe.

Sie hatten nicht gesprochen. Rosa hatte sich in Davids Arme gekuschelt und war irgendwann eingeschlafen, während sein Daumen an ihrer Wirbelsäule auf und ab geglitten war. Etwas später hatte sie sich neben ihm zusammengerollt, und David begriff etwas: Josefine war verschwunden. Wie ein Geist hatte sie sich in Luft aufgelöst. Denn gegen Rosa konnte dieses Wesen schlicht nicht bestehen.

David konnte nicht schlafen. Energie rotierte durch seinen Körper, als hätte er einen Sixpack Red Bull intus. Seine Finger kribbelten, und seine Gedanken kreisten. Rosa hatte ihn nicht ins Gästezimmer geschickt. Sie hatte ihn nicht gebeten, sie allein zu lassen. Und es widerstrebte ihm, genau das zu tun. Er wollte hierbleiben. Wollte sie am Morgen in seinen Armen aufwachen sehen. Aber der Drang zu schreiben war geradezu übermächtig.

Er schob die Bettdecke zurück und schlich auf Zehenspitzen aus dem Zimmer. Mit dem Laptop unter dem Arm kehrte er nur eine Minute später, begleitet von Socke, zurück. Rosa hatte sich keinen Millimeter bewegt. Er kroch wieder ins Bett, schob sich ein Kissen in den Rücken und lehnte sich an das Kopfteil. Beleuchtet vom gespenstig blauen Licht des Monitors begann er zu tippen. Sein Hund stand einen Moment unschlüssig neben dem Bett. Dann beschloss er, seinen Platz einzunehmen, auch wenn das nicht Davids Bett war. Vorsichtig kletterte er ans Fußende des Bettes und rollte sich neben seinen Beinen zusammen.

Irgendwann bewegte sich Rosa neben ihm. Sie hob den Kopf vom Kissen und blinzelte zu ihm herüber. »Was machst du da?«, murmelte sie schlaftrunken.

»Nichts.« Er klappte den Laptop zu und schob ihn auf den Nachttisch. Dann setzte er seine Brille ab, legte sie daneben und zog Rosa in seine Arme, um sie zu küssen. Wenn sie schon beide wach waren …

*

Rosa erwachte nur langsam. Träge schwebten ihre Gedanken zwischen Traum und Wachsein. Sie fühlte sich zufrieden und geborgen, in eine feste Umarmung geschmiegt. Dabei war Julian gar nicht der kuschelige Typ. Er schlief normalerweise auf der Seite, und wenn sie... Scheiße! Rosas Körper erstarrte, und sie war plötzlich hellwach, als ihr bewusst wurde, in wessen Armen sie lag. David. Sie hatte mit ihm geschlafen. Zwei Mal! O Gott! Ihr Herz begann zu rasen.

Rosa beugte den Kopf ein wenig zurück und betrachtete seinen Brustkorb, der sich gleichmäßig hob und senkte. David schlief tief und fest. Wie würde er reagieren, wenn er aufwachte? Würde er es bereuen? Natürlich würde er das. Sie bereute es ja auch.

Tust du nicht, hörte sie Antonias Stimme in ihrem Hinterkopf. Na ja, vielleicht bereute sie nicht, mit ihm geschlafen zu haben. Aber sie hatte nicht eine Sekunde an die Konsequenzen gedacht. Am besten sie verschwand, bevor er aufwachte. Das würde ihnen einen ziemlich peinlichen Moment ersparen.

Vorsichtig versuchte sie, sich unter Davids Arm herauszuwinden. Er brummte etwas Unverständliches und zog Rosa wieder an sich. Dann versteifte sich sein Körper genau wie ihrer vor einer Minute. Langsam öffnete er die Augen und starrte sie an. Rosa hatte keine Ahnung, was in seinem Kopf vor sich ging. »Guten Morgen«, sagte er schließlich. Seine Stimme klang rau, und Rosa stellte sich vor, dass sie das wahrscheinlich immer tat, wenn er morgens aufwachte und die ersten Worte sprach.

Diese Vorstellung schickte ein – völlig unangemessenes – wohliges Kribbeln über ihren Körper. »Guten Morgen.« Sie senkte den Blick auf seinen Hals, in der Hoffnung, dass ihr ihre Gedanken nicht ins Gesicht geschrieben standen.

»Hey.« David wartete, bis sie ihm wieder in die Augen sah. »Du bereust die Nacht doch nicht?«, fragte er leise. Er strich mit dem Daumen über ihren Wangenknochen, und eine weitere wohlige Welle breitete sich auf ihrer Haut aus.

»Ich … nein.« Das klang mehr wie eine Frage als eine Antwort. »Kaffee«, fiel ihr ein. Sie legte ihre Hand über seine auf ihrer Wange. »Was hältst du von Kaffee?«

»Gute Idee.« David zog seine Hand zurück, und Rosa setzte sich auf.

Einen Moment überlegte sie, das Laken um ihren Körper zu ziehen, doch dann erschien ihr das lächerlich. Schließich hatte David ihren Körper bereits gesehen – und berührt. Sie strich sich die Haare hinter die Schultern. David hatte in der Nacht fasziniert ihren Haarkranz gelöst und Nadel für Nadel aus ihrer Frisur gezogen. Ihre Haare schienen eine gewisse Anziehungskraft auf ihn zu haben, denn auch jetzt griff er hinein, wickelte sie sich um die Hand und zog sie zu einem harten, besitzergreifenden Kuss zu sich herunter, der die Schmetterlinge in Rosas Bauch durchdrehen ließ.

Als er sie wieder freigab, schlüpfte Rosa in ihren Morgenmantel und ging in die Küche, um den versprochenen Kaffee zu kochen. David folgte ihr kurze Zeit später. Wieder in den Jeans und dem Longsleeve, die er am Vortag getragen hatte, pfiff er nach den Hunden. Toby sprintete an ihm vorbei, die Treppe hinunter. Socke humpelte etwas langsamer hinterher und wartete, bis David ihn auf die Arme hob und auf den Hof hinuntertrug. Rosa hatte genau gespürt, wann sich der Hund in ihr Bett geschlichen hatte. Doch als sie in der Nacht aufgewacht war, hatte er sich getrollt und war offenbar zu Toby und seinem Plätzchen in der Küche umgezogen.

Bis David und die Hunde wieder in der Wohnung auftauchten, hatte Rosa den Kaffee fertig. Um sich zu beschäftigen, hatte sie ein bisschen mehr Aufwand betrieben als nötig. Sie reichte David einen Becher, und ihre Fingerspitzen berührten sich. Einen Moment verharrten sie, dann zog David die Tasse in seine Richtung, und Rosa verlor den Kontakt zum warmen Porzellan – und zu seiner warmen Haut.

Sie beobachtete David, wie er an dem Kaffee nippte und die Augenbrauen nach oben zog. »Was ist das?«, fragte er und wischte sich einen Klecks Milchschaum von der Oberlippe.

»Meine Spezialmischung. Mit einem Hauch Zimt und Kardamom.«

»Und Milchschaum«, ergänzte er. »Schmeckt himmlisch und weckt die Lebensgeister.«

Apropos Lebensgeister. »Sollen wir uns setzen?«, fragte Rosa. Sie hockte sich auf die Kante des Stuhls, der an der Stirnseite des Esstisches stand. David setzte sich über Eck, sodass sie noch immer nah beieinander waren.

Rosa trank einen Schluck Kaffee und drehte den Becher dann in den Händen. Als ihr bewusst wurde, dass sie es hinauszögerte, stellte sie ihn ab und sah David an. »Wie geht es jetzt weiter?«, fragte sie geradeheraus.

David räusperte sich. »Bereust du es? Ist es okay, ich meine, wegen Julian und so?«

Rosa nickte. Während sie mit David zusammen gewesen war, hatte sie nicht eine Sekunde an ihren Ex-Freund gedacht. Und auch nach dem kurzen Moment beim Aufwachen nicht mehr. Dass es ausgerechnet sein Bruder war, der sie dazu gebracht hatte, ihn zu vergessen, wollte sie im Moment nicht hinterfragen. »Nein.« Sie lächelte. »Ich bereue es nicht.«

David nahm ihre Hände in seine. »Du weißt, dass ich nach München zurückmuss. Früher oder später«, sagte er.

»Ja.« Sie nickte, um das Wort zu unterstreichen. David sollte nicht denken, sie sei eine von diesen klammernden Frauen, die sich ein *Und-wenn-sie-nicht-gestorben-sind* erwartete, nur weil sie einmal mit einem Mann im Bett gelandet war. Die Josefine in seinem Buch war so – Rosa nicht.

»Die Zeit, die ich noch hier bin, würde ich gern mit dir verbringen«, fuhr David fort. »So wie heute Nacht.« Er zog ihre verbundenen Hände an seine Lippen und küsste ihre Fingerknöchel. »Es wäre gelogen zu behaupten, dass ich mich nicht zu dir hingezogen fühle. Mit dir zusammen zu sein fühlt sich besonders an.«

Rosa versuchte, rational zu bleiben, ihren Verstand einzuschalten. David war Schriftsteller. Wenn es jemand schaffte, mit schönen Worten um sich zu werfen, dann ja wohl er. Aber sie sah ihm in die Augen, und sie wollte ihm glauben. Sie wollte, dass er das Zusammensein mit ihr genoss. Weil es ihr genauso ging. »Okay«, flüsterte sie. »Lass uns die gemeinsame Zeit einfach genießen.« Sie räusperte sich. »Aber jetzt sollten wir uns an die Arbeit machen. Ich bin heute dran, den Mühlenladen zu öffnen.«

David zog sie von ihrem Sitz und auf seinen Schoß, um sie zu küssen. Lange und ausgiebig genug, um ihre Entschlossenheit ins Wanken zu bringen. »Wir könnten zusammen duschen«, murmelte er und küsste Rosa auf diesen ganz speziellen Punkt unter ihrem Ohr, der ihr immer eine Gänsehaut über den Körper jagte. »Spart Zeit und Wasser.«

Lachend machte sich Rosa von ihm los. »Wenn wir das machen, kommen wir auf jeden Fall zu spät. Ich gehe als Erstes ins Bad.«

*

David stand auf Rosa. Er stand darauf, sie anzusehen, wenn sie es nicht merkte. Er stand darauf, sie aus einem Dirndl zu schälen und die Stelle unterhalb dieser verdammt sexy, bauchfreien Blusen zu küssen. Genau wie er auf ihre Flechtfrisuren stand. Nicht, dass er das jemals für möglich gehalten hätte. Umso mehr erstaunte es ihn. Noch viel reizvoller war es, diese Frisur zu lösen, dabei ihren schlanken Nacken zu küssen und dann die Hände in den langen, seidigen Strähnen zu vergraben und ihren Duft einzuatmen.

Louisa hatte ihm den Auftrag gegeben, ein kleines Regal zusammenzubauen, in dem nach dem Mühlenfest am nächsten Wochenende die Weihnachtsangebote präsentiert werden würden. David konnte es sich aber nicht verkneifen, immer wieder zu Rosa hinüberzusehen, die am Tresen stand und konzentriert mit dem Zeigefinger eine Liste durchging. Hin und wieder tippte sie ein paar Zahlen in ihren Taschenrechner. Sie war sich seiner Blicke nicht bewusst, genau genommen schien sie überhaupt nichts um sich herum mitzubekommen. Heute trug sie statt eines Dirndls Jeans, schwarze Absatzstiefel und eine weiße Trachtenbluse unter einem graublauen, bestickten Mieder. Ihre Haare hatte sie am Morgen in aller Eile zu zwei Bauernzöpfen geflochten. David hatte ihr dabei zugesehen und das starke Bedürfnis verspürt, sie ins Bett zurückzuzerren. Wann hatte er begonnen, diesen Kleidungsstil, den er in seinem Roman als überholt und altbacken dargestellt hatte, zu mögen? Er konnte sich ein Grinsen nicht verkneifen. Das Schicksal spuckte einem manchmal ordentlich in die Suppe, wenn ihm danach war.

Die Ladentür wurde geöffnet, und David sah zu, wie Rosa mit dem Zeigefinger die Stelle auf ihrer Liste markierte, bis zu der sie gekommen war, und mit einem Lächeln aufsah. »Glück zu«, grüßte sie. Doch als sie erkannte, wer hereingekommen war, erlosch das Lächeln.

David drehte sich um und erkannte Xanders Vater, der in seiner imposanten Größe – und Fülle – mitten im Raum stand und den Blick abschätzig über die Regale schweifen ließ.

»Hubert, was kann ich für dich tun?«, fragte Rosa mit einem frostigen Unterton in der Stimme.

Der Hotelier nickte Rosa zu. »Ist Louisa da?«, wollte er wissen.

»Nein. Aber du kannst genauso gut mit mir sprechen. Lou und ich sind Geschäftspartner, wie du genau weißt. Und wir sind einer Meinung, wenn es um die Lichtung und deine Schnapsidee bezüglich dieses Hotels geht.«

Rosas deutliche Worte ließen David zusammenzucken. Er sah, wie Hubert Valentin die Augen zusammenkniff und sich ein wütender Zug in seinen Mundwinkeln festsetzte. »Die Lichtung gehört deiner Tante. Nur mit ihr werde ich darüber verhandeln«, sagte er. Seine Stimme klang gefährlich leise.

»Dann sage ich es dir noch einmal, Hubert. Ganz deutlich. Louisa und ich sehen das genau gleich. Sie wird nicht an dich verkaufen. Und du wirst am Sternsee keinen Hotelbunker bauen.«

»Du überschätzt dich, Mädchen. Genauso wie du deinen Einfluss im Gemeinderat zu hoch einschätzt.« Er trat näher an den Verkaufstresen heran, und David richtete sich bei dem drohenden Unterton in seiner Stimme an seiner Regalbaustelle auf. »Leute wie du und deine Tante werden es nie begreifen: Wir brauchen Fortschritt in diesem Tal. Hier muss sich was bewegen, wenn wir mit dem Rest der Welt mithalten wollen. Oder denkst du«, er wies mit dem Zeigefinger auf das Plakat, das das Mühlenfest bewarb, »mit solchen lächerlichen kleinen Aktionen zieht ihr Leute ins Tal?«

David konnte sich nicht mehr zurückhalten. Was glaubte dieser aufgeblasene Blödmann denn? »Ist das Ihre Art, die Dinge in die Hand zu nehmen? Indem Sie Ihre Nachbarn in ihren Geschäften aufsuchen, unter Druck setzen und ihnen drohen?« Er trat hinter den Regalen hervor, hinter denen Valentin ihn gar nicht wahrgenommen hatte.

Der ältere Mann fuhr zu ihm herum. »Ach, der Herr Schriftsteller aus München. Es ist immer wieder faszinierend, Sie hier zu sehen. Aber Sie könnten natürlich schon dafür sorgen, dass ein paar Leute mehr zu diesem albernen kleinen Fest auftauchen. Sie müssen nur mal wieder ein paar nette Zeilen über unsere *schöne Müllerin* verfassen.«

»Verschwinde aus unserem Laden, Hubert.«

»Sie sollten jetzt besser gehen.«

Rosa und David hatten gleichzeitig gesprochen.

Hubert blickte zwischen ihnen hin und her. Er schürzte die Lippen und schien nachzudenken. »Ich hatte Sie wirklich gern als Gast im Hotel. Zumindest bis Sie diesen Köter angeschleppt haben«, sagte er zu David. »Ich hatte wirklich gehofft, ein paar Informationen von Ihnen zu bekommen. Ein paar Details über den Mühlenhof, wenn Sie schon die ganze Zeit hier herumlungern. Aber so wie es aussieht, haben die Falkenbergs und Louisa Anger Sie ohne großes Federlesen um den Finger gewickelt.«

»Hubert ...«, setzte Rosa an. Sie stützte ihre Hände auf den Verkaufstresen und beugte sich vor. »Ich will, dass du jetzt ...«

»Warte. Eins noch.« Er machte eine künstliche Pause. »Ich

kann euch das Leben zur Hölle machen. Mit dem Herbstfest könnte ich anfangen, wenn mir danach wäre.« Er schnippte mit dem Finger. »Einfach so. Du weißt, dass wir im Hotel ein großes Halloweenfest planen. Am gleichen Tag.«

»Ja. Aber nicht zur gleichen Zeit. Wir fangen morgens um elf an und ihr erst abends, werden uns also nicht in die Quere kommen. Und jetzt raus hier!«

Hubert schien keinen Grund zu sehen, länger hier zu bleiben. Er hatte sein Anliegen vorgebracht und Druck aufgebaut. Sonst hätte er sich nicht so leicht zum Gehen bewegen lassen. Rosa und David sahen ihm nach, bis sich die Ladentür hinter ihm schloss. Dann ging David zu ihr hinüber und zog sie in seine Arme. »Du warst atemberaubend«, flüsterte er und küsste sie auf die Schläfe.

»Danke.« Sie lachte ein wenig nervös. »Hubert glaubt, er bekommt immer seinen Willen. Ich glaube, er hat schon auf dem Schulhof die anderen Kinder geschubst, wenn sie nicht gemacht haben, was er wollte.«

»Sehr wahrscheinlich.« *Song for whoever* von The Beautiful South erklang aus Davids Hosentasche. Er zog sein Handy hervor, ohne Rosa loszulassen. Hinter ihrem Rücken hob er es hoch und las den Namen auf dem Display. Julian. Einen beschisseneren Zeitpunkt, mit seinem Bruder zu sprechen, konnte es kaum geben. Abgesehen davon, dass er gar nicht mit ihm reden wollte. Wie bei Julians letzten Versuchen drückte er den Anruf weg und schob das Handy zurück in die Tasche.

»Wichtig?«, fragte Rosa.

»Kein bisschen.« Er legte seine Hand an ihre Wange und küsste sie.

22

David hatte vermutlich den ganzen Tag darüber nachgedacht, sie sofort dazu zu verführen, mit ihm ins Bett zu gehen, wenn die Wohnungstür hinter ihnen ins Schloss fiel. Okay, sie hatte sich das auch immer wieder vorgestellt. Zumindest in den Momenten, in denen sie sich nicht über Huberts unverfrorenen Auftritt geärgert hatte. Louisa und sie hatten überlegt, ob Hubert etwas im Schilde führte oder seine Worte nur leere Drohungen waren. Aber was sollte er schon tun, um das Mühlenfest zu boykottieren? Ihnen war nichts eingefallen, worüber sie sich sorgen müssten, also war Rosa zu ihren Tagträumen von David zurückgekehrt.

Trotzdem würde sie sich nicht einfach von ihm ins Bett ziehen lassen. Er war in Sternmoos geblieben, weil er sie besser kennenlernen und ihr Leben verstehen wollte. Genau an dieser Stelle würde sie an diesem Abend weitermachen. Während David mit den Hunden eine Runde drehte, schlüpfte sie in ihr gemütliches Outfit für einen faulen Fernsehabend. Leggins, einen übergroßen Kapuzenpulli, der über die Jahre weich und kuschlig geworden war, und dicke, selbst gestrickte Socken, die ihre Mutter ihr im letzten Winter geschenkt hatte. Sie löste die Zöpfe und fasste ihr Haar zu einem unordentlichen Knoten auf dem Kopf zusammen.

Als David mit den Hunden zurückkehrte, war Rosa bereits

dabei, einen Teller mit Snacks vorzubereiten. »Was hast du vor?«, fragte er, schob die Hände um ihre Taille und küsste ihren Nacken.

»Das wirst du gleich sehen.« Rosa drehte sich in seinen Armen um und küsste ihn auf die Wange. »Fütterst du die Hunde?«

Während er die Tiere versorgte, brachte sie das Essen ins Wohnzimmer, öffnete eine Flasche Rotwein und zündete die unzähligen Kerzen an, die sie überall verteilt hatte.

Als David den Raum betrat, begleiteten Toby und Socke ihn. Er lehnte sich in den Türrahmen und ließ das Wohnzimmer – und Rosa – auf sich wirken. »Wow«, sagte er schließlich. »Das sieht toll aus.« Er schenkte ihr ein träges Grinsen. »Aber weißt du …« Er stieß sich vom Türrahmen ab und kam langsam auf sie zu. »Für mich hättest du dir nicht so viel Mühe machen müssen.«

Rosa lachte. Sein Auftritt war wirklich verführerisch. Aber so einfach würde sie es ihm nicht machen. »Komm her«, lud sie ihn ein und klopfte auf den Platz neben sich. »Das hier ist nicht für dich. Das ist meine Welt. Gegessen wird normalerweise am Esstisch. Einzige Ausnahme: der Fernsehabend.«

David nahm das Glas Rotwein, das Rosa ihm reichte, und setzte sich neben sie. »Und was sehen wir uns an?«

»Etwas, das du wirklich schlimm finden wirst. Zumindest, wenn man deinem Buch glauben will. Du wolltest mein Leben kennenlernen. Ich zeig dir eine Facette, die nicht viele Leute kennen.«

*